D0231639

UN CHOIX

NICHOLAS SPARKS

UN CHOIX

Traduit de l'anglais (États-Unis)
par Jean-Noël Chatain

Titre original : *The Choice*

Publié par Grand Central Publishing, 2007

7-13, boulevard Paul-Émile-Victor – Île de la Jatte
92521 Neuilly-sur-Seine Cedex

www.michel-lafon.com

Pour la famille Lewis :
Bob, Debbie, Cody et Cole,
ma famille

– PROLOGUE –

Février 2007

Les histoires sont aussi uniques que les personnes qui les racontent, et les meilleures sont celles qui réservent une surprise à la fin. C'est en tout cas ce que son père disait à Travis Parker lorsqu'il était enfant. Il le revoyait encore s'asseoir sur le lit auprès de lui, ses lèvres esquissant un sourire, tandis que Travis réclamait une histoire.

– Quel genre d'histoire veux-tu ? lui demandait son père.

– La meilleure de toutes ! répondait Travis.

En général, son père se taisait pendant quelques instants, puis ses yeux s'illuminaient. Il posait son bras autour des épaules de Travis et, de sa plus belle voix de conteur, se lançait dans un récit qui tenait souvent Travis éveillé longtemps après que son père eut éteint la lumière. Il y avait toujours de l'aventure, du danger, des émotions fortes, et l'action se déroulait invariablement dans la petite ville côtière de Beaufort et ses environs, en Caroline du Nord, là où Travis Parker avait grandi et se sentait encore chez lui. Étrangement, la plupart des histoires mettaient en scène des ours. Des grizzlys, des ours bruns, des ours Kodiak de l'Alaska... son père n'étant guère pointilleux sur l'habitat naturel de ces plantigrades. Il préférait se concentrer sur la description de terrifiantes scènes de chasse dans les plaines sablonneuses, si bien que les cauchemars de Travis se peuplèrent d'ours polaires fous sur les rives de l'île de Shackleford jusqu'à ses premières années de collège. Mais ces histoires avaient beau l'effrayer, il demandait inévitablement : « Et ensuite, qu'est-ce qui s'est passé ? »

Aux yeux de Travis, ces souvenirs semblaient les vestiges innocents d'une époque révolue. Il avait quarante-trois ans à présent, et comme il garait sa voiture sur le parking de l'hôpital général du comté de Carteret, où sa femme avait travaillé ces dix dernières années, la question qu'il posait toujours à son père lui revint en mémoire.

Après être descendu du véhicule, il s'empara des fleurs qu'il avait apportées. La dernière fois que son épouse et lui avaient eu une conversation, ils s'étaient disputés, et plus que jamais il souhaitait retirer ses paroles et faire amende honorable. Pourtant, il ne se berçait d'aucune illusion et savait que le bouquet n'arrangerait pas la situation, mais ignorait comment agir autrement. Inutile de préciser qu'il se sentait coupable de ce qui s'était passé, mais des amis mariés lui avaient affirmé que la culpabilité constituait la pierre angulaire de tout mariage réussi. Cela signifiait qu'on avait conscience de ses actes, qu'on tenait certaines valeurs en haute estime, et qu'il valait mieux éviter le plus souvent possible les raisons de se sentir coupable. Ses amis admettaient parfois leurs échecs dans ce domaine précis, et Travis s'imaginait que cela s'appliquait à tous les couples qu'il avait croisés. Il supposait que ses amis avaient tenu ces propos afin de le tranquilliser, de lui assurer que personne n'était parfait et qu'il ne devait pas se montrer si dur envers lui-même. « Tout le monde commet des erreurs », lui avaient-ils dit, et même s'il avait hoché la tête d'un air convaincu Travis savait qu'ils ne comprendraient jamais ce qu'il vivait en ce moment. Impossible. Après tout, leur femme dormait toujours auprès d'eux tous les soirs ; aucun d'eux n'avait vécu séparé pendant trois mois, aucun d'eux ne s'était demandé si son couple redeviendrait un jour ce qu'il était autrefois.

En traversant le parking, il songea à ses deux filles, à son travail, à son épouse. Pour l'heure, il ne trouvait nulle part du réconfort. Il avait l'impression d'échouer dans quasiment tous les domaines de son existence. Ces derniers temps, le bonheur lui paraissait aussi distant et inaccessible qu'un voyage dans l'espace. Il n'avait pas toujours éprouvé cela. Il avait connu une longue période durant laquelle il se souvenait avoir été très heureux. Mais tout change. Les gens changent. Le changement constitue l'une des lois inéluctables de la nature, exigeant de chaque personne qu'elle lui verse son tribut. On commet des erreurs, puis on regrette, et les répercussions qui en découlent rendent presque laborieuse une chose aussi simple que de se lever chaque matin.

Il secoua la tête en s'approchant de l'entrée de l'hôpital, tandis qu'il se revoyait enfant, en train d'écouter les histoires de son père. Sa propre vie avait été la meilleure de toutes, pensa-t-il, le genre d'histoire qui aurait dû se terminer sur une note heureuse. Comme il tendait la main pour ouvrir la porte, il sentit la bouffée familière de souvenirs et de regrets l'envahir.

Plus tard seulement, après s'être laissé surprendre par une nouvelle vague de nostalgie, il consentirait à s'interroger sur ce qui allait se passer par la suite.

– PREMIÈRE PARTIE –

– 1 –

Mai 1996

– Rappelle-moi pourquoi j'ai accepté de t'aider à installer ce truc, grommela Matt, le visage tout rouge, en continuant à pousser le Jacuzzi vers l'emplacement prévu à l'autre bout de la terrasse.

Ses pieds glissaient, et il sentait la transpiration dégouliner sur son front et au coin de ses yeux qui le picotaient. Il faisait chaud, beaucoup trop chaud en ce début mai. Un temps insupportable pour ce genre d'activité. Même Moby, le chien de Travis, s'était réfugié à l'ombre et haletait, langue pendante.

– Parce que t'as pensé que ce serait marrant, répondit Travis Parker, qui trouva la force de hausser les épaules, tout en poussant l'énorme carton avec son ami.

Le spa, qui devait peser dans les cent quatre-vingts kilos, bougea encore de quelques centimètres. À ce compte-là, il serait en place... oh, d'ici une semaine.

– C'est ridicule, reprit Matt, qui appuya de tout son poids sur la grosse boîte en se disant qu'il leur aurait fallu un attelage de mulets.

Il avait le dos en compote et, l'espace d'un court instant,

s'imagina que ses oreilles allaient exploser sous l'effort, comme les fusées à eau que Travis et lui fabriquaient quand ils étaient gamins.

– Tu l'as déjà dit.

– Eh ben c'est pas marrant, bougonna Matt.

– Ça aussi, tu l'as dit.

– Et ça ne sera pas facile à installer.

– Bien sûr que si, répliqua Travis.

Il se redressa et montra l'inscription sur le carton.

– Tu vois ? C'est marqué dessus : « Facile à installer ».

À l'ombre de son arbre, Moby, un boxer pure race, aboya comme pour l'approuver, et Travis sourit d'un air ravi.

Matt se renfrogna et tenta de retrouver son souffle. Il détestait ce regard. Enfin, pas toujours. La plupart du temps, il appréciait l'enthousiasme sans bornes de son ami. Mais pas aujourd'hui. Oh non, pas aujourd'hui !

Matt sortit le bandana de sa poche arrière. Il était trempé, ce qui, bien sûr, devait être du plus bel effet sur le fond de son pantalon. Il s'essuya le visage et essora le foulard d'une rapide torsion. Tel un robinet qui fuit, la sueur se mit à goutter sur sa chaussure. Il la fixa, quasi fasciné, tandis qu'elle traversait la toile légère et lui donnait l'impression d'avoir les orteils visqueux. Épatant, non ?

– Si j'ai bonne mémoire, t'as dit que Joe et Laird viendraient nous donner un coup de main, que Megan et Allison feraient griller des hamburgers, qu'il y aurait de la bière et... ah ouais... qu'installer ce truc ça ne prendrait que deux heures au maximum.

– Ils arrivent, dit Travis.

– Tu disais ça il y a quatre heures.

– Ils doivent avoir un peu de retard.

– Peut-être bien que tu ne les as jamais appelés.

– Bien sûr que si. Et ils amènent les gosses aussi. Je te promets.

– Quand ça ?

– Bientôt.

– Oui, oui, marmonna Matt en fourrant le bandana dans sa poche. Au fait... à supposer qu'ils n'arrivent pas de sitôt, dis-moi franchement comment tu penses qu'on va pouvoir à nous deux descendre cet engin dans le trou pour le mettre en place.

Travis écarta le problème d'un geste de la main, tandis qu'il se retournait vers le carton.

– On trouvera un moyen. Regarde comme on a déjà bien avancé. On est presque à mi-chemin.

Matt lui lança un regard mauvais. C'était samedi ! Jour qu'il réservait aux loisirs et à la détente... l'occasion pour lui d'échapper à son dur labeur... son repos bien mérité après cinq jours de travail à la banque, le genre de journée dont il avait besoin. Il était gestionnaire de crédit, bon sang ! Donc censé gérer des dossiers, et pas trimballer des Jacuzzi ! Il aurait pu regarder les Braves jouer contre les Dodgers ! Il aurait pu aller au golf ! À la plage ! Faire la grasse matinée avec Liz avant de partir chez ses beaux-parents, comme presque tous les samedis, au lieu de se lever aux aurores et de jouer les travailleurs de force pendant huit heures d'affilée sous un soleil de plomb...

Toutefois il réfléchit deux secondes... Il se voilait la face ou quoi ? S'il n'avait pas été là, il aurait à coup sûr passé la journée avec ses beaux-parents, et, en toute franchise, c'était pour cette raison qu'il avait accepté de venir aider Travis. Mais là n'était pas la question. Le fait est qu'il n'avait pas besoin de ça. Vraiment pas.

– Je n'ai pas besoin de ça, dit-il. Vraiment pas.

Travis sembla ne pas l'entendre. Il avait déjà posé les mains sur le carton et se mettait en position.

– T'es prêt ?

Matt baissa l'épaule ; la pilule avait du mal à passer. Ses jambes tremblaient ! Demain, il lui faudrait une double dose d'antalgique pour calmer la douleur. Contrairement à Travis, il ne fréquentait pas une salle de gym quatre fois par semaine, pas plus qu'il ne jouait au racquetball, ni ne faisait du jogging, de la plongée à Aruba, du surf à Bali, du ski à Vail, ni aucune autre des activités pratiquées par son ami.

– C'est pas marrant, tu sais ?

– Tu l'as déjà dit, tu te souviens ? répliqua Travis en lui décochant un clin d'œil.

– Waouh ! s'exclama Joe, les sourcils en accent circonflexe, tandis qu'il faisait le tour du spa.

À présent, le soleil amorçait sa descente dans le ciel, ses rayons dorés se reflétant sur la baie. Au loin, un héron surgit des arbres et s'envola à tire-d'aile, puis frôla gracieusement la surface de l'eau dans un éclat de lumière. Joe et Megan, suivis de Laird et d'Allison, étaient arrivés quelques minutes plus tôt avec les gamins dans leur sillage, et Travis leur montrait sa nouvelle acquisition.

– Ça a l'air génial ! À deux, vous avez fait tout ça aujourd'hui ? demanda Joe.

Travis hocha la tête en brandissant sa bière :

– C'était pas si terrible. Je crois même que Matt s'est régalé.

Joe jeta un coup d'œil à Matt, affalé dans une chaise longue sur le côté de la véranda, la tête recouverte d'un torchon humide. Même sa petite bedaine – Matt était légèrement enrobé – semblait avoir disparu.

– Je vois ça.

– C'était lourd ?

– Comme un sarcophage égyptien ! lâcha Matt d'une voix rauque. Le genre en or massif qu'on déplace avec une grue !

Joe éclata de rire :

– Les gamins peuvent l'essayer ?

– Pas encore. Je viens de le remplir, et il faut attendre que l'eau se réchauffe. Mais le soleil devrait lui faciliter la tâche.

– Le soleil va s'en charger en deux temps trois mouvements ! grogna Matt.

Joe sourit à belles dents. Laird, Travis, Matt et lui se connaissaient depuis l'école maternelle.

– Dure journée, Matt ?

Matt retira le torchon et lui lança un regard noir :

– T'en as même pas idée. Et merci de te pointer juste à temps.

– Travis m'a demandé d'être là à 5 heures. Si j'avais su que vous aviez besoin d'aide, je serais venu plus tôt.

Matt se tourna lentement vers Travis. Parfois il le maudissait vraiment.

– Comment ça se passe avec Tina ? s'enquit Travis en changeant de sujet. Megan arrive à dormir ?

Elle bavardait avec Allison, toutes deux attablées à l'autre bout de la véranda, et Joe jeta un bref regard dans leur direction.

– Un peu, répondit-il. Tina ne tousse plus et fait de nouveau des nuits complètes, mais j'ai quelquefois l'impression que Megan n'est pas programmée pour dormir. En tout cas, pas depuis qu'elle est devenue mère. Elle se lève même si Tina n'a pas poussé le moindre cri. Comme si trop de calme la réveillait.

– C'est une bonne mère, dit Travis. Elle l'a toujours été.

Joe se tourna vers Matt :

– Où est Liz ?

– Elle ne devrait pas tarder, répondit Matt d'une voix d'outre-tombe. Elle passait la journée avec ses parents.

– Génial, ironisa Joe.

– Pas de commentaire. Ce sont des gens sympas.

– Je croyais pourtant que si ton beau-père parlait encore de son cancer de la prostate ou si ta belle-mère se plaignait du fait que Henry se soit fait virer une fois de plus – alors que ce n'était pas sa faute –, tu plongeais la tête dans le four après avoir ouvert le gaz.

– J'ai jamais dit ça ! se défendit Matt en bataillant pour se redresser.

– Oh que si, répliqua Joe en clignant de l'œil, tandis que Liz surgissait à l'angle de la maison, précédée de Ben qui avançait à pas hésitants. Mais ne t'inquiète pas. Je suis une tombe...

Affolé, Matt regarda Liz et Joe à tour de rôle, puis revint à Liz pour voir si elle les avait entendus.

– Salut tout le monde ! lança-t-elle à la cantonade en tenant le petit Ben par la main.

Elle rejoignit aussitôt Megan et Allison, tandis que Ben se détachait pour trottiner vers les autres gamins qui jouaient dans le jardin.

Joe vit Matt soupirer d'un air soulagé. Il sourit et murmura à Travis :

– Donc... tu t'es servi de ses beaux-parents pour l'embobiner ?

– Bah... j'ai dû vaguement y faire allusion, répondit Travis, narquois.

Et Joe de s'esclaffer.

– Qu'est-ce que vous marmonnez, tous les deux ? s'écria Matt, méfiant.
– Rien ! répondirent Joe et Travis à l'unisson.

Plus tard, une fois le soleil couché et le repas terminé, Moby se lova aux pieds de Travis. Tout en écoutant les gamins s'éclabousser dans le Jacuzzi, Travis sentit une vague de bien-être l'envahir. C'était son genre de soirées préférées, où ses amis et lui partageaient fous rires et plaisanteries comme au bon vieux temps. Allison parlait à Joe ; l'instant d'après elle discutait avec Liz, puis avec Laird ou Matt, et chacun agissait de même autour de la table du jardin. Personne n'usait de faux-semblant ni n'essayait d'impressionner les autres ou de les mettre mal à l'aise. Travis se disait parfois que sa vie ressemblait à un spot publicitaire pour de la bière et, la plupart du temps, il se laissait simplement porter par cette agréable impression de convivialité. À l'occasion, l'une des épouses se levait pour voir ce que faisaient les petits. Laird, Joe et Matt, en revanche, incarnaient leur rôle paternel en haussant périodiquement la voix pour éviter aux gamins de se chamailler ou de se blesser par mégarde. Bien sûr, il arrivait qu'un des gosses fasse un caprice, mais ces crises se soldaient souvent par un bisou sur un genou écorché ou un gros câlin, aussi touchant à regarder que tendre pour l'enfant qui en profitait.

Travis promena son regard autour de la table, heureux que ses amis d'enfance soient non seulement devenus de bons maris et de bons pères, mais fassent aussi toujours partie de son existence. À trente-deux ans, il savait que la vie s'apparentait quelquefois à une loterie, et il avait d'ailleurs survécu à son lot de chutes et d'accidents, dont certains auraient pu davantage le meurtrir. Surtout que l'existence se révélait imprévisible. Certaines personnes avec lesquelles il avait grandi étaient déjà mortes au volant, d'autres s'étaient mariées et avaient divorcé, d'autres encore s'adonnaient à la drogue ou à l'alcool, ou avaient tout bonnement quitté cette petite ville, leurs visages se brouillant désormais dans sa mémoire. Quelles étaient a priori les probabilités que tous les quatre continuent de passer leurs week-ends ensemble à trente ans révolus ? Très faibles, se dit-il. Pourtant, après avoir traversé les affres de l'adolescence, l'acné juvénile, les problèmes avec les filles et les conflits avec les parents, puis suivi des cours dans des facs différentes en s'orientant vers des carrières distinctes, ils étaient revenus l'un après l'autre s'installer ici, à Beaufort. Plus qu'un groupe d'amis, ils formaient une vraie famille, avec son langage codé et un passé commun, que la plupart des gens de l'extérieur ne comprenaient pas.

Et, comme par miracle, les épouses s'entendaient bien elles aussi. Alors qu'elles n'étaient pas issues du même milieu ni de la même région, le mariage, la maternité et les perpétuels potins de l'Amérique provinciale suffirent largement à alimenter leurs conversations régulières au téléphone et à tisser entre elles le lien qui eût réuni des sœurs après une longue séparation. Laird fut le premier à se marier... Allison et lui convolèrent en justes noces pendant l'été qui suivit l'obtention de leur diplôme à l'université de Wake Forest. Joe épousa Megan un an plus tard, après qu'ils furent tombés amoureux l'un de l'autre au cours de leur dernière année à l'université de Caroline du Nord. Matt, qui avait étudié à Duke, rencontra Liz sur place, à Beaufort, et ils officialisèrent leur union l'année suivante. Travis fut le *best man*[1] au cours des trois mariages.

---

1. Aux États-Unis, le *best man* (témoin, garçon d'honneur) est traditionnellement responsable du bon déroulement de la journée et de la réception.

Bien sûr, les choses avaient changé ces dernières années, en partie parce que les familles s'étaient agrandies. Laird ne répondait plus toujours présent pour une randonnée à vélo, Joe ne pouvait rejoindre Travis au pied levé pour aller skier dans le Colorado comme par le passé, et Matt n'essayait quasiment plus de le suivre dans la plupart de ses activités. Mais ça ne posait aucun problème. Ils demeuraient tous assez disponibles et, à condition de s'organiser un tant soit peu, il en trouvait toujours au moins un parmi les trois pour profiter au maximum de ses week-ends.

Perdu dans ses pensées, Travis ne s'était pas rendu compte du silence soudain dans la conversation.

– J'ai raté quelque chose ?

– Je te demandais si tu avais parlé à Monica récemment, dit Megan, dont le ton laissait entendre à Travis qu'il allait s'attirer des ennuis.

Tous les six, pensa-t-il, s'intéressaient d'un peu trop près à sa vie sentimentale. Le problème avec les couples légitimes, c'était qu'ils semblaient croire que toutes les personnes de leur connaissance devaient se marier. Chaque femme avec laquelle Travis sortait était donc soumise à une évaluation subtile, quoique impitoyable, surtout de la part de Megan. Du reste, elle était en général la première à lancer le sujet et essayait toujours de comprendre comment Travis fonctionnait avec les femmes. Et lui, bien sûr, savait comment la faire réagir et ne s'en privait pas.

– Pas récemment, admit-il.

– Pourquoi donc ? Elle est gentille.

Il lui incombe aussi de lire les messages de félicitations, d'annoncer les orateurs, de prononcer le discours humoristique d'usage et de porter un toast aux nouveaux mariés. *(N.d.T.)*

Et aussi un tantinet névrosée, se dit Travis. Mais là n'était pas la question.

– C'est elle qui a rompu, tu te souviens ?

– Et alors ? Ça ne veut pas dire qu'elle n'a pas envie d'appeler.

– Je croyais que c'était justement ce que ça signifiait.

Megan, Allison et Liz le dévisagèrent comme s'il était le dernier des abrutis. Les garçons, comme d'habitude, avaient l'air de se délecter. C'était un passage obligé de leurs soirées.

– Mais vous vous êtes disputés, non ?

– Et alors ?

– Ça ne t'a jamais effleuré qu'elle avait peut-être rompu parce qu'elle était en colère ?

– Je l'étais aussi.

– Pourquoi ?

– Elle voulait que j'aille voir un psy.

– Laisse-moi deviner... T'as dû lui rétorquer que tu pouvais t'en dispenser.

– Le jour où j'aurai besoin d'en voir un, je me serai mis au macramé ou je me tricoterai des moufles.

Joe et Laird éclatèrent de rire, mais les sourcils de Megan se dressèrent aussitôt. Ils savaient tous qu'elle regardait le talk-show d'Oprah quasiment chaque jour.

– D'après toi, les hommes n'ont pas besoin d'une thérapie ?

– En ce qui me concerne, non.

– Mais d'une manière générale ?

– Comme je ne peux pas parler au nom de tous, j'en sais vraiment rien.

Megan s'adossa à sa chaise.

– Je pense que Monica avait peut-être mis le doigt sur un truc. Si tu veux mon avis, je crois que t'as du mal à t'investir dans une relation.

– Dans ce cas, j'éviterai de te poser la question.

Megan se pencha vers lui.

– Combien de temps a duré ta plus longue relation ? Deux mois ? Quatre mois ?

Travis prit le temps d'y réfléchir.

– Je suis sorti avec Olivia pendant presque un an.

– Je ne crois pas qu'elle parlait du lycée, ironisa Laird.

À l'occasion, ses copains aimaient bien mettre de l'huile sur le feu.

– Merci, Laird, dit Travis.

– De rien, mon pote. À quoi serviraient les amis, sinon ?

– Tu détournes la conversation, lui rappela Megan.

Travis pianota des doigts sur sa jambe :

– Donc, pour en revenir à... euh... ben disons que la durée ne m'a pas marqué, j'imagine.

– En d'autres termes, tu n'es pas sorti assez longtemps avec une fille pour t'en souvenir.

– Que veux-tu que je te dise ? Je n'ai pas encore rencontré une femme qui puisse se mesurer à l'une ou l'autre d'entre vous.

Malgré l'obscurité grandissante, il constata de visu que ses propos enchantaient Megan. Il savait depuis longtemps que la flatterie se révélait sa meilleure défense dans ce genre de situation, d'autant plus qu'il faisait en général preuve de sincérité. Megan, Liz et Allison étaient des filles géniales. D'une loyauté sans faille, le cœur sur la main, et pétries de bon sens.

– En tout cas, sache que moi je l'aimais bien.

– Ouais, mais t'as toujours apprécié mes petites amies.

– Non. Leslie, je ne l'aimais pas.

Aucune des femmes de ses amis ne l'avait aimée. Matt, Laird et Joe, en revanche, ne détestaient pas sa compagnie, surtout lorsqu'elle portait un Bikini. Une fille incontestablement canon, et si elle n'était pas du genre de celles qu'il épouserait un jour, ça ne les avait pas empêchés de s'éclater tous les deux le temps de leur relation.

– Je dis seulement que tu devrais lui passer un coup de fil, insista Megan.

– Je vais y réfléchir, dit Travis, sachant qu'il ne le ferait pas.

Il se leva de table, en quête d'une échappatoire, et lança :

– Quelqu'un veut une autre bière ?

Joe et Laird levèrent ensemble leurs canettes, les autres secouèrent la tête. Travis partit en direction de la glacière, avant d'hésiter devant la porte vitrée coulissante de sa maison. Il fila au salon et changea le CD sur la platine, puis écouta les accords de la nouvelle musique en rapportant les bières à table. Megan, Allison et Liz discutaient déjà de Gwen, leur coiffeuse, qui avait toujours des anecdotes croustillantes à raconter, dont la plupart concernaient les mœurs pas très licites des braves citoyens de leur ville.

Travis sirota sa bière en silence, regardant vers la côte.

– À quoi tu penses ? s'enquit Laird.

– Oh, rien d'important.

– Tu peux préciser ?

Travis se tourna vers lui :

– T'as jamais remarqué que certaines couleurs pouvaient être des noms de famille, mais d'autres jamais ?

– Qu'est-ce que tu racontes ?

– White et Black, par exemple. Comme Barry White, le chanteur. Et M. Black, notre prof du CE2. Ou même Mlle Rose dans le Cluedo. Mais on n'a jamais entendu parler d'un M. Orange. Comme si certaines couleurs correspondaient à des noms de famille qui sonnaient bien, alors que d'autres avaient carrément l'air idiot. Tu vois où je veux en venir ?

– Je dois avouer que ce truc-là ne m'a jamais traversé l'esprit.

– Moi non plus. Jusqu'il y a une minute à peine, en fait. Mais c'est plutôt bizarre, non ?

– Ben oui, finit par admettre Laird.

Les deux hommes se turent quelques instants, puis :

– Je t'ai dit que c'était pas important.

– Exact.

– J'avais raison ?

– Ouais.

Lorsque la petite Josie piqua sa deuxième colère en l'espace de quinze minutes – il était un peu plus de 9 heures du soir –, Allison la prit dans ses bras et décocha son fameux regard à Laird, celui signifiant qu'il était temps d'aller mettre les gamins au lit. Laird ne chercha pas à la contredire et, quand il se leva de table, Megan regarda Joe à son tour, Liz adressa un signe de tête à Matt, et Travis comprit que la soirée s'achevait. Les parents croyaient peut-être commander, mais en définitive seuls les gamins dictaient les règles.

Il aurait pu tenter de demander à l'un de ses amis de rester, se dit-il, et peut-être même obtenir gain de cause, mais Travis savait depuis longtemps qu'ils vivaient à un autre rythme que le sien. Par ailleurs, il avait comme le pressentiment que Stephanie, sa sœur cadette, passerait le voir plus tard. Elle venait de Chapel Hill, où elle préparait une maîtrise de biochimie. Même si elle allait dormir chez leurs parents, elle était en général tendue après le trajet en voiture et d'humeur à discuter, et leurs parents seraient déjà couchés. Megan, Joe et Liz se levèrent et commencèrent à débarrasser la table, mais Travis les chassa gentiment.

– Je rangerai ça tout à l'heure. Rien ne presse.

Quelques minutes plus tard, deux 4 × 4 et un monospace avaient fait leur plein d'enfants. Debout sous le porche côté rue, Travis leur dit au revoir en agitant la main, tandis qu'ils quittaient l'allée de sa maison.

Ses invités partis, il regagna tranquillement son salon, farfouilla parmi les CD et mit *Tattoo You* des Rolling Stones, puis augmenta le volume. Il prit une autre bière au passage et regagna sa chaise, posa les pieds sur la table et s'adossa. Moby se coucha à ses côtés.

– Rien que toi et moi pendant un petit moment, dit-il. À quelle heure Stephanie va débarquer, tu crois ?

Moby détourna les yeux. Sauf si Travis prononçait les mots « promenade », « balle », « on prend la voiture » ou « viens chercher un os », le chien ne s'intéressait guère à la conversation.

– D'après toi, je devrais l'appeler pour savoir si elle est déjà en route ?

Moby continuait à regarder dans le vague.

– Ouais, c'est ce que je pensais. Elle arrivera quand elle arrivera.

Il resta là à boire tranquillement sa bière et à fixer la baie. Moby se mit à gémir.

– Tu veux aller chercher ta balle ? finit-il par lui proposer.

Le chien se redressa si vite qu'il faillit renverser la chaise.

La musique, c'est la goutte d'eau qui fait déborder le vase ! se dit Gabby alors qu'elle venait de passer l'une des semaines les plus minables de sa vie. La musique à tue-tête, par-dessus le marché ! Bon, à 9 heures un samedi soir, pas de quoi s'affoler... surtout qu'il avait manifestement eu des invités, et à 10 heures ce n'était pas si terrible non plus.

Mais à 11 heures ? Alors qu'il était seul et jouait à la baballe avec son toutou ?

Depuis sa véranda côté jardin, elle le voyait assis là-bas, vêtu du même short qu'il avait porté toute la journée, les pieds sur la table, les yeux fixés sur l'eau. À quoi pouvait-il bien penser ?

Peut-être qu'elle ne devrait pas se montrer aussi dure avec lui, mais simplement l'ignorer. Il était chez lui, non ? Seul maître à bord et tout ça. Il pouvait faire ce qu'il voulait. Mais là n'était pas la question. Le hic, c'est qu'il avait des voisins, y compris elle-même, et elle non plus n'avait de comptes à rendre à personne, mais les voisins étaient censés se montrer prévenants. Et il avait certes dépassé les bornes. Pas seulement à cause de la musique. En toute honnêteté, elle appréciait celle qu'il écoutait et se moquait d'ordinaire du volume ou de la durée des morceaux. Le problème, c'était son chien, Nobby... ou peu importait son nom. Et en particulier, ce que son chien à lui avait fait à sa chienne à elle.

Molly, sans l'ombre d'un doute, était en pleine grossesse.

Molly, sa magnifique, son adorable femelle colley pure race d'une lignée maintes fois primée... le premier cadeau qu'elle s'était offert à l'issue de sa formation d'assistante médicale à l'École de médecine de Virginie... le genre de chien qu'elle avait toujours voulu... Bref, sa petite Molly chérie avait pris du poids depuis deux ou trois semaines. Plus alarmant encore, Gabby avait remarqué que les mamelles de Molly semblaient grossir. Elle pouvait le sentir chaque fois que Molly se roulait sur le dos pour se faire gratter le ventre. Et puis Molly se déplaçait plus lentement aussi. Autant de symptômes laissant supposer qu'elle allait donner naissance à toute une portée de chiots dont personne ne voudrait jamais. Un boxer et un colley ? Elle eut une grimace involontaire en essayant d'imaginer à quoi ressembleraient les petits, avant de chasser l'idée.

Ce ne pouvait être que le chien de cet homme. Quand Molly avait ses chaleurs, ce Nobby ou Bobby campait littéralement devant sa maison comme un détective privé, et c'était le seul que Gabby ait jamais vu se balader dans le quartier depuis des semaines. Son voisin envisagerait-il un jour de poser une clôture autour de son jardin ? Ou de garder son chien à l'intérieur ? Ou alors d'installer un enclos ? Non. Une seule devise semblait l'animer : « Pour mon toutou, liberté avant tout ! ». Pas étonnant. Il menait visiblement sa propre existence suivant le même slogan irresponsable. Quand elle partait au travail, elle le voyait courir, et lorsqu'elle rentrait, il faisait de la moto ou du kayak, quand ce n'était pas du roller-skate ou des tirs de basket dans son allée côté rue, avec un groupe de gamins du coin. Un mois plus tôt, il avait mis son bateau à l'eau et voilà qu'il s'adonnait au *wakeboard*[1] ! Comme si ce type n'avait pas suffisamment d'activités. Impossible qu'il fasse des heures supplémentaires... et elle savait déjà qu'il ne travaillait pas le vendredi. Et puis d'abord, quel boulot vous autorisait à partir chaque matin en jean et en tee-shirt ? Elle l'ignorait, mais soupçonnait – avec une sorte de satisfaction lugubre – que ce genre de job nécessitait à tous les coups le port d'un tablier et d'un badge nominatif.

Bon... peut-être qu'elle manquait d'impartialité. C'était sans doute un gars sympa. Ses amis – qui paraissaient tout à fait normaux et qui avaient des enfants, par-dessus le marché – semblaient apprécier sa compagnie, ils étaient là tout le temps. Elle avait même déjà vu deux d'entre eux au

1. Monoski nautique. *(N.d.T.)*

cabinet médical, quand leurs gamins étaient venus pour un petit rhume ou une otite. Mais pour en revenir à Molly... La chienne était assise près de la porte de derrière, la queue battant le sol, et Gabby angoissait en pensant à l'avenir. Molly irait bien, mais qu'adviendrait-il des chiots ? Et si personne n'en voulait ? Impossible pour Gabby de les porter à la fourrière ou à la SPA, ou à n'importe quelle structure en place dans cette ville, pour les faire piquer. Elle ne pouvait pas faire une chose pareille. Et d'ailleurs elle ne le ferait pas. Pas question d'être complice d'un assassinat !

Mais alors, que faire de tous ces chiots ?

Tout ça, c'était sa faute à lui... et Monsieur était tranquillement assis sur sa véranda, les pieds sur la table, en ayant l'air de s'en moquer comme de l'an 40.

Ce n'était pourtant pas ce dont elle avait rêvé en découvrant la maison pour la première fois. Même si celle-ci ne se situait pas à Morehead City, où vivait son petit ami, Kevin, elle se trouvait juste de l'autre côté du pont. Petite, datant d'une cinquantaine d'années et nécessitant certes quelques travaux par rapport aux autres demeures de Beaufort, elle jouissait cependant d'une vue spectaculaire sur la côte, son jardin se révélait assez grand pour que Molly puisse s'y ébattre, et surtout Gabby pouvait se l'offrir. Ça passait tout juste dans son budget, compte tenu de tous les prêts contractés pour sa formation d'assistante médicale, mais les organismes de crédit se montraient fort compréhensifs en présence d'une cliente comme elle. Bien éduquée et professionnelle jusqu'au bout des ongles.

Pas comme ce M. Tout-Pour-Mon-Chien et Mon-Week-End-Commence-Jeudi-Soir !

Elle poussa un profond soupir et se dit une fois de plus que ce gars était peut-être sympa. Il lui faisait toujours signe quand il la voyait se garer en rentrant du travail, et elle se souvenait vaguement qu'il avait déposé une corbeille avec du vin et du fromage pour lui souhaiter la bienvenue dans le quartier lorsqu'elle avait emménagé deux mois auparavant. Elle n'était pas chez elle ce jour-là, mais il avait laissé le petit cadeau sous le porche, et elle s'était promis de lui envoyer un mot de remerciement... qu'elle n'avait jamais pu se décider à écrire.

Gabby grimaça de nouveau malgré elle. Côté bonne éducation, elle aussi pouvait repasser... Bon, d'accord, elle n'était pas parfaite non plus, mais le message de remerciement n'avait rien à voir dans l'histoire. Il s'agissait de Molly, du chien errant de ce bonhomme et de chiots non désirés... et le moment convenait aussi bien qu'un autre pour en discuter tous les deux. À l'évidence, il n'était pas couché.

Elle quitta sa véranda et se dirigea vers la haie assez haute qui séparait leurs maisons. Elle aurait sans doute souhaité avoir Kevin à ses côtés, mais ça ne risquait pas d'arriver. Pas après leur prise de bec de ce matin, laquelle avait commencé quand Gabby avait mentionné, l'air de rien, que sa cousine allait se marier. Plongé dans la rubrique sportive du journal, Kevin n'avait pas pipé mot, préférant faire la sourde oreille. Dès lors qu'on faisait allusion au mariage, ce type devenait muet comme une tombe, surtout ces derniers temps. Cela n'aurait sans doute pas dû la surprendre, vu qu'ils se fréquentaient depuis quatre ans (soit un de moins que sa cousine, tiens !), et si elle avait appris quelque chose au sujet de Kevin, c'est qu'il avait fortement tendance à la boucler quand un sujet de conversation le mettait mal à l'aise.

Mais Kevin n'était pas le problème. Pas plus qu'elle n'avait l'impression, ces temps-ci, que sa vie ne correspondait pas vraiment à l'image qu'elle s'en faisait. Et ce n'était pas non plus dû à l'horrible semaine au cabinet, durant laquelle on avait vomi trois fois sur sa blouse rien que dans la seule journée de vendredi ! Un record jamais battu jusque-là, à en croire les infirmières, qui ne se gênèrent pas pour ricaner et se firent un plaisir de rapporter l'anecdote. Pas plus qu'elle n'était en colère contre Adrian Melton, le médecin marié de son cabinet, qui aimait l'effleurer chaque fois qu'ils bavardaient, sa main s'attardant un peu trop pour ne pas la gêner. Et elle ne s'en voulait certes pas de n'avoir jamais su se défendre.

Mais non, voyons... c'était M. Fêtard qui la contrariait... et qui, en voisin responsable, devrait forcément admettre qu'il lui incombait autant qu'à elle de trouver une solution à leur problème. Et pendant qu'elle le lui ferait savoir, elle en profiterait peut-être pour lui glisser que c'était un peu tard pour faire brailler sa stéréo (même si elle appréciait la musique), ne serait-ce que pour lui montrer qu'elle ne plaisantait pas.

Tandis que Gabby marchait dans l'herbe, la rosée mouillait le bout de ses orteils dans ses sandales, et le clair de lune projetait des reflets argentés sur la pelouse. Mais elle n'y prêta guère attention, car elle tentait de trouver une entrée en matière. Par courtoisie, elle était d'abord censée frapper à la porte d'entrée côté rue, mais avec la musique à pleins tubes, il ne risquait pas de l'entendre. En outre, elle souhaitait en découdre rapidement, tant qu'elle était bien remontée et prête à l'attaquer de front.

Devant elle, Gabby repéra une brèche dans la haie et partit droit dans cette direction. C'était sans doute par là que Nobby s'était glissé pour profiter de cette pauvre Molly, trop gentille pour lui résister. Gabby eut un pincement au cœur et tenta de se cramponner à ce sentiment. C'était important. D'une importance capitale.

Elle se focalisait tellement sur sa mission vengeresse qu'elle ne vit pas la balle de tennis voler vers elle, juste au moment où elle surgit de l'ouverture dans la haie. Elle entendit toutefois le chien galoper dans sa direction – mais de loin seulement – une seconde avant qu'elle tombe à la renverse sur la pelouse.

Étendue sur le dos, Gabby remarqua vaguement qu'il y avait un peu trop d'étoiles dans le ciel. Pendant quelques instants, elle se demanda pourquoi elle peinait à respirer, avant de sentir la douleur qui la parcourait. Elle ne pouvait rien faire d'autre que de rester allongée dans l'herbe, en battant des paupières à chaque élancement.

Quelque part à distance, elle perçut un mélange de bruits discordants, puis revint progressivement dans le monde réel. Elle essaya de se concentrer et comprit qu'elle entendait des éclats de voix. Ou plutôt une seule voix... qui semblait lui demander si tout allait bien.

Au même instant, elle prit peu à peu conscience d'une odeur forte et chaude, soufflant en rythme sur sa joue. Elle papillonna encore des paupières, tourna lentement la tête et se retrouva face à une énorme tête carrée et velue. Nobby, conclut-elle, l'esprit toujours embrumé.

– Ahhh... gémit-elle en tentant de s'asseoir.

Le chien lui lécha le visage pendant qu'elle remuait.

– Moby ! Couché ! lâcha la voix, qui paraissait plus proche. Ça va ? Peut-être que vous ne devriez pas vous relever tout de suite ?

– Tout va bien, répondit-elle, parvenant enfin à se redresser en position assise.

Encore un peu sonnée, Gabby prit deux ou trois profondes inspirations. Waouh ! se dit-elle, ça fait vraiment mal. Dans le noir, elle sentit quelqu'un s'accroupir auprès d'elle, mais put à peine distinguer ses traits.

– Je suis vraiment désolé, dit la voix.

– Qu'est-ce qui s'est passé ?

– Moby vous a renversée sans le faire exprès. Il courait après une balle.

– Qui est Moby ?

– Mon chien.

– Alors qui est Nobby ?

– Quoi ?

Elle porta une main à sa tempe :

– Aucune importance...

– Vous êtes sûre que ça va ?

– Ouais... dit-elle, encore étourdie, mais sentant la douleur s'atténuer.

Tandis qu'elle commençait à se relever, le voisin posa la main sur son bras afin de l'aider. Cela lui rappela les tout-petits qu'elle voyait au cabinet et qui commençaient à marcher, s'efforçant de rester debout en gardant l'équilibre. Lorsqu'elle put enfin tenir sur ses jambes, elle sentit qu'il la lâchait.

– Drôle de manière de vous accueillir, hein ?

Sa voix paraissait encore lointaine, mais Gabby savait qu'il était tout près et, une fois face à lui, découvrit qu'il dépassait de quinze bons centimètres son mètre soixante-quatorze à elle. Ce n'était pas si courant... En levant la tête, elle remarqua ses pommettes saillantes et sa peau parfaite. Ses cheveux ondulés, naturellement bouclés aux pointes, et ses dents d'une blancheur éclatante. Bref, plutôt séduisant... D'accord, carrément beau gosse, mais elle le soupçonnait d'en être tout à fait conscient. Perdue dans ses pensées, elle ouvrit la bouche pour dire quelque chose, puis la referma, pensant qu'elle avait oublié la question.

– Je disais donc... Vous venez chez moi, et mon chien vous fait tomber, enchaîna-t-il. Je suis vraiment navré. D'ordinaire, il fait un peu plus attention. Dis bonjour, Moby !

Assis sur son arrière-train, l'animal semblait aux anges, ce qui rappela à Gabby le but de sa visite. À ses côtés, Moby tendit la patte pour la saluer. Adorable... et lui-même était mignon pour un boxer... mais pas question de se laisser amadouer. Non seulement ce clebs l'avait renversée, mais il avait aussi déshonoré sa chienne. C'est Voyou qu'il aurait dû s'appeler. Ou, mieux encore, Pervers !

– Vous êtes certaine que tout va bien ?

Compte tenu du ton aimable de son voisin, Gabby comprit que la confrontation prendrait une autre tournure que celle qu'elle avait souhaitée. Aussi tenta-t-elle de recouvrer son état d'esprit à son arrivée chez lui.

– Parfaitement, répliqua-t-elle sèchement.

L'espace d'un instant plutôt gênant, ils se dévisagèrent en silence. Puis il finit par désigner sa terrasse derrière lui.

– Voulez-vous vous asseoir sur la véranda ? Je suis en train d'écouter de la musique.

– Pourquoi pensez-vous que j'en aurais envie ? rétorqua-t-elle en sentant qu'elle reprenait le contrôle d'elle-même.

Il hésita.

– Parce que vous veniez me voir ?

Ah oui, se dit-elle. C'est vrai...

– Mais je suppose qu'on pourrait rester là près de la haie, si vous préférez.

Elle leva la main pour l'arrêter, impatiente d'en finir.

– Je suis venue parce que je souhaitais vous parler...

Elle s'interrompit en le voyant se claquer le bras.

– Moi aussi ! lâcha-t-il avant qu'elle puisse reprendre.

J'avais l'intention de passer vous souhaiter officiellement la bienvenue. Vous avez eu ma petite corbeille ?

Elle perçut un bourdonnement à son oreille et chassa l'insecte d'un geste de la main.

– Oui. Merci, répondit-elle, un peu distraite. Mais je voulais discuter de...

Elle n'acheva pas sa phrase, car il ne l'écoutait visiblement pas, mais battait l'air de sa main.

– Vous êtes sûre de ne pas vouloir aller sur la terrasse ? insista-t-il. Les moustiques sont drôlement vicieux près des buissons.

– Ce que j'essayais de vous dire, c'est que...

– Il y en a un sur le lobe de votre oreille, dit-il en pointant l'index.

D'instinct, elle leva la main droite.

– L'autre.

Elle écrasa la bestiole d'un coup sec et vit une tache de sang sur ses doigts. *Beurk !*

– Un autre tout près de votre joue.

Face à la nuée grandissante, elle agita de nouveau la main.

– Qu'est-ce qui se passe ?

– Je vous l'ai dit, ce sont les buissons. Ils se reproduisent dans l'eau, et c'est toujours humide à l'ombre des...

– Entendu, céda-t-elle. On peut parler sur la terrasse.

L'instant d'après, ils étaient hors de danger et avançaient d'un bon pas.

– Comme je déteste les moustiques, je fais brûler des bougies à la citronnelle sur la table. En général, ça suffit à les tenir à distance. Ils sont bien plus acharnés en plein été.

Il laissa juste assez de place entre eux deux pour éviter qu'ils se heurtent par mégarde.

– Au fait, je ne crois pas m'être présenté en bonne et due forme. Moi, c'est Travis Parker.

Elle tergiversa un peu. Elle n'était pas là pour devenir sa copine, après tout, mais la perspective d'une discussion et les bonnes manières prirent le dessus. Aussi, répliqua-t-elle, avant de se raviser :

– Je m'appelle Gabby Holland.

– Ravi de faire votre connaissance.

– Mouais... fit-elle en croisant ostensiblement les bras, avant de porter sans le vouloir une main à ses côtes, où subsistait une douleur sourde. Celle-ci remonta jusqu'à son oreille, qui commençait déjà à la démanger.

En l'observant de profil, Travis se rendit compte qu'elle était contrariée. Sa bouche prenait cet air pincé que Travis avait vu chez bon nombre de ses petites amies. Malgré tout, il ignorait pourquoi elle lui en voulait. À l'exception du fait que le chien l'avait renversée, bien sûr. Elle lui faisait penser à sa sœur cadette Stephanie, à cause de cette expression laissant deviner une rancœur qui montait lentement en elle... et Gabby semblait agir de la même manière à présent. Comme si elle s'était mise en colère toute seule. Mais les similitudes avec sa sœur s'arrêtaient là. Alors que Stephanie était devenue en grandissant une femme d'une indéniable beauté, Gabby se révélait tout aussi séduisante mais de manière moins harmonieuse. Ses yeux bleus étaient un peu écartés, son nez un soupçon trop long, et les cheveux roux pas toujours faciles à porter. Toutefois, ces petites imperfections ajoutaient une touche de vulnérabilité à son charme naturel, auquel devaient succomber la plupart des hommes.

Dans le silence ambiant, Gabby tenta de rassembler ses idées.

– Je suis venue pour...

– Attendez, dit-il. Avant de commencer, pourquoi ne pas vous asseoir ? Je reviens tout de suite.

Il s'en alla vers la glacière, puis virevolta aussitôt :

– Vous voulez une bière ?
– Non, merci, dit-elle, toujours aussi pressée d'en finir.
Refusant de s'asseoir, elle se tourna dans l'espoir de lui faire face lorsqu'il repasserait. Mais il la prit de court et s'affala sur sa chaise, se cala contre le dossier et posa les pieds sur la table.
Agacée, Gabby resta debout. Décidément, ça ne se passait pas du tout comme prévu.
Il ouvrit sa canette et but une petite gorgée.
– Vous n'allez vraiment pas vous installer ? lança-t-il par-dessus son épaule.
– Je préfère rester debout, merci.
Travis plissa les yeux et mit sa main en visière :
– Mais je vous vois à peine, dit-il. À cause des lumières de la véranda derrière vous.
– Je suis venue vous dire quelque chose...
– Vous voulez bien vous déplacer un peu ?
Elle maugréa, impatiente, et fit quelques pas de côté.
– C'est mieux ?
– Pas tout à fait.
À présent, elle se tenait quasiment contre la table. Elle leva les bras d'un air exaspéré.
– Peut-être que vous devriez simplement vous asseoir.
– Bon, d'accord !
Elle rapprocha une chaise et s'y installa. Ce type chamboulait tout ce qu'elle avait préparé.
– Je suis venue vous voir parce que je voulais vous parler... reprit-elle en se demandant si elle devait commencer par l'état de Molly ou par les rapports de bon voisinage.
Il haussa les sourcils :
– Vous l'avez déjà dit.
– Je sais ! C'est ce que j'essaye de faire depuis tout à l'heure, mais vous ne me laissez pas terminer !

Il vit le même regard assassin que lui lançait sa sœur en pareille situation, mais ne savait toujours pas ce qui la mettait autant en boule. Une seconde plus tard, elle se mit à parler, un peu hésitante au début, comme si elle craignait qu'il l'interrompe encore. Ce qu'il ne fit pas, et elle parut trouver son rythme, les mots lui venant de plus en plus rapidement. Elle lui raconta comment elle avait découvert la maison, combien elle était enthousiaste à l'idée de l'acheter, d'autant qu'elle rêvait depuis longtemps d'en posséder une... puis elle aborda le sujet de Molly, dont les mamelles avaient apparemment grossi. Au début, Travis se demandait qui pouvait être cette fameuse Molly – ce qui rendit cette partie du monologue assez surréaliste –, puis il comprit peu à peu qu'il s'agissait du colley femelle de Gabby, qu'il avait aperçu à l'occasion lorsqu'elle le promenait. Ensuite elle se mit à parler de chiots tout vilains et d'assassinat, et étrangement du fait que le Dr Mains-Baladeuses et le vomi n'avaient rien à voir avec sa contrariété, mais franchement tout cela se révéla assez décousu jusqu'à ce qu'elle désigne Moby. Cela permit à Travis de faire le rapport et de comprendre enfin qu'elle reprochait à Moby d'avoir engrossé Molly.

Il voulait lui dire que son chien n'avait rien à voir dans cette affaire, mais Gabby était si bien lancée qu'il préféra la laisser finir avant de protester. À ce stade, elle était revenue au début de son histoire. Elle continuait à lui dévoiler ici et là certains aspects de sa vie, tels les fragments d'un discours improvisé et sans lien apparent les uns avec les autres, le tout ponctué d'éclats de colère envers lui. Travis eut l'impression de l'écouter une bonne vingtaine de minutes, même s'il savait que ça n'avait pas pu durer aussi longtemps. Malgré tout, ce n'était pas franchement agréable d'entendre une étrangère l'accuser de ne pas se comporter en bon voisin, et il n'appréciait pas non plus la façon dont elle parlait de Moby. Aux yeux de Travis, Moby était tout bonnement le chien le plus irréprochable qui soit au monde.

Elle s'interrompit à une ou deux reprises, et Travis essaya chaque fois de réagir, mais en vain... car elle reprenait aussitôt la parole. Il l'écouta donc et, dans les moments où elle ne les insultait pas, lui ou son chien, il devina chez elle une forme de désespoir, une certaine confusion quant à la tournure prise par son existence. La chienne – qu'elle en ait ou non conscience – n'était qu'une infime partie de ce qui la perturbait. Travis la trouvait touchante et se surprit à hocher la tête, ne serait-ce que pour lui montrer qu'il lui prêtait attention. De temps à autre, elle lui posait une question, mais avant même qu'il puisse glisser un mot, elle y répondait à sa place. « Les voisins ne sont-ils pas censés réfléchir avant d'agir ? » Évidemment, allait-il dire, mais elle le devança : « Bien sûr que oui ! », s'écria-t-elle, et Travis acquiesça malgré lui.

Lorsque sa longue tirade se termina enfin, elle baissa la tête, le regard rivé au sol, épuisée. Même si ses lèvres ne tremblaient pas, Travis crut voir des larmes poindre et se demanda s'il ne devait pas lui proposer un mouchoir. Ceux-ci se trouvaient dans la maison – trop loin, se dit-il –, mais il se souvint des serviettes en papier près du gril. Il se leva d'un bond, alla en prendre plusieurs et les lui apporta. Il lui en tendit une, qu'elle refusa d'abord puis finit par accepter. Elle s'essuya le coin des yeux. Maintenant qu'elle s'était radoucie, il la trouvait encore plus jolie qu'au début.

Elle poussa un soupir entrecoupé d'un sanglot.

– La question, c'est de savoir ce que vous allez faire, s'enquit-elle.

Il hésita, ne sachant pas au juste où elle voulait en venir.

– À propos de quoi ?

– Des chiots !

Sentant de nouveau la colère monter en elle, il leva les bras pour tenter de la calmer.

– Commençons par le commencement. Vous êtes certaine qu'elle attend des petits ?

– Bien sûr que oui ! Avez-vous écouté un seul mot de ce que je vous ai dit ?

– L'avez-vous amenée chez un vétérinaire ?

– Je suis assistante médicale. J'ai passé deux ans et demi en formation et une autre année à effectuer des stages en alternance. Je sais reconnaître une grossesse.

– Chez une femme, je n'en doute pas une seconde. Mais chez les chiens, c'est différent.

– Qu'en savez-vous ?

– J'ai pas mal d'expérience dans ce domaine. En fait, je suis...

Tu parles ! pensa-t-elle en le faisant taire d'un geste de la main.

– Elle se déplace plus lentement, ses mamelles sont gonflées, et son comportement est bizarre. Qu'est-ce que ça pourrait être, sinon ?

À vrai dire, tous les hommes qu'elle avait rencontrés s'imaginaient que le simple fait d'avoir eu un chien dans leur enfance les transformait en véritables experts de la gent canine !

– Et si elle avait une infection ? Ça provoquerait les boursouflures. Et si l'infection était assez sérieuse, ça risquerait de lui faire mal, aussi, ce qui expliquerait son comportement.

Gabby ouvrit la bouche pour répliquer, puis se ravisa en pensant qu'elle n'avait pas envisagé cette hypothèse. Une infection pouvait en effet entraîner un gonflement des mamelons – une mastite ou quelque chose comme ça –, et pendant quelques instants elle éprouva un grand soulagement. Mais plus elle y réfléchissait, moins elle pouvait nier l'évidence. Ce n'étaient pas seulement un ou deux mamelons qui étaient enflés, mais tous. Elle tortilla nerveusement la serviette en espérant que cette fois il l'écouterait.

– Elle va avoir des petits. Et vous allez devoir m'aider à leur trouver un foyer, puisque je n'envisage pas de les déposer à la fourrière.

– Je suis sûr que Moby n'y est pour rien.

– Et moi j'étais sûre que vous alliez dire ça !

– Mais c'est parce que...

Elle secoua la tête d'un air furieux. C'était tellement classique ! En cas de grossesse imprévue, c'était toujours aux femmes de se débrouiller. Elle se leva de sa chaise.

– Vous allez devoir prendre vos responsabilités. Et j'espère que vous avez conscience qu'il ne sera pas facile de placer les chiots !

– Mais...

– C'était quoi, cette furie ? demanda Stephanie.

Gabby avait disparu de l'autre côté de la haie. Quelques secondes après, il l'avait vue rentrer chez elle par la porte vitrée coulissante. Il était toujours assis à la table, encore un peu sous le choc, lorsqu'il vit sa sœur qui s'approchait.

– Tu es là depuis combien de temps ?

– Assez longtemps.

Elle découvrit la glacière près de la porte et en sortit une bière.

– Pour un peu, j'ai cru qu'elle te collerait un coup de poing. Puis je me suis dit qu'elle allait pleurer. Et ensuite elle avait l'air de vouloir à nouveau te boxer.

– C'est à peu près ça, admit-il tandis qu'il se frottait le front en se remémorant la scène.

– Toujours charmant avec tes petites amies, à ce que je vois.

– C'est pas ma petite amie. C'est ma voisine.

– Encore mieux, ironisa Stephanie en s'asseyant. Depuis combien de temps vous sortez ensemble ?

– On ne sort pas ensemble. En fait, c'est la première fois que je la rencontre.

– Impressionnant ! Je ne pensais pas que tu possédais ça.

– Quoi donc ?

– Tu sais... la faculté de se faire détester par quelqu'un aussi rapidement. C'est un don drôlement rare. D'ordinaire, il faut d'abord bien connaître la personne.

– Très drôle.

– C'est aussi mon avis. Quant à Moby...

Elle se tourna vers le chien et fit mine de le gronder en agitant son doigt :

– Tu aurais dû savoir à quoi t'en tenir.

Moby frétilla de la queue avant de se redresser. Il marcha vers Stephanie et fourra son museau contre ses genoux. Elle lui releva la tête, ce qui incita l'animal à pousser encore plus fort.

– Du calme, espèce de vieux cabot en rut !

– C'est pas la faute de Moby.

– C'est ce que tu lui as dit. Mais elle n'a rien voulu savoir, bien sûr. C'est quoi, son problème ?

– Elle était juste un peu perturbée.

– Je m'en suis rendu compte. Il m'a fallu un petit moment avant de comprendre où elle voulait en venir. Mais je dois avouer que c'était marrant.

– Commence pas, s'il te plaît.

– J'ai rien dit de mal, répliqua Stephanie en tentant de lire dans les pensées de son frère. Elle était plutôt jolie, tu ne trouves pas ?

– Ça ne m'a pas frappé.

– Ben voyons... Je parie que c'est la première chose que t'as remarqué. J'ai vu la façon dont tu la matais.

– Dis donc, t'es en forme ce soir.

– J'avais intérêt à l'être aujourd'hui. L'examen que je viens de finir était une vraie tuerie.

– C'est censé vouloir dire quoi ? Tu penses avoir raté une question ?

– Non. Mais certaines m'ont demandé de me creuser la cervelle.

– J'aimerais pas être à ta place.

– Oh, t'inquiète... J'ai encore trois exams la semaine prochaine.

– Pauvre chérie. C'est tellement plus dur de jouer les éternelles étudiantes que d'aller gagner sa vie.

– C'est l'hôpital qui se fout de la charité, ma parole. T'as passé plus de temps que moi sur les bancs de la fac. À propos... comment réagiraient papa et maman, d'après toi, si je leur annonçais que je compte y rester deux ans de plus pour obtenir mon doctorat ?

La cuisine s'alluma soudain dans la maison de Gabby. Cela détourna l'attention de Travis, qui mit quelques instants pour répondre :

– Ils seraient sans doute d'accord. Tu connais les parents.

– Je sais. Mais ces derniers temps, j'ai comme l'impression qu'ils souhaitent me voir rencontrer quelqu'un et m'installer.

– Bienvenue au club. Ça fait des années que je ressens la même chose en ce qui me concerne.

– Ouais, mais pour moi, c'est différent. Je suis une femme. Mon horloge biologique continue de tourner.

La cuisine s'éteignit chez la voisine ; quelques secondes plus tard, une lumière apparut dans la chambre. Il se demanda vaguement si Gabby allait se mettre au lit.

– Rappelle-toi que maman s'est mariée à vingt et un ans, poursuivit Stephanie. À vingt-trois, elle t'avait déjà mis au monde.

Elle attendit une réaction, mais rien ne vint.

– Pourtant, regarde comme tu t'en es bien sorti. Peut-être que ça pourrait me servir d'argument.

Les paroles de sa sœur pénétrèrent peu à peu l'esprit de Travis, qui la regarda en plissant le front quand il les eut captées.

– Tu m'insultes, maintenant ?

– Je te testais, répliqua-t-elle, narquoise. Histoire de vérifier si tu m'écoutais vraiment ou si tu pensais à ta nouvelle copine de l'autre côté de la haie.

– C'est pas ma copine.

Il se trouvait un peu trop sur la défensive, mais ne pouvait s'en empêcher.

– Pas encore, précisa Stephanie. Mais mon petit doigt me dit qu'elle va le devenir.

– 2 –

Après avoir quitté son voisin, Gabby était plus perturbée que jamais, et, lorsqu'elle eut refermé sa porte elle s'y adossa un moment, le temps de clarifier ses idées.

Peut-être qu'elle n'aurait jamais dû passer le voir, se dit-elle. Ça n'avait sans doute rien arrangé. Non seulement il ne lui avait pas présenté ses excuses, mais il était allé jusqu'à nier la responsabilité de son chien. Cependant, alors qu'elle s'éloignait enfin de sa porte, elle se surprit à sourire. Au moins, elle avait tenu bon et exposé clairement son point de vue. Certes, il lui avait fallu un certain courage... En général, elle n'était pas très douée pour donner franchement son avis. Pas en présence de Kevin, par exemple... à propos du fait que leurs seuls projets d'avenir se limitaient au week-end suivant. Ou avec le Dr Melton, au sujet de ses mains baladeuses. Pas même avec sa mère, toujours prête à lui proposer une solution susceptible de corriger ses erreurs.

Son sourire s'évanouit lorsqu'elle aperçut Molly qui dormait dans un coin. Un rapide coup d'œil lui rappela que ça ne changeait rien à l'issue finale et que peut-être, peut-être seulement, elle aurait pu mieux se débrouiller en le convainquant que c'était son devoir à lui de l'aider. Comme elle se repassait le film de la soirée, elle sentit une vague de gêne l'envahir. Elle savait qu'elle s'était mise à radoter, mais sa chute l'avait un peu sonnée, puis sa contrariété avait pris la relève et l'avait transformée en véritable moulin à paroles. Sa mère aurait eu matière à s'en donner à cœur joie. Elle l'adorait, mais sa mère était de celles qui ne perdaient jamais le contrôle de la situation. Ça rendait Gabby folle ; plus d'une fois dans son adolescence, elle avait eu envie de la saisir par le bras et de la secouer, ne serait-ce que pour lui arracher une réaction spontanée. Bien sûr, ça n'aurait pas marché. Sa mère l'aurait laissée faire, en attendant que la crise se termine, puis elle aurait rajusté sa coiffure et lâché une remarque horripilante du genre : « Bien, Gabrielle, à présent que tu t'es défoulée, pouvons-nous discuter de cela en nous comportant comme des dames ? ».

Les « dames ». Gabby ne pouvait pas supporter ce mot. Quand sa mère le prononçait, Gabby se sentait anéantie par un puissant sentiment d'échec lui laissant supposer qu'elle avait encore du chemin à faire sans aucune carte routière pour parvenir à destination.

Bien sûr, sa mère ne pouvait pas lutter contre sa manière d'être, pas plus que Gabby. Sa mère était un cliché vivant de la femme du Sud élevée dans des robes à froufrous avant d'être présentée à la haute société, lors du Cotillon de Noël de Savannah, l'un des bals des débutantes les plus sélects du pays. À l'université de Géorgie, elle officiait en qualité de trésorière de l'association féminine Tri Delts, encore une tradition familiale, tout en restant apparemment persuadée que décrocher un diplôme se révélait bien moins important que d'œuvrer en vue de l'obtention du titre envié d'épouse, unique choix de carrière possible, selon elle, pour une dame du Sud qui se respecte. Inutile de préciser que le titre d'époux nécessaire au bon équilibre de l'équation devait être digne du nom de famille – ce qui signifiait riche pour l'essentiel.

Son père, à présent. Promoteur immobilier et entrepreneur de renom, il avait épousé sa mère, sa cadette de douze ans, et s'il n'était pas aussi prospère que certains, nul doute qu'il vivait dans l'aisance. Pourtant, lorsque Gabby regardait les photos du mariage de ses parents prises sur le parvis de l'église, elle se demandait comment deux personnes aussi différentes avaient pu tomber amoureuses. Alors que maman adorait le faisan du country-club, papa préférait le *biscuits and gravy*[1] du petit restaurant local ; si maman n'allait jamais au-delà de la boîte aux lettres sans maquillage, papa portait des jeans et avait toujours les cheveux en bataille. Mais ils s'aimaient... Gabby n'en avait jamais douté. Le matin, il lui arrivait de les surprendre tendrement enlacés, et elle ne les avait jamais entendus se disputer. Pas plus qu'ils ne faisaient chambre à part, comme tant de parents d'amis de Gabby, lesquels passaient davantage à ses yeux pour des associés d'affaires que pour des amants. Aujourd'hui encore, lorsqu'elle leur rendait visite, elle trouvait ses parents blottis l'un contre l'autre sur le canapé ; et quand ses amis s'en émerveillaient, elle se contentait de secouer la tête en admettant qu'en dépit des apparences ils étaient parfaitement assortis.

Au grand désespoir de sa mère, Gabby la rousse, à l'inverse de ses trois sœurs blondes comme les blés, avait toujours tenu de son père. Même petite, elle préférait les salopettes aux robes, adorait grimper aux arbres, et passait des heures à jouer dans la terre. De temps à autre, elle

1. *Biscuits and gravy* : plat traditionnel du sud des États-Unis, à base de petits gâteaux salés nappés de sauce épaisse au jus de viande, parsemée de morceaux de saucisses, de bacon et de bœuf haché. *(N.d.T.)*

suivait son père sur les chantiers, imitait ses gestes lorsqu'il vérifiait l'étanchéité d'une fenêtre récemment installée, ou jetait un œil dans les cartons livrés par Mitchell, le magasin de bricolage. Son père lui enseigna comment amorcer un hameçon et lui apprit à pêcher, et elle aimait rouler à ses côtés dans son vieux camion tout bosselé avec sa radio cassée, un véhicule qu'il n'avait pas pris la peine de changer. Après le travail, ils jouaient au ballon ou tiraient des paniers sur le panneau de basket-ball, tandis que sa mère les observait derrière la fenêtre de la cuisine, d'un air aussi réprobateur que perplexe. Et il n'était pas rare d'apercevoir ses sœurs, bouche bée, à ses côtés.

Si Gabby se plaisait à vanter sa liberté d'esprit quand elle était enfant, elle avait en réalité fini par adhérer à la vision du monde que partageaient ses parents, en grande partie parce que sa mère était une virtuose de la manipulation maternelle. En grandissant, Gabby suivit davantage son opinion en matière de tenue vestimentaire et de la « conduite convenable pour une dame », simplement pour éviter de se sentir coupable. De toutes les armes composant l'arsenal de sa mère, la culpabilité se révélait de loin la plus efficace, et cette chère maman savait fort bien s'en servir. Un haussement de sourcils ici, une petite remarque là, et Gabby finit par prendre des cours de danse, puis de piano et, à l'instar de sa mère, fit son entrée officielle dans la haute société lors du Cotillon de Noël de Savannah. Si sa mère était fière ce soir-là – l'expression de son visage en témoignait –, Gabby se sentit alors prête à assumer ses propres choix, dont elle savait que certains lui déplairaient. Bien sûr, elle comptait un jour se marier et avoir des enfants, tout comme sa mère ; mais elle savait désormais qu'elle souhaitait aussi une carrière comme son père. Plus précisément, elle voulait devenir médecin.

Oh, maman ne sourcilla pas lorsqu'elle apprit sa décision. Au début, en tout cas. Puis elle passa subtilement à l'offensive pour la culpabiliser. À mesure que Gabby réussissait haut la main ses examens l'un après l'autre, sa mère plissait le front et s'interrogeait à voix haute sur les possibilités de mener de front une carrière de médecin, d'épouse et de mère à plein temps.

« Mais si le travail est plus important que la famille à tes yeux, disait-elle, alors je t'en prie, deviens médecin. »

Gabby tenta de résister, mais les vieilles habitudes ont la vie dure, et elle finit par opter pour une école d'assistants médicaux plutôt que pour la fac de médecine. Les raisons de son choix ne manquaient pas de bon sens : elle continuerait à recevoir des patients tout en bénéficiant d'horaires relativement stables et sans jamais assurer de garde... un choix certes mieux adapté à une vie de famille. Cependant, ça l'agaçait parfois de savoir que c'était sa mère qui, la première, lui avait mis cette idée en tête.

Néanmoins, elle ne pouvait nier l'importance qu'elle attachait à la famille. Comme toute personne ayant été le fruit d'un mariage heureux, elle avait grandi en croyant que le conte de fées était bien réel, et surtout pensait mériter une telle vie. Jusque-là pourtant, ça ne marchait pas tout à fait comme prévu. Kevin et elle s'étaient fréquentés assez longtemps pour tomber amoureux, ils avaient survécu aux aléas qui brisent la plupart des couples et envisageaient même l'avenir ensemble. Elle avait décidé que c'était avec lui qu'elle souhaitait passer sa vie... et elle fronça les sourcils en songeant à leur plus récente dispute.

Comme si elle sentait le désarroi de Gabby, Molly se redressa, la rejoignit en se dandinant et fourra son museau dans la main de sa maîtresse. Gabby la caressa et sentit les poils glisser entre ses doigts.

« Je me demande si c'est le stress, se dit-elle en regrettant que sa vie ne ressemble pas à celle de Molly. Simple, sans soucis ni responsabilités... hormis pour la grossesse. Tu me trouves stressée, dis ? »

Molly ne répondit évidemment pas, mais c'était inutile. Gabby se savait inquiète. Elle le sentait dans la tension de ses épaules, lorsqu'elle réglait les factures, quand le Dr Melton la lorgnait d'un air concupiscent, ou lorsque Kevin faisait la sourde oreille à propos de ce qu'elle espérait en acceptant de se rapprocher de lui. Ce qui n'arrangeait rien non plus, c'était le fait de ne pas avoir vraiment d'amis par ici, à l'exception de Kevin. En dehors du cabinet, elle ne connaissait pas grand monde, et à vrai dire son voisin était la première personne avec laquelle Gabby avait parlé depuis son emménagement. En y repensant, elle se dit qu'elle aurait peut-être dû se montrer un peu plus gentille envers lui. Elle éprouva du remords d'avoir joué les mégères, d'autant plus qu'il paraissait plutôt sympa. Quand il l'avait aidée à se relever, il s'était quasiment comporté en ami. Et dès qu'elle s'était mise à jacasser, il ne l'avait pas interrompue, ce qui était agréable, en un sens.

Avec le recul, elle trouvait même cette attitude remarquable, étant donné qu'elle avait dû passer pour une vraie cinglée : ce type ne s'était pas démonté, pas plus qu'il ne l'avait enguirlandée, ce que Kevin aurait sans doute fait. En pensant à la délicatesse avec laquelle il l'avait aidée à se remettre debout, Gabby se sentit rougir. Et plus tard, après qu'il lui eut tendu la serviette, elle l'avait surpris en train de l'observer d'une manière laissant supposer qu'il la trouvait séduisante. Voilà longtemps que ça ne lui était pas arrivé, et même si elle l'admettait difficilement, ça lui redonnait confiance en elle. Incroyable ce qu'une petite confrontation en toute franchise pouvait faire du bien à l'ego !

Elle se rendit dans sa chambre et enfila un pantalon de jogging confortable et un vieux tee-shirt usé qui datait de sa première année d'étudiante. Molly marchait sur ses talons, et lorsque Gabby comprit ce que voulait la chienne, elle lui indiqua la porte.

– T'es prête pour aller faire un petit tour ? s'enquit-elle.

Molly agita la queue en se dirigeant vers la porte. Gabby l'examina attentivement. Elle avait toujours l'air de porter, mais peut-être que son voisin disait vrai. Gabby devrait l'amener chez le vétérinaire, ne serait-ce que pour en avoir le cœur net. En outre, elle ignorait tout à fait comment s'occuper d'une chienne qui attendait des petits. Elle se demanda si Molly aurait besoin de vitamines supplémentaires, ce qui lui rappela qu'elle ne suivait pas sa propre résolution de mener une vie plus saine. Manger mieux, faire de l'exercice, dormir à des heures régulières, se détendre. Elle avait prévu de s'y mettre dès qu'elle aurait emménagé. Les grandes résolutions pour la nouvelle maison, en quelque sorte... mais elle ne les avait jamais vraiment mises en œuvre. Demain, elle irait courir, c'était décidé... et puis elle prendrait une salade au déjeuner, et une autre au dîner. Et dès qu'elle se sentirait mûre pour passer aux changements radicaux de son existence, elle pourrait peut-être demander tout net à Kevin quels étaient ses projets pour l'avenir.

Après réflexion, ce n'était peut-être pas une si bonne idée. Se défendre face au voisin, d'accord, mais était-elle prête à accepter les conséquences si la réponse de Kevin ne lui convenait pas ? Et s'il n'avait aucun projet ? Avait-elle vraiment envie de quitter son premier emploi au bout de deux mois ? Vendre sa maison ? Déménager ? Et jusqu'où acceptait-elle d'aller ?

Elle n'était sûre de rien, hormis du fait qu'elle ne voulait pas le perdre. Mais essayer d'améliorer son hygiène de vie...

nul doute qu'elle pouvait s'y mettre. Une étape après l'autre, d'accord ? Sa décision étant prise, elle sortit sur la terrasse et regarda Molly descendre les marches à pas feutrés pour s'en aller à l'autre bout du jardin. Il faisait encore doux, mais une brise légère s'était levée. Dans le ciel, une myriade d'étoiles formaient ici et là des motifs complexes qu'elle n'avait jamais su différencier, à l'exception de la Grande Ourse ; elle résolut donc de s'acheter un ouvrage d'astronomie dès le lendemain, juste après le déjeuner. Pendant deux ou trois jours, elle apprendrait les constellations les plus connues, puis inviterait Kevin à passer une soirée romantique sur la plage, où elle les lui désignerait dans le ciel d'un air désinvolte, histoire de l'impressionner par ses connaissances. Elle ferma les yeux en imaginant la scène et se redressa fièrement. Dès demain, elle commencerait une nouvelle vie. Une vie meilleure. Et elle trouverait aussi une solution pour Molly. Même si elle devait supplier les gens, elle finirait par trouver un foyer pour chacun des chiots de la portée. Mais pour commencer, elle l'emmènerait chez le vétérinaire.

– 3 –

Encore une journée où Gabby allait se demander pour quelle raison elle avait choisi un cabinet de pédiatrie. Après tout, elle avait la possibilité d'exercer dans une unité de cardiologie à l'hôpital, comme elle le prévoyait depuis le début de sa formation. Elle adorait assister les chirurgiens dans des opérations particulièrement difficiles, et le travail semblait lui convenir à merveille... jusqu'à son dernier stage, où elle avait rencontré un pédiatre qui n'avait cessé de lui vanter la noblesse de sa profession et la joie de s'occuper d'enfants. Le Dr Bender, un vétéran aux cheveux gris, avait le sourire aux lèvres en permanence et connaissait quasiment tous les gamins de Sumter, Caroline du Sud ; il parvint à la convaincre que si la cardiologie offrait sans doute une meilleure rémunération et jouissait d'un certain prestige, il n'existait rien de plus gratifiant que de tenir un nouveau-né dans ses bras et d'observer son développement au cours des premières années de sa vie. Elle acquiesçait consciencieusement à tout ce qu'il disait, mais, lors de son dernier jour de stage, il enfonça le clou en lui déposant un nourrisson dans les bras. Tandis que le bébé gazouillait, la voix du Dr Bender flotta jusqu'à elle : « En cardiologie, tout se traite dans l'urgence et, quoi que vous fassiez, vos patients ont toujours l'air d'aller plus mal. À la longue, ça devient épuisant. Si vous n'y prenez pas garde, vous avez tôt fait de vous abîmer la santé. Mais s'occuper d'un petit bout de chou comme celui-ci... » Il s'interrompit pour désigner l'enfant et ajouta : « C'est la plus belle des vocations au monde. »

Malgré une offre d'emploi en cardiologie au sein d'un hôpital de sa ville natale, Gabby était donc entrée au service du cabinet médical Furman et Melton à Beaufort, Caroline du Nord. Le Dr Melton lui fit l'effet d'être un dragueur invétéré, mais cet emploi lui permettait de se rapprocher de Kevin. Et elle se dit que le Dr Bender avait peut-être raison, en définitive. Il ne s'était certes pas trompé au sujet des enfants. En général, elle aimait s'occuper d'eux, même lorsqu'elle devait leur faire une piqûre et que leurs cris la faisaient tressaillir. Avec les tout-petits, ça allait aussi. La plupart étaient adorables, et ils l'attendrissaient quand ils serraient fort leur doudou ou leur ours en peluche en la regardant avec leurs grands yeux candides. C'étaient les parents qui la rendaient folle. Le Dr Bender avait omis de préciser un point capital : en cardiologie, vous traitiez un malade qui se présentait au cabinet parce qu'il en avait besoin ; en pédiatrie, vous aviez affaire à un patient souvent sous la garde de parents névrosés croyant tout savoir. Eva Bronson en était l'exemple parfait.

Alors qu'elle tenait George sur ses genoux dans la salle de consultation, Eva semblait considérer Gabby avec condescendance. Puisqu'elle n'était pas médecin à proprement parler, et relativement jeune, elle passait aux yeux de nombreux parents pour une espèce d'infirmière surpayée.

– Vous êtes certaine que le Dr Furman ne peut pas nous prendre entre deux patients ? s'enquit Mme Bronson en insistant sur le mot « docteur ».

– Il est à l'hôpital, répondit Gabby. Il va rentrer tard. En outre, je suis tout à fait certaine qu'il serait d'accord avec moi. Votre fils a l'air d'aller très bien.

– Mais il tousse encore.

– Comme je vous le disais, les nourrissons peuvent tousser jusqu'à six semaines après un rhume. Les tout-petits mettent plus longtemps à guérir, mais c'est tout à fait normal à cet âge.

– Vous n'allez donc pas lui prescrire un antibiotique ?

– Non. Il n'en a pas besoin. Ses oreilles sont dégagées, de même que ses sinus, et je n'ai pas entendu la moindre trace de bronchite dans ses poumons. Sa température est normale, et il se porte comme un charme.

George, qui venait d'avoir deux ans, gigotait sur les genoux de sa mère et tentait de se détacher... un gamin joyeux et débordant de vitalité. Eva le serra plus fort contre elle.

– Puisque le Dr Furman n'est pas là, peut-être que le Dr Melton pourrait l'ausculter. Je suis sûre qu'il a besoin d'un antibiotique. La moitié des gosses de sa crèche en prennent en ce moment. Il y a un truc qui traîne.

Gabby fit mine de griffonner quelque chose sur le dossier médical. Eva Bronson réclamait toujours des antibiotiques pour son fils. À croire qu'elle se shootait avec !

– S'il fait une poussée de fièvre, vous pouvez l'amener et je le réexaminerai.

– Je n'ai pas l'intention de revenir. C'est pourquoi je l'ai amené aujourd'hui. Je pense qu'il devrait être ausculté par un médecin, dit-elle en insistant de nouveau sur le dernier mot.

Gabby fit de son mieux pour garder son calme :

– Entendu, je vais voir si le Dr Melton peut vous accorder quelques minutes entre deux consultations.

Gabby quitta la salle et fit une pause dans le couloir, sachant qu'elle avait besoin de se préparer. N'ayant aucune envie de parler au Dr Melton, elle faisait tout pour l'éviter depuis le matin. Dès le départ du Dr Furman pour l'hôpital du comté de Carteret à Morehead City, où il allait assister à une césarienne en urgence, le Dr Melton s'était faufilé jusqu'à elle, en la collant d'assez près pour qu'elle remarque qu'il s'était gargarisé avec du bain de bouche.

– J'imagine que nous allons nous retrouver seuls toute la matinée, avait-il susurré.

– Peut-être qu'il n'y aura pas trop de patients, avait-elle répondu d'un ton neutre.

Elle n'était pas prête à l'affronter, pas en l'absence du Dr Furman.

– Il y a toujours foule le lundi. Avec un peu de chance, on pourra prendre notre pause déjeuner.

– Espérons-le.

Le Dr Melton s'empara ensuite du dossier sur la porte de la salle de consultation de l'autre côté du couloir. Il le parcourut rapidement, et juste au moment où Gabby allait s'en aller il reprit la parole :

– À propos de déjeuner, vous avez déjà mangé des tacos au poisson ?

Gabby battit des paupières :

– Pardon ?

– Je connais un super restau à Morehead, près de la plage. Peut-être qu'on pourrait y faire un saut. Et rapporter aussi des plats préparés au personnel.

Bien qu'il fît mine de garder un ton professionnel – comme s'il s'adressait au Dr Furman –, Gabby ne put s'empêcher de sursauter.

– Impossible, répliqua-t-elle. Je suis censée emmener Molly chez le vétérinaire. J'ai pris rendez-vous ce matin.

– Et vous en serez ressortie à temps ?

– On me l'a promis.

Il hésita.

– Peut-être une autre fois alors...

Tout en prenant un dossier, Gabby tressaillit à nouveau.

– Vous allez bien ? s'enquit le Dr Melton.

– Juste un peu mal aux articulations après la gym, dit-elle avant de disparaître dans la salle.

En vérité, elle souffrait le martyre. Ça frisait le ridicule. Elle avait des élancements dans tout le corps, de la nuque aux chevilles. Si elle s'était contentée d'aller faire du jogging dimanche, elle n'aurait sans doute eu aucun problème. Mais ça n'avait pas suffi. Pas à la Gabby flambant neuve et pétrie de bonne résolutions. Après le jogging – toute fière d'avoir couru sans forcer, mais sans s'arrêter une seule fois pour marcher –, elle s'était rendue au Gold's Gym de Morehead City, où elle avait pris une carte de membre. Elle avait signé les papiers pendant que le moniteur lui expliquait le contenu des différents cours aux noms compliqués, lesquels changeaient quasiment toutes les heures. Au moment de son départ, il lui signala qu'un nouveau cours appelé Body Pump allait démarrer dans quelques minutes.

– C'est fantastique, s'enthousiasma-t-il. Ça fait travailler tout le corps. Le souffle et la puissance musculaire en un seul exercice. Vous devriez l'essayer.

Ce qu'elle fit. Et puisse Dieu pardonner à l'instructeur de l'avoir mise dans un état pareil !

Pas immédiatement, bien sûr. Non, pendant le cours, elle s'était régalée. Même si au fond d'elle-même Gabby savait qu'elle devait ménager ses forces, elle se surprit à essayer de suivre la cadence de sa voisine en tenue légère, aux cils fardés de mascara et aux atouts sans doute améliorés par la chirurgie esthétique. Gabby avait soulevé des haltères, trottiné sur place en rythme, soulevé encore du poids, puis « joggé » encore et encore. À l'instant de quitter la salle de fitness, les muscles tétanisés, elle eut l'impression d'avoir franchi une étape de son évolution. Elle s'offrit donc un milk-shake protéiné en sortant, afin de compléter sa transformation.

Sur le chemin du retour, elle passa à la librairie acheter un ouvrage d'astronomie et, plus tard, juste avant de s'endormir, elle se sentit plus confiante en l'avenir qu'elle ne l'avait été depuis longtemps... sauf que ses muscles paraissaient durcir de minute en minute.

Malheureusement, la toute nouvelle Gabby éprouva un mal fou à sortir de son lit le lendemain matin. Tous ses membres la faisaient souffrir. Non... c'était pire encore. Bien pire. Elle était à l'agonie. Comme si on avait passé chacun de ses muscles à la moulinette. Son dos, sa poitrine, son estomac, ses jambes, ses fesses, ses bras, son cou... même ses doigts étaient endoloris. À la troisième tentative, elle parvint enfin à s'asseoir dans son lit et, après avoir titubé jusqu'à la salle de bains, elle put se brosser les dents sans hurler... mais au prix d'un effort surhumain. Elle farfouilla dans son armoire à pharmacie, en quête de tout ce qui pouvait lui tomber sous la main... Antalgique, aspirine, anti-inflammatoire... pour finir par décider de prendre une dose de chaque. Elle fit passer le tout avec un verre d'eau, puis contempla son reflet dans le miroir.

« D'accord, admit-elle, j'en ai peut-être un peu trop fait. »

Mais c'était trop tard à présent, d'autant que les antalgiques n'avaient pas fait effet. Ou peut-être que si. Après tout, elle arrivait à assumer son travail au cabinet, à condition de se déplacer lentement. Toutefois, la douleur persistait ; et avec le Dr Furman absent, la dernière des choses qu'elle souhaitait, c'était d'avoir affaire au Dr Melton.

N'ayant pas d'autre choix, elle demanda à l'une des infirmières dans quelle pièce il se trouvait et, après avoir frappé, passa la tête dans l'entrebâillement de la porte. Le Dr Melton se détourna de son patient, son visage s'animant dès qu'il l'aperçut.

– Navrée de vous interrompre, dit-elle. Puis-je vous parler une seconde ?

– Bien sûr, répondit-il en se levant de son tabouret.

Il posa le dossier sur le côté et ferma la porte derrière lui :

– Vous avez changé d'avis pour le déjeuner ?

Elle secoua la tête, et lui parla d'Eva Bronson et de George ; il lui promit de les recevoir aussi vite que possible. Comme elle s'éloignait dans le couloir en boitillant, elle sentit le regard du médecin s'attarder sur elle.

Il était midi et demi quand Gabby en eut terminé avec son dernier patient de la matinée. Elle saisit son sac à main et claudiqua en direction de sa voiture, sachant qu'il ne lui restait pas beaucoup de temps. Son prochain rendez-vous avait lieu dans trois quarts d'heure ; si le vétérinaire ne la retenait pas trop, ça devrait aller. C'était l'un des avantages d'une petite ville de moins de quarante mille habitants. Tout se trouvait à proximité. Si Morehead City – cinq fois plus grande – se situait de l'autre côté du pont enjambant l'Intracoastal Waterway[1], et si la plupart des gens s'y rendaient pour leurs courses du week-end, cette courte distance suffisait à faire de Beaufort une localité distincte et isolée, comme la majeure partie des villes situées dans les plaines côtières, à l'est du comté de Carteret.

1. Voie navigable intérieure qui relie Miami à la Virginie. *(N.d.T.)*

C'était une ville agréable, notamment pour son quartier historique. Un jour comme aujourd'hui, avec une température idéale pour flâner, Beaufort ressemblait à la Savannah du premier siècle de son existence, telle que l'imaginait Gabby.

De vastes artères à l'ombre des arbres, et un peu plus d'une centaine de demeures restaurées sur plusieurs pâtés de maisons, le tout menant à Front Street et à une promenade en planches qui surplombait la marina. Les bateaux de plaisance côtoyaient les bateaux de pêche de tout gabarit ; un magnifique yacht pouvait être amarré entre un petit crabier tout simple et un voilier entretenu avec amour. Il y avait deux ou trois restaurants offrant une vue splendide, d'anciens établissements régionaux qui ne manquaient pas de cachet, avec terrasse couverte et tables de pique-nique, où le temps semblait s'être arrêté. Certains soirs de week-end, des orchestres s'y produisaient, et l'été précédent, à l'occasion de la fête nationale, le 4 juillet, quand elle avait rendu visite à Kevin, tant de spectateurs étaient venus écouter la musique et admirer le feu d'artifice que la marina était littéralement bondée. En l'absence de places de mouillage pour accueillir tout le monde, les bateaux étaient simplement amarrés entre eux, et leurs propriétaires passaient d'un pont à l'autre, acceptant ou offrant des bières en chemin, jusqu'à ce qu'ils arrivent au débarcadère.

De l'autre côté de la rue où se trouvait son cabinet médical, les agences immobilières alternaient avec les pièges à touristes et les galeries d'art. Le soir, Gabby aimait s'y promener et admirer les œuvres. Plus jeune, elle rêvait de gagner sa vie en peignant ou en dessinant ; elle avait mis quelques années à comprendre que son talent n'était guère à la hauteur de son ambition. Cela ne l'empêchait pas d'apprécier une œuvre de qualité, et de temps à autre, une photographie ou un tableau retenait son attention. Gabby avait même déjà acquis deux peintures, désormais exposées chez elle, et envisageait de compléter sa collection privée ; mais ses revenus mensuels l'en empêchaient, en tout cas pour le moment.

Quelques minutes plus tard, elle se gara dans son allée, grimaça en sortant de voiture, avant de rejoindre bravement sa porte d'entrée. Molly la retrouva sous le porche, prit son temps pour renifler les plates-bandes avant de s'y soulager, puis elle grimpa sur le siège passager. Gabby grimaça encore en reprenant le volant, puis baissa la vitre afin que Molly puisse pencher la tête au-dehors comme elle adorait le faire.

La clinique Down East se situait à deux ou trois minutes de route à peine. Située dans une vieille bâtisse victorienne assez rustique, elle évoquait davantage une demeure qu'un cabinet vétérinaire. Après s'être garée sur le parking, Gabby jeta un regard à sa montre. *Pourvu que le véto ne traîne pas*, se dit-elle.

La porte grillagée grinça fortement et elle sentit la chienne tirer sur sa laisse en flairant les odeurs classiques des cliniques pour animaux. Gabby s'approcha de l'accueil, mais avant qu'elle puisse dire un mot la secrétaire se leva derrière son bureau.

– C'est Molly ? demanda-t-elle.

Gabby n'en revenait pas. Elle n'avait pas encore l'habitude de vivre dans une petite ville.

– Euh oui... Je suis Gabby Holland.

– Ravie de faire votre connaissance. Moi, c'est Terri, au fait. Quelle jolie chienne !

– Merci.

– On se demandait quand vous alliez arriver. Vous devez retourner au boulot, c'est ça ? s'enquit la secrétaire en s'emparant d'un bloc-notes. Suivez-moi, je vais vous installer dans une salle. Vous pourrez remplir les papiers sur place. Comme ça, le vétérinaire vous recevra tout de suite. Il ne devrait pas tarder. Il a presque fini.

– Génial. J'apprécie beaucoup.

Elle les conduisit dans une pièce voisine, où était installée une balance, et elle aida Molly à y monter.

– C'est la moindre des choses. Après tout, mes gamins sont suivis dans votre cabinet de pédiatrie. Vous vous y plaisez ?

– Beaucoup, répondit Gabby. Je ne pensais pas qu'il y avait autant de travail.

Terri nota le poids de Molly, puis ressortit dans le couloir :

– J'adore le Dr Melton. Il a été merveilleux avec mon fils.

– Je le lui dirai.

Terri les fit passer dans une petite pièce meublée d'une table métallique et d'une chaise en plastique, puis tendit le bloc-notes à Gabby.

– Remplissez la fiche, je vais prévenir le vétérinaire de votre arrivée.

Elle les laissa seules, et Gabby s'assit en tressaillant à cause des muscles de ses jambes endoloris. Elle prit le temps d'inspirer profondément et attendit que la douleur passe, puis remplit le dossier pendant que Molly se promenait dans la pièce.

Moins d'une minute plus tard, la porte s'ouvrit, et la première chose que Gabby remarqua fut la blouse blanche ; l'instant d'après, elle lut le nom brodé sur la poche... et resta bouche bée.

– Salut, Gabby, déclara Travis. Comment allez-vous ?

Elle continua à le regarder fixement en se demandant ce qu'il pouvait bien fabriquer là. Elle allait parler quand elle constata que les yeux de son voisin étaient bleus, alors qu'elle les croyait bruns. Bizarre. Pourtant...

– J'imagine que c'est Molly, reprit-il en l'arrachant à ses pensées. Salut, ma belle...

Il s'accroupit et gratta le col de la chienne :

– T'aimes ça, hein ? T'es une gentille fille, toi, pas vrai ? Comment tu te sens, dis-moi ?

Le son de sa voix ramena Gabby à la réalité, puis à leur vive discussion de l'autre soir.

– C'est... c'est vous le vétérinaire ? bredouilla-t-elle.

Travis hocha la tête, tout en continuant à caresser Molly.

– Avec mon père. Il a fondé la clinique. Je l'ai rejoint quand j'ai fini mes études.

Incroyable ! Avec tous les habitants de cette ville, il fallait qu'elle tombe sur lui. Pourquoi ne pouvait-elle pas avoir une journée ordinaire, pas compliquée, bon sang !

– Pourquoi ne pas me l'avoir dit, samedi soir ?

– Je l'ai fait. Je vous ai conseillé de l'emmener chez le vétérinaire, vous vous souvenez ?

Elle plissa les yeux. Cet homme semblait prendre un malin plaisir à l'agacer.

– Vous savez très bien où je veux en venir.

Il releva la tête.

– Par rapport au fait que je suis véto, c'est ça ? J'ai essayé de vous le dire, mais vous ne m'en avez pas laissé le temps.

– Vous auriez quand même dû y faire allusion, je ne sais pas...

– Je ne crois pas que vous étiez d'humeur à entendre quoi que ce soit. Mais tout ça, c'est du passé. Alors... sans rancune, dit-il en souriant. Si j'auscultais cette demoiselle... Je sais que vous devez retourner bosser, alors je vais tâcher de faire vite.

Gabby sentit sa colère monter face à ce « sans rancune » si désinvolte. Une partie d'elle-même avait envie de s'en aller sur-le-champ. Mais il était déjà en train de palper le ventre de la chienne. Par ailleurs, Gabby ne risquait pas de se lever d'un bond, même si elle tentait le coup, car ses jambes semblaient faire la grève sur le tas. Dépitée, elle croisa les bras et sentit comme des coups de couteau dans le dos et dans les épaules, tandis que Travis préparait le stéthoscope. Elle se mordit la lèvre, toute fière de n'avoir pas lâché un cri de douleur.

– Ça va ? s'enquit Travis en lui lançant un regard.

– Très bien.

– Vraiment ? Vous avez l'air d'avoir mal quelque part.

– Tout va bien, répéta-t-elle.

Ignorant le ton un peu sec de Gabby, il porta de nouveau son attention sur la chienne. Il déplaça le stéthoscope, écouta encore, puis examina un des mamelons. Enfin, il enfila un gant en latex et se livra à un rapide toucher vaginal.

– Ma foi, ça ne fait aucun doute, elle attend des petits, déclara-t-il en retirant le gant qu'il jeta dans la poubelle. Et d'après ce que je peux observer, elle en est à sept semaines environ.

– Je vous l'avais dit, répliqua-t-elle en lui décochant un regard mauvais.

Et c'est Moby le responsable, se garda-t-elle d'ajouter.

Travis se releva et rangea le stéthoscope dans sa poche. Il s'empara du bloc-notes et tourna la page.

– À titre indicatif, sachez que Moby n'a rien à voir là-dedans.

– Ah non ?

– Non. Ce serait plus vraisemblablement l'œuvre de ce labrador que j'ai vu dans le quartier. Je pense qu'il appartient au vieux Cason, mais je ne peux pas l'affirmer. Il pourrait s'agir du chien de son fils. Je sais qu'il est revenu s'installer en ville.

– Comment pouvez-vous affirmer que ce n'est pas Moby ?

Il prenait des notes, et elle crut un instant qu'il ne l'avait pas entendue.

Il haussa les épaules et répondit :

– Eh bien, pour commencer, il a été castré.

Parfois, les informations se bousculent tellement dans l'esprit qu'on ne trouve pas ses mots. Tout à coup, et à sa plus grande honte, Gabby s'imagina en train de bafouiller et de pleurnicher, avant de s'en aller plus vexée que jamais. Elle avait certes le vague souvenir qu'il avait tenté de lui dire quelque chose l'autre soir, mais tout cela l'embarrassait au point de lui donner la nausée.

– Castré ? murmura-t-elle.

– Oui, dit-il en levant le nez du bloc-notes. Il y a deux ans. C'est mon père qui s'en est chargé ici même, à la clinique.

– Oh...

– Ça aussi, j'ai essayé de vous le dire. Mais vous êtes partie avant que j'en aie l'occasion. Je m'en suis un peu voulu, alors je suis passé vous voir dimanche pour vous le dire, mais vous étiez sortie.

Elle lâcha la première phrase qui lui traversa l'esprit :

– J'étais à la salle de gym.

– Ah ouais ? Bravo.

Elle décroisa les bras... non sans effort.

– Je vous dois des excuses, j'imagine.

– Sans rancune, répéta-t-il.

Cela la gêna d'autant plus.

– Écoutez, je sais que vous êtes pressée, ajouta-t-il, alors laissez-moi vous dire deux mots au sujet de Molly, d'accord ?

Elle hocha la tête, telle une élève mise au coin par son professeur, tandis qu'elle se remémorait son interminable tirade du samedi soir... que l'indulgence de Travis rendait encore plus ridicule.

– La période de gestation dure neuf semaines, il vous reste donc encore une quinzaine de jours. Vous n'avez pas de souci à vous faire, car elle a le bassin assez large, et c'est pourquoi je souhaitais que vous la fassiez ausculter. Les colleys sont parfois étroits des hanches. Sinon vous n'avez rien de particulier à faire maintenant, mais rappelez-vous qu'elle recherchera sans doute un endroit frais et sombre pour mettre bas ; vous pourriez donc lui préparer un coin dans le garage avec de vieilles couvertures. Il dispose d'une porte d'accès à la cuisine, exact ?

Elle acquiesça encore, en se recroquevillant sur elle-même.

– Laissez-la ouverte, Molly va probablement commencer à traîner par là-bas. On appelle ça « faire son nid », et c'est tout à fait normal. Il y a de fortes chances pour qu'elle mette bas dans le calme. La nuit, ou quand vous serez au travail, mais sachez que c'est naturel et qu'il ne faut pas s'inquiéter. Les chiots sauront tout de suite se sevrer, alors inutile de vous en soucier. Et vous allez sans doute vouloir vous débarrasser des couvertures, alors pas la peine d'utiliser les plus chics de votre armoire, d'accord ?

Elle hocha la tête pour la troisième fois, se sentant toute petite.

– À part ça, je n'ai pas d'autres recommandations. S'il y a le moindre problème, vous pouvez l'amener au cabinet. En dehors des heures d'ouverture, vous savez où j'habite.

Elle s'éclaircit la voix.

– Entendu.

Comme elle n'ajoutait rien, il sourit et s'apprêta à gagner la porte.

– Voilà. Vous pouvez la ramener à la maison si vous voulez. Je suis ravi d'avoir pu l'ausculter. Je ne pensais pas qu'il s'agissait d'une infection, mais je suis content d'avoir pu m'en assurer.

– Mer... merci, marmonna-t-elle. Et encore une fois, je suis vraiment désolée de...

Il leva la main pour l'interrompre.

– Pas de problème. Franchement. Vous étiez perturbée, et Moby se balade effectivement dans le quartier. N'importe qui aurait pu se tromper. À un de ces jours, d'accord ?

Il caressa Molly une dernière fois avant de s'en aller, et Gabby eut l'impression d'être réduite à la taille d'une souris.

Travis – le Dr Parker – parti, elle attendit un long moment pour en être certaine. Puis lentement, douloureusement, elle se leva de sa chaise. Elle jeta un regard dans le couloir, pour vérifier que la voie était libre, puis regagna l'accueil où elle régla tranquillement sa note.

De retour à son cabinet médical, Gabby était en tout cas sûre d'une chose : malgré toute l'indulgence que Travis lui avait témoignée, elle ne ferait jamais oublier son comportement de l'autre soir. Et comme il n'existait pas de trou de souris assez grand pour elle, autant qu'elle évite son voisin pendant un petit moment. Peut-être pas *ad vitam æternam*, bien sûr. Pendant une période raisonnable, disons. Les cinquante prochaines années...

– 4 –

Debout derrière la fenêtre, Travis Parker observait Gabby reconduisant Molly à sa voiture. Il souriait, amusé par l'attitude de la jeune femme. Bien qu'il la connût à peine, il l'avait suffisamment vue pour en conclure qu'elle comptait parmi ces gens dont le visage se lisait comme un livre ouvert. Une qualité rare de nos jours. Il voyait trop souvent ses contemporains s'inventer un personnage, porter un masque et y perdre du même coup leur véritable nature. Gabby, il en était sûr, ne se comportait jamais ainsi.

Ses clés en poche, il rejoignit son pick-up, en se promettant de rentrer de déjeuner dans la demi-heure. Il récupéra sa glacière – il préparait son déjeuner chaque matin – et roula vers son coin préféré. Un an plus tôt, il avait acheté un bout de terrain avec vue sur l'île de Shackleford, au bout de Front Street, dans l'idée d'y faire bâtir un jour sa maison idéale. Le seul problème, c'est qu'il ignorait ce que cela impliquait au juste. Après tout, il menait une vie simple et rêvait seulement de créer un petit cabanon rustique, un peu à l'image de ceux qu'il avait vus dans les Keys de Floride, une maison avec beaucoup de cachet qui, de l'extérieur, semblait dater d'une bonne centaine d'années, mais se révélait incroyablement claire et spacieuse à l'intérieur. Inutile d'avoir beaucoup de pièces : outre le séjour, une chambre et peut-être un bureau... mais après mûre réflexion, il reconnut que le terrain convenait davantage à une demeure familiale. Du coup, l'image de sa maison idéale devenait plus floue, puisqu'elle supposait un avenir avec femme et enfants, ce qu'il était bien loin de pouvoir imaginer.

Ce que sa sœur et lui étaient devenus au fil du temps lui semblait parfois étrange, car elle non plus n'était pas pressée de convoler. Leurs parents étaient mariés depuis presque trente-cinq ans, et Travis ne pouvait pas les imaginer l'un et l'autre célibataires... Ça lui paraissait aussi invraisemblable que d'agiter les bras pour s'envoler vers les nuages. Bien sûr, il connaissait les circonstances de leur rencontre : ses parents étaient alors dans un groupe de lycéens partis camper, sa mère s'entailla le doigt en découpant une tarte pour le dessert, et son père lui fit un pansement bien serré pour stopper l'hémorragie. Ils s'étaient à peine effleurés et « Boum-badaboum ! J'ai tout de suite su que c'était la femme de ma vie ! », affirmait son père.

Jusqu'ici, pas le moindre « Boum-badaboum » ou quoi que ce soit d'approchant du côté de Travis. Certes, il y avait eu Olivia, sa petite amie au lycée ; et tout le monde pensait à l'époque qu'ils étaient faits l'un pour l'autre. Aujourd'hui, elle vivait de l'autre côté du pont, à Morehead City, et il leur arrivait de se croiser au centre commercial. Ils parlaient de la pluie et du beau temps, puis chacun s'en allait de son côté.

Depuis Olivia, il avait eu d'innombrables petites amies, bien sûr. La gent féminine n'avait plus de secret pour lui, à vrai dire. Il trouvait les femmes séduisantes et intéressantes, mais par-dessus tout appréciait sincèrement leur compagnie. D'aussi loin qu'il s'en souvienne, les ruptures avec ses ex se passaient plutôt bien. Celles-ci survenaient presque toujours d'un commun accord ; l'histoire tournait court, voilà tout... et le feu d'artifice du début se transformait en pétard mouillé. Toutefois, il se considérait comme l'ami de toutes ses anciennes copines – y compris de Monica, la dernière en date – et imaginait qu'elles diraient la même chose à son sujet. Trois de ses ex avaient épousé des types formidables, et il avait été invité aux trois mariages. Les rares fois où il envisageait encore une relation durable ou l'existence de son âme sœur, il finissait toujours par imaginer une femme partageant sa passion pour les activités de plein air. L'existence était faite pour être vécue, non ? Tout le monde avait certes des responsabilités, et Travis ne fuyait pas les siennes. Il adorait son travail, avait des revenus corrects, possédait une maison et réglait ses factures à temps, mais il ne voulait pas d'une vie se résumant uniquement à cela. Il souhaitait... ou plutôt avait besoin de la vivre intensément.

Il avait toujours vécu ainsi, en fait. Au collège, il était organisé et débrouillard, capable de décrocher de bons résultats sans bachoter ou s'angoisser outre mesure... et un B le réjouissait autant qu'un A, ce qui avait le don d'agacer sa mère : « Imagine les résultats que tu obtiendrais si tu t'appliquais », lui répétait-elle à l'arrivée du carnet de notes. Mais les études le passionnaient moins que de jouer les casse-cou en VTT ou sur une planche de surf. Si pour ses camarades le sport signifiait base-ball ou football, lui ne songeait qu'à enfourcher sa moto tout-terrain pour décoller d'une butte en terre battue avant d'atterrir sans une égratignure, galvanisé par une poussée d'adrénaline. C'était un adolescent adepte des sports extrêmes avant même qu'ils fassent la une des médias, et à trente-deux ans il les avait tous pratiqués.

Tout en observant au loin les chevaux sauvages qui se rassemblaient près des dunes de l'île de Shackleford, il entama son déjeuner. De la dinde entre deux tranches de pain complet tartiné de moutarde, une pomme et une bouteille d'eau ; le même repas tous les jours, après avoir pris le même petit déjeuner composé de flocons d'avoine, de blancs d'œuf brouillés et d'une banane. S'il recherchait à l'occasion les sensations fortes dans le sport, ses habitudes alimentaires n'avaient rien d'exaltant. Ses amis s'émerveillaient de sa force de caractère, mais il se gardait de leur dire que cela résultait moins de sa discipline que de ses papilles gustatives limitées. À l'âge de dix ans, on l'avait forcé à finir une assiette de nouilles thaïes baignant dans le gingembre, et il avait passé quasiment la nuit à vomir. Depuis, son sens du goût avait changé, et à la moindre fragrance de gingembre il se précipitait aux toilettes. Il devint timoré avec les aliments en général, préférant les plats classiques et sans surprise à tout mets exotique ; peu à peu il supprima les cochonneries riches en graisse et en sucre. À présent, vingt-deux ans plus tard, il avait trop peur de changer de régime.

Tout en appréciant son sandwich – classique et sans surprise –, il réfléchit aux idées qui venaient de lui traverser l'esprit. Ça ne lui ressemblait pas. D'ordinaire, il se montrait peu enclin à l'introspection. (Une des raisons pour lesquelles le feu d'artifice des débuts se transformait en pétard mouillé, selon Maria, sa petite amie de six ans auparavant.) Il menait sa vie, voilà tout, en faisant ce qu'il fallait et en trouvant le moyen de profiter de son temps libre. L'un des grands avantages du célibat : on pouvait faire ce que l'on voulait, quand on voulait, et se regarder le nombril n'était qu'une option parmi d'autres.

Ce devait être Gabby, pensa-t-il, même s'il ne comprenait absolument pas pourquoi. Il la connaissait à peine et doutait de découvrir un jour la véritable Gabby Holland. Il avait vu la Gabby en furie l'autre soir et la Gabby mea culpa tout à l'heure, mais il n'avait aucune idée du comportement de cette fille dans des circonstances normales. Il soupçonnait chez elle un grand sens de l'humour, encore qu'après mûre réflexion il ne pût déceler ce qui le poussait à penser cela. Et elle était sans nul doute intelligente, mais il aurait pu le déduire en se fondant sur la profession qu'elle avait choisie. Pourtant il y avait autre chose... Il tenta de s'imaginer un rendez-vous en tête à tête avec elle, en vain. Cependant il était ravi qu'elle soit passée le voir, ne serait-ce que pour leur donner l'occasion d'entretenir des relations de bon voisinage en partant sur de nouvelles bases. À ce propos, il savait qu'un mauvais voisin pouvait vous rendre la vie impossible. Celui de Joe était du genre à brûler les feuilles mortes aux premiers beaux jours et à tondre sa pelouse dès l'aurore le samedi matin, et tous deux avaient failli plus d'une fois en venir aux mains après une longue nuit d'insomnie à cause du bébé. Travis avait l'impression que le minimum de savoir-vivre s'était perdu dans les oubliettes de l'Histoire... comme les dinosaures... et la dernière des choses qu'il souhaitait, c'était que Gabby se croie obligée de l'éviter. Peut-être qu'il l'inviterait à sa prochaine sortie entre amis...

Ouais, se dit-il, *je vais faire ça.* Sa décision prise, il saisit sa glacière et regagna son pick-up. Cet après-midi, il assisterait à l'habituel défilé de chats et de chiens, mais à 3 heures quelqu'un était censé lui amener un gecko. Il aimait les soigner, tout comme n'importe quel animal exotique ; l'idée qu'il puisse savoir de quoi il parlait – et c'était le cas – impressionnait toujours les propriétaires. Il s'amusait de leur expression mi-admirative et mi-craintive : « Je me demande s'il connaît l'anatomie et la physiologie de la moindre créature sur terre. » Et lui faisait comme si, bien sûr. La réalité se révélait un peu plus prosaïque. Non, il ne connaissait évidemment pas toutes les espèces animales du globe dans leurs moindres détails – qui pouvait s'en vanter ? –, mais les infections ne changeaient guère et se traitaient quasiment de la même façon, quelle que soit l'espèce ; seule la médication différait... et il devait le vérifier dans l'ouvrage de référence qu'il gardait sur son bureau.

En remontant dans sa voiture, il se surprit à penser à Gabby et se demanda si elle avait déjà fait du surf ou du snowboard. Ça paraissait peu probable, il avait pourtant le sentiment étrange qu'à l'inverse de la plupart de ses ex elle serait prête à s'adonner à l'un de ces sports si on lui en offrait l'occasion... sans savoir pourquoi au juste. Il tenta de chasser cette idée, tandis qu'il démarrait, en tâchant de se convaincre que ça n'avait aucune importance. Sauf que, d'une certaine manière, ça en avait.

– 5 –

Les deux semaines qui suivirent, Gabby devint la championne des entrées et des sorties furtives... chez elle, en tout cas.

Elle n'avait pas d'autre choix. Que pouvait-elle dire à Travis, bon sang ? Elle s'était ridiculisée, et lui n'avait fait qu'aggraver la situation avec son extrême indulgence, ce qui forçait évidemment Gabby à gérer différemment ses allées et venues, la règle numéro un consistant à éviter son voisin. La seule chose qui la rachetait – le seul point positif de toute cette histoire –, c'étaient les excuses qu'elle lui avait présentées à la clinique vétérinaire.

Pourtant, il devenait difficile de continuer ainsi. Au début, il lui suffisait de rentrer directement au garage ; mais maintenant que Molly allait avoir ses petits d'un jour à l'autre, Gabby devait se garer dans l'allée pour que la chienne puisse « faire son nid », selon l'expression consacrée. Autrement dit, Gabby devait dès lors entrer et sortir quand elle était sûre que Travis ne traînait pas dans le coin.

Elle avait certes revu à la baisse la limite des cinquante ans ; elle se disait à présent que deux ou trois mois, six au pire, devraient suffire. Toute période suffisamment longue pour qu'il oublie – ou du moins n'en ait plus qu'un vague souvenir – la manière dont elle s'était comportée ce fameux soir. Elle savait que la mémoire avait une curieuse façon de gommer les aspérités de la réalité, jusqu'à ce qu'il en reste quelque chose de flou... et lorsque le phénomène se produirait, Gabby reprendrait plus ou moins sa routine. Elle commencerait en douceur – un geste de la main ici ou là en montant dans sa voiture, peut-être même depuis sa véranda, s'ils s'apercevaient à l'occasion – et ainsi de suite. Au fil du temps, tout se passerait bien entre eux, selon elle... Peut-être même qu'un jour ils riraient de bon cœur en évoquant leur rencontre... Mais d'ici là, elle préférait vivre comme un agent secret.

Bien entendu, elle avait dû se renseigner sur les horaires de Travis. Ce n'était pas compliqué... un coup d'œil sur la pendule au moment où il sortait sa voiture le matin, tandis qu'elle l'observait de sa cuisine. Le soir, c'était encore plus facile ; il faisait en général du bateau ou du jet-ski quand elle rentrait. Les soirées posaient davantage de problèmes, en revanche. Car s'il se trouvait à l'extérieur, elle devait rester à l'intérieur, au risque de se priver d'un sublime coucher de soleil... et, à moins de se rendre chez Kevin, elle se mettait à étudier l'ouvrage d'astronomie, acheté dans l'espoir d'épater son petit ami quand ils admireraient les étoiles. Malheureusement, ça ne s'était pas encore produit.

Gabby savait qu'elle aurait dû se montrer plus adulte dans toute cette histoire, mais elle sentait bizarrement que si elle se retrouvait nez à nez avec Travis, elle allait se rappeler ce fameux soir plutôt que l'écouter, et elle ne souhaitait surtout pas aggraver son cas. En outre, elle avait d'autres sujets de préoccupation.

Kevin, pour commencer. Presque tous les soirs, il venait un petit moment chez elle et était même resté le week-end précédent, après son habituel parcours de golf, évidemment. Kevin adorait le golf. Tous deux étaient aussi sortis trois fois dîner, deux fois au cinéma, et avaient passé une partie du dimanche après-midi à la plage... Deux ou trois jours plus tôt, alors qu'ils étaient assis sur le canapé et sirotaient un verre de vin, il lui avait ôté ses chaussures.

– Qu'est-ce que tu fais ?

– J'ai pensé que tu aimerais te faire masser les pieds. Je parie qu'ils doivent te faire souffrir, après toute une journée à rester debout.

– Je devrais d'abord les passer sous l'eau.

– Ça m'est égal. Et puis j'aime bien regarder tes orteils. Je les trouve mignons.

– Allons bon... Tu es fétichiste des pieds et tu me l'avais caché ?

– Pas du tout. Mais tes pieds me rendent fou, répliqua-t-il en se mettant à les chatouiller.

Elle replia les jambes en éclatant de rire. L'instant d'après ils échangeaient un baiser passionné, et plus tard... lorsqu'il fut allongé auprès d'elle, il lui dit combien il l'aimait. Au ton de sa voix, elle se dit qu'elle devrait peut-être envisager de s'installer chez lui.

À la bonne heure ! C'était la première fois que Kevin abordait à sa manière l'avenir de leur couple, mais...

Mais quoi ? Toujours la sempiternelle question ? Le fait de vivre sous le même toit correspondait-il à une véritable étape vers l'avenir ou à une simple façon de prolonger ce qu'on vivait dans le présent ? Avait-elle vraiment besoin d'une demande en mariage en bonne et due forme ? Elle y réfléchit. Eh bien... oui. Mais pas avant qu'il se sente prêt. Cela l'entraîna vers les interrogations qui s'insinuaient en elle chaque fois qu'ils se retrouvaient en tête à tête. Quand serait-il prêt ? Le serait-il un jour ? Et, d'ailleurs... pourquoi n'était-il pas encore prêt à l'épouser ?

Était-ce mal de vouloir se marier plutôt que de vivre simplement avec lui ? Dieu sait qu'elle en venait même à en douter. Certaines personnes grandissaient en sachant qu'elles seraient mariées à un certain âge, et tout se déroulait comme elles l'avaient prévu ; d'autres, en revanche, n'envisageaient pas le mariage avant un moment et s'installaient en couple avec celui ou celle qu'elles aimaient, et ça marchait tout aussi bien. Parfois, Gabby avait l'impression d'être la seule à ne pas avoir de projet défini ; pour elle, le mariage était depuis toujours une vague idée, quelque chose qui arriverait... un jour. Et ça arriverait, non ?

Toutes ces pensées finirent par lui flanquer la migraine. Ce dont elle avait vraiment envie, c'était d'aller s'asseoir sur la véranda avec un bon verre de vin et de tout oublier pendant quelques instants. Mais Travis Parker se trouvait sur sa terrasse et feuilletait un magazine... Bref, ça ne pouvait pas coller. C'était jeudi soir et Gabby se retrouvait de nouveau coincée chez elle.

Dommage que Kevin travaille encore, sinon ils auraient pu sortir ensemble. Il avait un rendez-vous tardif avec un dentiste qui ouvrait son cabinet, donc avait besoin de toutes sortes d'assurances. Pas de quoi en faire un drame – elle savait que Kevin s'impliquait beaucoup dans le développement de son agence. Mais il partait le lendemain très tôt avec son père pour un congrès à Myrtle Beach, et elle n'aurait pas l'occasion de le revoir avant le mercredi suivant ; ça signifiait qu'elle devait rester encore plus longtemps confinée à la maison. Le père de Kevin avait lancé l'une des plus importantes agences de courtage de la Caroline du Nord-Est, et d'année en année, à mesure que son père approchait de la retraite, Kevin prenait davantage de responsabilités dans leur bureau de Morehead City. Quelquefois elle se demandait s'il ne regrettait pas d'avoir eu ainsi sa carrière toute tracée depuis sa plus tendre enfance ; il y avait sans doute pire, supposait-elle, d'autant plus que les affaires de Kevin se portaient on ne peut mieux. Même si tout cela fleurait bon le népotisme, il méritait l'argent qu'il gagnait ; son père passait moins de vingt heures par semaine à l'agence, ces derniers temps, ce qui portait à près de soixante les heures de travail de Kevin. Avec une trentaine de personnes dans l'entreprise, les problèmes de management surgissaient sans cesse, mais Kevin n'avait pas son pareil pour gérer le personnel. En tout cas, c'est ce que plusieurs employés avaient confié à Gabby lors de la fête de Noël de la société, les deux fois où elle y avait assisté.

Certes, elle était fière de lui, mais ça ne l'empêchait pas de regretter de se retrouver cloîtrée chez elle par une belle soirée comme celle-ci. Peut-être qu'elle devrait tout bonnement aller faire un tour à Atlantic Beach, ne serait-ce que pour boire un verre en regardant le soleil se coucher. Un court instant, elle caressa cette idée, puis se ravisa. Pas de problème pour rester seule à la maison, mais la perspective de boire en solitaire sur la plage... elle trouvait ça pathétique. Les gens allaient penser qu'elle n'avait pas un seul ami au monde, et ce n'était pas vrai. Elle en avait plein. Le seul hic : aucun d'eux n'habitait à moins de cent cinquante kilomètres... ce qui n'arrangea guère son moral.

Quoique, si elle emmenait la chienne... Dans ce cas, ce serait différent. Une démarche ordinaire, voire tout à fait saine. Il lui avait fallu quelques jours et la plupart des antalgiques de son armoire à pharmacie, mais les douleurs de sa première séance de fitness avaient fini par passer. Bien qu'elle eût décidé de boycotter le Body Pump – à l'évidence, les participants étaient masochistes –, elle commençait à fréquenter la salle de sport assez régulièrement. Depuis ces derniers jours en tout cas. Elle s'y était rendue lundi et mercredi, et avait bien l'intention de trouver le temps d'y aller le lendemain.

Elle se leva du canapé et coupa la télévision. Molly ne traînant pas dans les parages, Gabby pensa qu'elle était au garage et s'y dirigea. La porte était maintenue ouverte, et dès qu'elle la franchit et alluma, elle remarqua les petites boules de poils frétillantes et gémissantes autour d'elle. Gabby appela la chienne... et quelques instants plus tard poussa un cri.

Travis venait d'entrer dans sa cuisine pour prendre une escalope de poulet dans son frigo lorsqu'il entendit tambouriner à sa porte d'entrée.

– Docteur Parker ?... Travis ?... Vous êtes là ?

Il reconnut aussitôt la voix de Gabby. Il alla ouvrir, et elle lui apparut toute pâle et terrifiée.

– Vous devez venir, dit-elle, pantelante, Molly a des problèmes.

Tandis que Gabby repartait chez elle en courant, Travis réagit instinctivement, récupérant sa trousse médicale sur le siège passager de son pick-up, celle qu'il utilisait quand un agriculteur l'appelait à l'occasion pour soigner un animal de sa ferme. Son père avait toujours insisté sur l'importance d'avoir toujours un nécessaire de secours sous la main, et Travis avait suivi ses conseils à la lettre. Sur ces entrefaites, Gabby était retournée chez elle en laissant la porte ouverte. Travis arriva quelques instants plus tard et l'aperçut dans la cuisine, près de la porte menant au garage.

– Elle halète et vomit, déclara-t-elle comme il la rejoignait. Et puis... quelque chose pend de son arrière-train.

Travis identifia sur-le-champ un cas de prolapsus utérin, en espérant ne pas être arrivé trop tard.

– Laissez-moi le temps de me laver les mains, dit-il.

Tout en frottant celles-ci sous le robinet de l'évier, il enchaîna :

– Vous pourrez m'éclairer dans le garage ? Avec une lampe ou quoi que ce soit ?

– Vous n'allez pas l'emmener à la clinique ?

– Si, sans doute, répondit-il posément. Mais pas tout de suite. Je veux d'abord tenter quelque chose. Et j'ai besoin de lumière. Vous pouvez faire ça pour moi ?

– Oui, oui... Bien sûr.

Elle disparut de la pièce, puis revint peu après avec une lampe.

– Vous pensez qu'elle va s'en sortir ?

– Je saurai d'ici quelques minutes si c'est sérieux ou pas.

Les mains levées à la manière d'un chirurgien, il désigna d'un hochement de menton la trousse posée par terre :

– Vous voulez bien m'apporter ça aussi ? Posez-la dans le garage et tâchez de trouver une prise pour la lampe. Le plus près possible de Molly, d'accord ?

– Oui, dit-elle en s'efforçant de ne pas paniquer.

Travis s'approcha doucement de la chienne, tandis que Gabby branchait la lampe, notant avec soulagement que Molly était consciente. Il entendit l'animal gémir, ce qui était normal en pareille situation. Il se concentra ensuite sur la masse tubulaire qui saillait de sa vulve, puis jeta un œil sur les chiots, certain qu'ils étaient nés une demi-heure plus tôt, ce qui le rassura. Il y aurait moins de risques de nécrose...

– Et maintenant ? s'enquit Gabby.

– Tenez-la et parlez-lui doucement. J'ai besoin que vous l'aidiez à se calmer.

Quand Gabby fut en place, Travis s'accroupit près de la chienne, tout en l'écoutant murmurer à l'oreille de Molly, leurs têtes se touchant presque. La chienne donna des coups de langue, autre signe encourageant. Il vérifia avec douceur l'état de l'utérus et la chienne se crispa légèrement.

– Qu'est-ce qui cloche ? demanda Gabby.

– Il s'agit d'un prolapsus utérin, expliqua-t-il. Cette partie de l'utérus s'est retournée et fait saillie.

Il palpa l'organe avec précaution, en quête d'éventuelles déchirures ou zones nécrotiques.

– Elle a eu des problèmes pour mettre bas ?

– Je n'en sais rien, avoua-t-elle. Je ne me suis même pas rendu compte qu'elle avait ses petits. Elle va s'en sortir, hein ?

Focalisé sur la chienne, Travis ne répondit pas.

– Regardez dans ma trousse, reprit-il. Il devrait y avoir du sérum physiologique. Et j'aurai besoin aussi de gel.

– Qu'est-ce que vous allez faire ?

– Je vais devoir nettoyer l'utérus, puis le manipuler un peu. Je vais tenter de réduire la protubérance à la main, et avec un peu de chance il va se contracter et se remettre en place de lui-même. Dans le cas contraire, je vais devoir emmener Molly pour l'opérer. J'aimerais autant l'éviter.

Gabby trouva le sérum et le gel dans le sac, puis les lui tendit. Travis nettoya l'utérus, le rinça encore à deux reprises, avant de s'emparer du gel lubrifiant, en espérant que ça allait marcher.

Gabby ne pouvant supporter de le regarder faire, elle concentra son attention sur Molly, ne cessant de lui murmurer à l'oreille qu'elle était une chienne gentille et courageuse. Travis conserva son calme, sa main se déplaçant à un rythme régulier.

Gabby ignorait combien de temps ils restèrent au garage, cela avait pu durer dix minutes comme une heure. Elle vit enfin Travis se pencher en arrière, comme pour relâcher la tension dans ses épaules. Elle remarqua alors qu'il avait les mains libres.

– C'est fini ? hasarda-t-elle. Elle va bien ?

– Oui et non, répondit-il. Son utérus est de nouveau en place et a l'air de se contracter sans problème, mais je dois l'emmener à la clinique. Elle va se reposer pendant deux ou trois jours, histoire de reprendre des forces, et il lui faudra des antibiotiques et des protéines en perfusion. Je vais aussi lui faire une radio. Mais s'il n'y a pas de complications, elle sera vite sur pied. Maintenant, je vais reculer mon pick-up en me garant avec l'arrière face au garage. J'ai de vieilles couvertures sur lesquelles Molly peut se coucher.

– Et sinon, l'utérus ne risque pas... de ressortir ?

– C'est peu probable. Comme je vous l'ai dit, il se contracte normalement.

– Et les chiots ?

– Je vais les emmener aussi. Ils ont besoin d'être avec leur maman.

– Et ça ne va pas lui faire mal ?

– Ça ne devrait pas. Mais c'est pourquoi on doit l'alimenter par perfusion. Pour que les petits puissent la téter.

Gabby se détendit et sourit enfin.

– Je ne sais pas comment vous remercier.

– Vous venez de le faire.

Travis hissa Molly avec précaution dans le pick-up, pendant que Gabby commençait à rassembler les chiots. Quand tous furent installés, Travis récupéra sa trousse et la lança sur le siège avant. Il fit le tour du véhicule et ouvrit sa portière en annonçant :

– Je vous tiendrai au courant.

– Je vous accompagne.

– Ce serait mieux qu'elle se repose, et si vous êtes dans la pièce ça risque de la perturber. Elle a besoin de récupérer. Ne vous inquiétez pas, je vais bien m'occuper d'elle. Je vais passer la nuit là-bas. Vous avez ma parole.

Gabby hésita :

– Vous en êtes sûr ?

– Tout va bien se passer. C'est promis.

Elle réfléchit un instant, puis le gratifia d'un sourire timide.

– Vous savez, dans ma profession, on nous enseigne à ne jamais rien promettre. Mais plutôt à dire que nous allons faire tout notre possible.

– Vous vous sentiriez mieux si je ne vous promettais rien ?

– Non. Malgré tout, je pense que je devrais venir avec vous.

– Vous ne travaillez pas demain ?

– Si. Mais vous aussi.

– Exact, mais ça fait partie de mon boulot. Par ailleurs, je ne dispose que d'un lit de camp à la clinique. Si vous veniez, vous devriez dormir par terre.

– Vous voulez dire que vous ne me laisseriez pas le lit de camp ?

Il grimpa dans le pick-up.

– Si j'y étais obligé, je suppose que si, répliqua-t-il en souriant à belles dents. Mais s'il apprenait que vous et moi avons passé la nuit ensemble, que penserait votre petit ami ?

– Comment savez-vous que j'en ai un ?

Il tendit la main pour fermer la portière.

– Je l'ignorais, avoua-t-il, l'air un peu déçu.

Puis il retrouva son sourire :

– Laissez-moi l'emmener là-bas, d'accord ? Et appelez-moi demain. Je vous dirai comment ça s'est passé.

– Entendu, dit-elle, se laissant fléchir.

Travis ferma la portière, et elle entendit la voiture démarrer. Il se pencha par la vitre.

– Ne vous en faites pas, répéta-t-il. Tout va bien se passer.

Il s'engagea sur la route, puis tourna à gauche. En s'éloignant, il lui fit signe par la vitre. Même si elle savait qu'il ne la voyait pas, Gabby agita la main à son tour et regarda les feux arrière disparaître au coin de la rue.

Après le départ de Travis, elle gagna tranquillement sa chambre et s'attarda devant la coiffeuse. Depuis toujours, elle savait que sa beauté ne déchaînerait pas les passions ; mais pour la première fois depuis des lustres, elle se surprit à regarder son reflet dans le miroir et à se demander ce qu'un autre homme que Kevin pouvait penser d'elle en la voyant.

Malgré la fatigue et ses cheveux en désordre, elle n'était pas aussi ordinaire qu'elle l'aurait cru. L'idée ne lui déplaisait pas, encore qu'elle n'aurait su expliquer pourquoi. Elle revit aussi la déception sur le visage de Travis en découvrant qu'elle avait un petit ami... ce qui la fit rougir. Pour autant, ça ne changeait pas ses sentiments envers Kevin.

En tout cas, elle s'était trompée au sujet de son voisin ; elle avait tout faux depuis le début. Il avait réagi avec calme dans l'urgence. Elle n'en revenait toujours pas, alors que ça n'aurait pas dû la surprendre. Après tout, il était vétérinaire...

Sur ces entrefaites, elle décida d'appeler Kevin. Il la réconforta aussitôt et promit de la rejoindre au plus vite.

– Comment tu te sens ? demanda Kevin.

Gabby se pencha vers lui. Son bras l'enlaça et la réconforta.

– Un peu angoissée, j'imagine.

Il l'attira tout contre lui, et elle s'imprégna de son odeur...

Il avait dû prendre une douche avant de passer la voir et sentait bon. Ses cheveux en bataille lui donnaient des allures d'étudiant.

– Je suis ravi que ton voisin se soit trouvé là, reprit-il. Travis, c'est ça ?

– Ouais, confirma-t-elle en le regardant. Tu le connais ?

– Pas vraiment. On assure sa clinique, mais elle fait partie des comptes que mon père continue de gérer.

– Je pensais que c'était une petite ville et que tu connaissais tout le monde.

– En effet. Mais j'ai grandi à Morehead City, et quand j'étais gamin je ne traînais pas avec ceux de Beaufort. Et puis, je crois qu'il est un peu plus âgé que moi. Il devait déjà être en fac quand moi j'entrais à peine au lycée.

Elle hocha la tête. Un silence s'établit, et ses pensées revinrent à Travis, son expression grave lorsqu'il s'occupait de Molly, le calme de sa voix quand il lui avait expliqué ce qui clochait. Elle se sentit un peu coupable et enfouit son visage dans le cou de Kevin. Il lui caressa l'épaule d'un geste familier et apaisant.

– Je suis contente que tu sois passé, murmura-t-elle. J'avais vraiment besoin de ta présence ce soir.

Il déposa un baiser sur ses cheveux.

– Où voulais-tu que je sois ?

– Je sais... mais tu avais ce rendez-vous, et puis tu pars tôt demain matin.

– Rien d'extraordinaire. C'est juste un congrès. Mon sac sera prêt en dix minutes à tout casser. Dommage que je ne sois pas venu plus tôt.

– Tes yeux ne l'auraient pas supporté, je pense.

– Sans doute. Mais je regrette quand même.

– Tu as tort. Tu n'as aucune raison de t'en vouloir.

Il lui caressa les cheveux.

– Tu veux que je reporte mon voyage ? Je suis certain que mon père comprendrait si je restais ici demain.

– Non, pas de problème. De toute façon, je dois aller bosser.

– Tu en es sûre ?

– Oui. Mais j'apprécie que tu l'aies proposé. Ça signifie beaucoup pour moi.

– 6 –

Après avoir découvert son fils allongé sur le lit de camp et un chien dans la salle de réveil, Max Parker écouta Travis lui raconter ce qui s'était passé. Max prépara deux tasses de café et les apporta à table.

– Pour une première, tu t'en es bien tiré, déclara-t-il.

Avec ses cheveux blancs et ses sourcils broussailleux, il incarnait le vétérinaire de province estimé de tous.

– Tu n'as jamais eu affaire à ce genre de problème chez une chienne ?

– Jamais, admit Max. Chez une jument, oui. Tu sais combien c'est rare. Molly a l'air de bien récupérer, à présent. Elle s'est redressée et frétillait de la queue à mon arrivée, ce matin. Tu as veillé tard ?

Travis but son café à petites gorgées et l'apprécia.

– Presque toute la nuit. Je voulais m'assurer que ça ne se reproduirait pas.

– Ça arrive rarement. C'est bien d'avoir été là. Tu as appelé la propriétaire ?

– Non. Mais je vais le faire, dit Travis en se frottant les paupières. Bon sang, je suis crevé !

– Pourquoi ne pas aller dormir un peu ? Je peux me débrouiller ici, et je garderai un œil sur Molly.

– Je ne voudrais pas te déranger.

– Pas du tout, répliqua Max en souriant. Tu perds la mémoire ou quoi ? Tu n'es pas censé travailler aujourd'hui. On est vendredi.

Quelques minutes plus tard, après être passé voir Molly une dernière fois, Travis se gara devant chez lui et descendit de sa voiture. Il étira les bras au-dessus de sa tête, puis s'en alla chez Gabby. En traversant l'allée de sa voisine, il aperçut le journal qui dépassait de la boîte aux lettres et, après une courte hésitation, s'en empara. Arrivé sous le porche, il allait frapper quand il entendit des pas s'approcher à l'intérieur, puis la porte s'ouvrit. Gabby se redressa, surprise de le voir.

– Oh ! bonjour... dit-elle en lâchant la poignée. Je pensais justement vous appeler.

Bien qu'elle fût pieds nus, elle portait un pantalon en toile et une blouse blanc cassé, ses cheveux simplement relevés par une barrette ivoire. Il la trouvait séduisante, tout en remarquant cette fois que son charme résidait plus dans son naturel que dans sa beauté classique.

Elle paraissait si... authentique.

– Comme j'allais rentrer chez moi, j'ai pensé vous tenir au courant. Molly récupère bien.

– Vous en êtes sûr ?

Il acquiesça en précisant :

– J'ai fait une radio et il n'y avait aucune hémorragie interne. Dès le début des perfusions, elle a paru recouvrer ses forces. Elle pourrait sans doute rentrer plus tard dans la journée, mais j'aimerais la garder un soir de plus, juste par précaution. En fait, mon père va la surveiller dans l'intervalle. J'ai été debout quasiment toute la nuit, alors je vais faire un somme, mais je passerai la voir après.

– Je peux y aller ?

– Pas de problème. Quand vous voulez. Sachez toutefois qu'elle risque de vous sembler un peu groggy, car j'ai dû lui administrer un sédatif afin de la passer aux rayons X et de calmer la douleur.

Il marqua une pause, puis reprit :

– Les chiots se portent comme des charmes, au fait. Ils sont mignons à croquer.

Elle sourit, bercée par la douceur de son accent qu'elle s'étonna de remarquer pour la première fois.

– Je tenais à vous remercier encore, dit-elle. Je ne sais pas comment je pourrai un jour vous rendre la pareille.

Il chassa l'idée d'un geste de la main.

– J'étais ravi de pouvoir vous aider. Tenez, dit-il en lui tendant le journal, je l'ai récupéré au passage.

– Merci, dit-elle en prenant le quotidien.

L'espace d'un bref instant, ils se dévisagèrent en silence.

– Une tasse de café, ça vous dit ? suggéra-t-elle. Je viens de le faire.

Elle fut à la fois soulagée et déçue lorsqu'il secoua la tête.

– Non, merci. Autant ne pas rester éveillé si je veux dormir.

– C'est d'une logique imparable, admit-elle en éclatant de rire.

– Eh oui...

Elle l'imagina soudain accoudé à un bar et bavardant avec une jolie femme, ce qui lui donnait la vague impression qu'il était en train de flirter.

– Écoutez, reprit-il, vous devez sans doute vous préparer à partir au travail, et je suis flapi. Alors je vais aller dormir un petit moment.

Sur ces mots, il tourna les talons et s'éloigna.

Malgré elle, Gabby sortit sur le perron et l'appela alors qu'il traversait le jardin.

– Avant de partir, vous pouvez me dire vers quelle heure vous pensez retourner à la clinique ? Pour aller voir Molly, je veux dire ?

– Je ne sais pas trop. Ça dépend du temps que je passerai à dormir.

– Oh... d'accord, dit-elle en regrettant d'avoir posé une question aussi idiote.

– Sinon, dites-moi à quel moment vous ferez votre pause déjeuner et je vous retrouverai à la clinique.

– Je ne voulais pas...

– À quelle heure ?

Elle ravala sa salive.

– Une heure moins le quart ?

– J'y serai, promit-il.

Il recula de deux ou trois pas et ajouta :

– À propos, vous êtes super dans cette tenue !

Qu'est-ce qui a bien pu se passer ?

La question tarauda Gabby pendant toute la matinée. Qu'elle procède à des examens de routine sur des nouveau-nés (deux), diagnostique des otites (quatre), administre un vaccin ou recommande une radio, elle avait l'impression de marcher au radar et de n'être qu'à moitié présente. Elle se revoyait encore sur son perron, tout en se demandant si Travis l'avait draguée et si peut-être, peut-être seulement, elle n'avait pas plus ou moins apprécié.

Pour la énième fois, elle regrettait de ne pas avoir une amie sur place pour discuter de tout cela. Rien n'égalait une amie proche pour se confier, et même si le cabinet comptait des infirmières, son statut d'assistante semblait la placer à part. Elle les entendait fréquemment discuter et rire entre elles, mais elles avaient tendance à se calmer dès qu'elle approchait. Elle se sentait donc aussi isolée que lors de son installation dans cette ville.

Quand elle eut terminé d'ausculter son dernier patient, Gabby glissa son stéthoscope dans la poche de sa blouse et regagna son bureau. La pièce n'avait rien d'extraordinaire, et elle la soupçonnait de servir de réserve avant son arrivée. Aucune fenêtre, et la table de travail occupait quasiment tout l'espace... mais si elle évitait d'y mettre la pagaille, Gabby appréciait malgré tout d'avoir un coin réservé. Elle récupéra son sac dans le dernier tiroir du classeur presque vide. Un coup d'œil sur sa montre, et elle constata qu'il lui restait quelques minutes avant de s'en aller. Elle s'assit et passa une main dans ses boucles indisciplinées.

Nul doute qu'elle se montait la tête pour pas grand-chose, décida-t-elle. Les gens flirtaient tout le temps. C'était dans la nature humaine. Et puis ça ne voulait sans doute rien dire. Après tout ce qu'ils avaient traversé la veille au soir, Travis était devenu son ami, en quelque sorte...

Son premier ami dans une nouvelle ville au commencement de sa nouvelle existence. L'idée lui plaisait. Quel mal y avait-il à cela ? Aucun. Cette pensée la fit sourire, puis elle fronça les sourcils.

Après réflexion, peut-être que ce n'était pas une si bonne idée. Entretenir des rapports amicaux entre voisins, pas de problème, mais se lier d'amitié avec un dragueur, c'était une autre paire de manches. Surtout avec un dragueur plutôt beau gosse. En général, Kevin n'était pas jaloux, mais elle n'était pas assez stupide non plus pour s'imaginer qu'il se réjouirait de la savoir en compagnie de Travis, prenant le café sur la terrasse deux ou trois fois par semaine... comme le faisaient des voisins qui se fréquentaient. Aussi innocente que puisse être sa visite chez le vétérinaire – et ce serait le cas, voyons ! –, celle-ci prenait plus ou moins des allures d'infidélité.

Elle hésita. *Je deviens folle*, se dit-elle. *Folle à lier !*

Gabby n'avait pourtant rien fait de répréhensible. Et Travis non plus. Et le petit épisode de drague de ce matin se révélerait sans conséquence, même s'ils étaient voisins. Kevin et elle formaient un couple depuis leur dernière année de fac... Ils s'étaient rencontrés par une soirée froide et maussade, où son bonnet s'était envolé dans la bourrasque alors qu'elle sortait d'un bar-restaurant avec ses amis. Kevin s'était précipité dans Franklin Street et avait slalomé entre les voitures pour récupérer son couvre-chef, et si ce ne fut pas vraiment le coup de foudre entre eux, il y eut peut-être quelques étincelles... même si elle n'en avait pas vraiment eu conscience sur le moment.

À l'époque, sa vie lui semblait déjà assez compliquée pour qu'elle ne s'embarrasse pas en plus d'une relation. Les derniers examens se profilaient à l'horizon, sans parler du loyer à payer et de la formation d'assistante médicale à trouver. Même si avec le recul ça lui semblait aujourd'hui grotesque, elle devait alors prendre la décision plus importante de sa vie. Elle était acceptée à la fois par l'université de médecine de Caroline du Sud à Charleston et par celle de Virginie à Norfolk, sa mère la poussant farouchement à opter pour Charleston. « Ton choix est simple, Gabrielle. Tu ne seras qu'à deux heures de chez nous, et Charleston est bien plus cosmopolite, ma chérie. » Gabby penchait aussi pour cette fac, même si elle savait au fond d'elle-même que c'était pour toutes sortes de mauvaises raisons : la vie nocturne, l'idée exaltante d'habiter une ville magnifique, la culture, l'animation. Elle se rappela qu'elle n'aurait pas réellement le temps d'en profiter. À l'exception de certaines matières spécifiques, les futurs assistants médicaux suivaient le même cursus que les étudiants en médecine, mais n'avaient que deux ans et demi au lieu de quatre pour finir le programme. Elle imaginait déjà avec horreur ce qui l'attendait : une succession ininterrompue de cours et des connaissances à ingurgiter à un rythme d'enfer. En visitant les deux campus, Gabby préféra finalement l'université de Virginie, qui lui paraissait en un sens plus propice pour se concentrer sur ses véritables priorités.

Mais lesquelles au juste ?

Ce choix la tracassait encore ce fameux soir d'hiver où son bonnet s'était envolé et où Kevin l'avait récupéré pour elle. Après l'avoir remercié, elle s'empressa d'oublier ce garçon jusqu'à ce qu'il la repère à l'autre bout du campus, quelques semaines plus tard. Si elle ne le reconnaissait pas, Kevin se rappelait fort bien Gabby, en revanche. Son allure décontractée contrastait fortement avec l'arrogance des nombreux étudiants rencontrés jusque-là, dont la plupart buvaient comme des trous et se peinturluraient le torse chaque fois que leur équipe de football disputait un match. Après avoir bavardé, ils se revirent autour d'un café, puis d'un dîner, et le jour de la remise des diplômes, quand ses camarades et elle lancèrent leur toque en l'air comme le veut la tradition. Gabby supposa qu'elle était amoureuse. À ce moment-là, sa décision était prise concernant sa formation, et comme Kevin prévoyait de vivre à Morehead City, à quelques heures de route de la fac où elle étudierait, le choix semblait quasi prédestiné.

Kevin faisait la navette pour la voir à Norfolk, tandis qu'elle descendait à Morehead City en voiture. Chacun fit la connaissance de la famille de l'autre. Ils se chamaillaient, se rabibochaient, rompaient puis se réconciliaient. Gabby avait même effectué quelques parcours de golf avec lui, alors qu'elle n'appréciait guère ce sport ; et pendant tout ce temps, Kevin resta le gars facile à vivre et décontracté qu'il avait toujours été. Sa bonne nature semblait refléter son éducation dans une petite ville où, à vrai dire, la vie s'écoulait lentement la plupart du temps. La lenteur paraissait comme enracinée dans sa personnalité. Quand Gabby se faisait du souci, il haussait les épaules ; dans les moments les plus pessimistes de Gabby, il restait insouciant. Voilà pourquoi ils s'entendaient aussi bien, selon elle. Ils se complétaient en s'équilibrant. Ils étaient faits l'un pour l'autre. Bref, si elle devait choisir entre Kevin et Travis, elle n'hésiterait pas un seul instant.

Ayant clarifié le sujet, elle décida que le côté dragueur de Travis n'avait aucune importance. Il pouvait flirter avec elle tant qu'il voulait ; au bout du compte, elle savait exactement ce qu'elle souhaitait dans sa vie. Elle en était certaine.

Comme Travis l'avait promis, Molly était en meilleure forme que Gabby ne l'espérait. La chienne agitait la queue avec enthousiasme, et, malgré la présence des chiots – dont la plupart dormaient –, elle se redressa sans effort à l'arrivée de sa maîtresse et trottina vers elle, avant de lui donner de grands coups de langue. Molly avait la truffe fraîche et lui fit la fête, puis s'assit à ses pieds.

– Je suis contente que tu ailles mieux, lui murmura Gabby en la caressant.

– Moi aussi, renchérit la voix de Travis derrière elle, sur le seuil de la pièce. C'est un brave petit soldat avec un excellent caractère.

Gabby se retourna et le vit appuyé contre la porte.

– Je crois que je me suis trompé, poursuivit-il en s'avançant vers elle, une pomme à la main. Elle pourrait sans doute rentrer à la maison ce soir, si vous souhaitez passer la prendre après le travail. Je ne dis pas que vous devez le faire. Je serais ravi de la garder ici, si ça vous rassure. Mais Molly récupère encore mieux que prévu.

Il s'accroupit et claqua dans ses doigts pour attirer l'attention de la chienne.

– Qui c'est le gentil toutou qui mérite un gros câlin ? murmura-t-il d'un ton enjôleur signifiant « J'adore les chiens et aucun ne me résiste ».

À la plus grande surprise de Gabby, Molly s'éloigna d'elle comme d'une intruse, tandis que Travis prenait le relais des caresses et des cajoleries.

– Et les petits monstres se portent bien aussi, enchaîna-t-il. Si vous les ramenez chez vous, tâchez de fabriquer une espèce d'enclos pour les garder ensemble. Sinon, ça risque d'être la pagaille. Pas besoin de vous prendre la tête, juste quelques planches contre des cartons... et veillez à tapisser le sol de papier journal.

Elle l'entendait à peine, car elle ne pouvait s'empêcher de remarquer combien il était séduisant. Ça l'agaçait d'avoir cette réaction chaque fois qu'elle le voyait. Comme si son apparition déclenchait en elle plein de sonnettes d'alarme, sans qu'elle sache pourquoi. Il était grand et mince, mais elle avait croisé une multitude de types comme lui. Il souriait beaucoup, mais ça n'avait rien d'exceptionnel. Ses dents étaient presque trop immaculées – nul doute qu'il devait les faire blanchir ; mais même si elle savait que la couleur n'était pas naturelle, le sourire n'en demeurait pas moins étincelant. Il surveillait sa ligne aussi, et les salles de sport des quatre coins du pays regorgeaient de gars comme lui : ils s'entraînaient religieusement, se nourrissaient uniquement de blanc de poulet et de flocons d'avoine, couraient quinze kilomètres par jour... Mais aucun d'eux ne lui avait fait cette impression.

Alors, qu'avait-il de plus ?

Tout aurait été plus simple s'il avait été moche. Cela aurait tout changé, depuis leur première confrontation jusqu'à cette espèce de gêne qu'elle éprouvait aujourd'hui... parce qu'elle ne se serait pas sentie aussi désorientée. Mais c'était terminé, résolut-elle. Plus question de tomber dans le panneau. Une fille comme elle était au-dessus de ça, voyons ! Elle allait tout de suite mettre un terme à ses divagations, se contenterait à l'avenir de le saluer d'un geste de la main, en bonne voisine, puis reprendrait sa vie sans se laisser distraire.

– Vous allez bien ? s'enquit-il en la regardant fixement. Vous avez l'air ailleurs.

– Juste un peu fatiguée, mentit-elle. Molly vous a adopté, ajouta-t-elle en désignant la chienne.

– Ouais... On s'entend bien, tous les deux. Je pense que les biscuits que je lui ai donnés ce matin y sont pour quelque chose. Ce genre de friandises leur va droit au cœur. C'est ce que je dis toujours aux livreurs de FedEx et d'UPS quand ils se plaignent des chiens qui leur aboient dessus.

– C'est noté, dit-elle, retrouvant rapidement son aplomb.

Lorsqu'un des chiots se mit à gémir, Molly se redressa et regagna la cage ouverte, oubliant aussitôt la présence du vétérinaire et de Gabby. Travis se releva et fit briller la pomme en la frottant sur son jean.

– Alors, qu'avez-vous décidé ? demanda-t-il.

– À quel sujet ?

– Au sujet de Molly ?

– Comment ça ?

Il fronça les sourcils, puis reprit lentement :

– Vous voulez la ramener ce soir ou pas ?

– Ah... vous parliez de ça, dit-elle, aussi troublée qu'une jeune lycéenne rencontrant le footballeur vedette de l'équipe locale.

Elle se serait volontiers giflée, mais préféra s'éclaircir la voix :

– Je... je pense que oui. Si vous m'assurez qu'elle ne risque rien.

– Tout ira bien. Elle est jeune et en bonne santé. Aussi effrayant que son prolapsus ait pu vous paraître, il aurait pu être pire. Molly a eu de la chance.

Gabby croisa les bras.

– Oui, en effet.

Pour la première fois, elle remarqua que son tee-shirt publicitaire vantait les mérites du restaurant de Key West. Il croqua sa pomme, puis désigna Gabby d'un geste nonchalant.

– Vous savez, je croyais que vous seriez plus enthousiaste à propos de Molly, dans la mesure où elle va bien.

– Je le suis.

– Vous n'en avez pas l'air.

– C'est censé vouloir dire quoi ?

– J'en sais rien.

Il mordit de nouveau dans sa pomme.

– Si je m'en tiens au fait que vous vous êtes pointée chez moi, j'imagine que je m'attendais à un peu plus d'émotion. Pas seulement envers Molly, mais aussi parce que je me trouvais là pour vous aider.

– Et je vous ai déjà dit que je vous en étais reconnaissante, déclara-t-elle. Combien de fois dois-je vous remercier ?

– Aucune idée. Combien, d'après vous ?

– Ce n'est pas moi qui ai posé la question.

Il haussa un sourcil.

– En fait, si.

Ah ouais ? s'interrogea-t-elle.

– Soit, dit-elle en levant les bras. Alors, encore « mercipour-tout-ce-que-vous-avez-fait », articula-t-elle comme s'il était un peu dur d'oreille.

Il éclata de rire.

– Vous êtes comme ça avec vos patients ?

– Comme quoi ?

– Aussi sérieuse.

– À vrai dire, non.

– Et avec vos amis ?

– Non...

Elle secoua la tête d'un air confus et ajouta :

– Mais quel rapport avec le reste ?

Il croqua une autre bouchée de pomme et laissa la question en suspens.

– J'étais juste un peu curieux, déclara-t-il enfin.

– À quel propos ?

– Je voulais savoir si c'était dans votre tempérament ou si vous adoptiez seulement une attitude sérieuse avec moi. Le cas échéant, vous m'en voyez flatté.

Elle sentit le rouge lui monter aux joues.

– Je ne sais pas de quoi vous parlez.

Il eut un sourire narquois.

– D'accord...

Elle ouvrit la bouche, souhaitant rétorquer quelque chose de spirituel, ne serait-ce que pour l'épater et le remettre à sa place ; mais avant que la moindre idée lui traverse l'esprit, il lança le trognon de pomme dans la poubelle et lui tourna le dos pour se laver les mains.

– Écoutez, reprit-il par-dessus son épaule, je suis ravi que vous soyez là, pour une autre raison. J'organise une petite sortie entre amis demain et j'espérais que vous pourriez venir.

Elle papillonna des paupières, sans trop savoir si elle avait bien compris.

– Chez vous ?
– C'est ça l'idée, oui...
– Vous voulez dire un rendez-vous en tête à tête ?
– Non, on sera plusieurs... entre amis.
Il coupa le robinet et s'essuya les mains.
– C'est la première fois cette année que j'installe le parachute ascensionnel sur mon bateau. On devrait s'amuser comme des fous.
– Il y aura une majorité de couples ? Parmi vos invités ?
– À l'exception de ma sœur et moi, ils sont tous mariés.
Elle secoua la tête.
– Je ne pense pas venir. J'ai un petit ami.
– Super. Amenez-le.
– On est ensemble depuis presque quatre ans.
– Comme je vous l'ai dit, il est le bienvenu.
Elle se demanda encore si elle avait bien entendu et le dévisagea, essayant de deviner s'il plaisantait ou non.
– Vraiment ?
– Bien sûr. Pourquoi pas ?
– Oh ! En fait... il ne peut pas venir, de toute manière. Il est en déplacement pour quelques jours.
– Dans ce cas, si vous n'avez rien d'autre à faire, venez.
– Je ne crois pas que ce soit une bonne idée.
– Pourquoi ?
– Je suis amoureuse de lui.
– Et ?
– Et quoi ?
– Et... vous pouvez toujours être amoureuse de lui en venant chez moi. Comme je vous le disais, on va se régaler. La météo prévoit dans les 27 °C. Vous avez déjà fait du parachute ascensionnel ?
– Non. Mais là n'est pas la question.

– Vous pensez qu'il n'apprécierait pas trop si vous nous rejoigniez ?
– Exact.
– C'est donc le genre de type qui tient à ce que vous restiez cloîtrée en son absence.
– Non, pas du tout.
– Alors, ça le dérange que vous vous amusiez sans lui ?
– Mais non !
– Il ne veut pas que vous rencontriez de nouvelles personnes ?
– Bien sûr que si !
– L'affaire est réglée, alors.
Il se dirigea vers la porte, puis marqua un temps d'arrêt :
– Les gens arriveront vers 10 ou 11 heures. Il suffit d'apporter un maillot de bain. On aura de la bière, du vin et des sodas... mais si une boisson vous tient à cœur, vous aurez peut-être envie de l'apporter.
– C'est juste que je ne pense pas...
Il l'interrompit d'un geste de la main :
– Écoutez... si vous en avez envie, sachez que vous êtes la bienvenue. Mais je ne vous force pas la main, d'accord ?
Il haussa les épaules et ajouta :
– Je me disais seulement que ça nous donnerait l'occasion de mieux nous connaître.
Gabby savait qu'elle aurait dû refuser. Mais elle avala sa salive, sa bouche lui paraissant bien sèche tout à coup.
– Peut-être que je passerai, dit-elle.

– 7 –

Le samedi commença plutôt bien... Tandis que le soleil dardait ses rayons au travers des stores, Gabby glissa les pieds dans ses mules roses douillettes et gagna la cuisine à pas feutrés pour se servir une tasse de café, se réjouissant à l'idée d'une matinée à se prélasser. Ensuite, tout se mit à aller de travers. Avant même d'avaler sa première gorgée, elle voulut aller jeter un œil sur Molly et constata avec satisfaction que la chienne avait quasiment retrouvé toute sa vivacité. Les chiots semblaient aussi en bonne santé, encore que Gabby ignorât au juste ce qu'elle était censée surveiller chez eux. Quand ils ne se cramponnaient pas à Molly comme des arapèdes à un rocher, les petits monstres velus trottinaient, faisaient la culbute, gémissaient et glapissaient à qui mieux mieux... la nature les rendant suffisamment adorables pour que leur mère n'ait pas envie de les dévorer. Mais Gabby ne craquait pas pour autant. Certes, ils n'étaient pas aussi vilains qu'elle pouvait le craindre, mais pas aussi beaux que Molly, et elle s'inquiétait encore à l'idée de ne pas leur trouver un foyer – ce qu'elle devait faire sans trop tarder... l'odeur forte du garage suffisait à l'en convaincre.

Tous ces relents lui donnaient des haut-le-cœur, tandis qu'elle se rappela vaguement que Travis lui avait suggéré de fabriquer une espèce d'enclos. Comment deviner que des chiots pouvaient produire autant de déjections ? Il y en avait partout ! L'odeur paraissait imprégner les murs, et ouvrir la porte du garage n'arrangeait rien. Gabby passa une bonne demi-heure à tout nettoyer, en retenant sa respiration pour ne pas vomir.

Lorsqu'elle eut terminé, elle était quasi convaincue que les chiots faisaient partie d'une sorte de plan diabolique destiné à gâcher son week-end. Franchement, c'était la seule explication au fait que ces monstres semblaient avoir une prédilection pour la longue fissure dans le sol du garage... à tel point qu'elle dut utiliser une vieille brosse à dents pour enlever leurs saletés. Écœurant !

Et Travis... Lui assi était fautif dans cette affaire. Et même autant que les chiots. Bon, d'accord, il lui avait conseillé en passant de les garder enfermés... mais sans préciser que c'était indispensable, si ? Il n'avait pas expliqué ce qui se passerait si elle ne suivait pas ses conseils, si ?

Pourtant il savait d'avance ce qui allait se passer. Elle en aurait mis sa main à couper. Quel faux jeton !

Après mûre réflexion, elle constata que ce n'était pas la première fois qu'il lui faisait le coup. Cette manière d'insister lourdement pour qu'elle réponde à la question à mille dollars, du genre : « Vais-je faire du bateau avec mon voisin qui, accessoirement, est plutôt beau gosse et dragueur ? »... Elle décida qu'elle n'avait pas envie d'y aller, ne serait-ce que parce qu'il l'avait plus ou moins manipulée pour qu'elle accepte. Et toutes ces questions ridicules insinuant que Kevin la gardait sous clé, comme si elle était sa propriété ou elle ne savait quoi ! Comme si elle n'avait pas son mot à dire ! Et voilà qu'elle était en train de ramasser mille et une crottes dans son garage...

Une merveilleuse façon de commencer le week-end ! Pour couronner le tout, son café était glacé, son journal trempé par le jet d'un arroseur rotatif, et l'eau de sa douche avait refroidi avant qu'elle ait fini de se laver.

Génial !

« Où est le plaisir d'être en congé ? » grommela-t-elle en s'habillant à la va-vite. Gabby avait deux jours libres devant elle, et Kevin n'était nulle part en vue. Même quand il se trouvait auprès d'elle, leurs week-ends n'avaient plus rien à voir avec ceux qu'ils passaient ensemble quand elle allait le voir pendant les vacances universitaires. À l'époque, chacune de ses visites semblait formidable : ils faisaient des tas de choses et voyaient plein de gens nouveaux. À présent, Kevin disparaissait une partie du samedi et du dimanche sur le terrain de golf.

Elle se versa une autre tasse de café. C'est vrai, Kevin avait toujours été du genre tranquille ; et il avait besoin de décompresser après une dure semaine de travail, elle le savait. Mais elle ne pouvait nier le fait que, depuis son emménagement à Beaufort, leur relation avait changé. Non pas que ce soit totalement sa faute à lui, bien sûr. Elle aussi était responsable. Elle avait souhaité s'installer, se poser... pour ainsi dire. Et c'était le cas. Alors pourquoi s'en plaindre ?

Le problème, lui souffla une petite voix, *c'est qu'il existe peut-être... autre chose dans la vie.* Gabby ne savait pas au juste ce que ça signifiait, sauf que la spontanéité semblait faire partie intégrante de tout ça.

Elle secoua la tête, se disant qu'elle noircissait le tableau. Leur relation connaissait simplement des difficultés dues à sa longévité. En s'avançant sur sa terrasse, elle vit qu'une matinée incroyablement belle se préparait. Température parfaite, brise légère, aucun nuage dans le ciel. Elle vit au loin un héron prendre son envol des marécages pour glisser au-dessus de l'eau baignée de soleil. En regardant dans cette direction, elle aperçut Travis qui descendait vers l'embarcadère, avec pour tout vêtement un long bermuda écossais taille basse. De l'endroit où elle se tenait, elle pouvait admirer la musculature de ses bras et de son dos quand il marchait ; aussi recula-t-elle d'un pas vers la porte vitrée coulissante en espérant qu'il ne la verrait pas. Mais elle l'entendit l'appeler l'instant d'après.

– Salut, Gabby ! lui cria-t-il avec l'enthousiasme d'un gamin au premier jour des vacances d'été. Vous avez vu ce temps magnifique ?

Il trottina vers elle, et Gabby sortit au soleil tandis qu'il traversait la haie. Elle prit une profonde inspiration.

– Bonjour, Travis.

– C'est le moment que je préfère dans l'année, dit-il en écartant les bras pour désigner le paysage environnant. Ni trop chaud ni trop frais, et le ciel bleu qui s'étire à l'horizon.

Elle sourit, s'efforçant de ne pas loucher sur ses cuisses musclées indubitablement sexy, un atout qui la faisait toujours craquer chez les hommes.

– Comment va Molly ? continua-t-il. Je suppose qu'elle a passé une bonne nuit.

Gabby s'éclaircit la voix.

– Très bien. Merci.

– Et les petits ?

– Ils ont l'air d'aller aussi. Mais ils sèment une sacrée pagaille.

– Ça ne m'étonne pas. D'où la bonne idée de les garder dans un endroit restreint.

Il la gratifia d'un sourire éclatant et familier... bien trop familier à son goût, même s'il était le-beau-gosse-qui-avait-sauvé-sa-chienne.

Elle croisa les bras en se rappelant son attitude sournoise de la veille.

– Eh bien, euh... je ne m'en suis pas vraiment occupée hier soir.

– Pourquoi ?

Parce que tu m'as distraite, pensa-t-elle.

– Ça m'est sorti de la tête, j'imagine.

– Votre garage doit empester.

Elle haussa les épaules d'un air désinvolte, ne voulant pas lui donner le plaisir de la prendre en défaut.

Il ne parut pas remarquer sa réaction soigneusement calculée.

– Écoutez, pas besoin de fabriquer un truc compliqué. Mais les chiots ne font quasiment que déféquer dans les deux ou trois jours qui suivent leur naissance. Vous avez installé un petit enclos maintenant, non ?

Elle fit de son mieux pour garder un visage impassible mais, à l'évidence, n'y parvint pas.

– Vous ne l'avez pas fait ?

Gabby se dandina d'un pied sur l'autre.

– Pas vraiment, admit-elle.

– Pourquoi ?

Parce que tu continues à me distraire, pensa-t-elle.

– Je ne suis pas sûre d'en avoir besoin.

Travis se gratta la nuque.

– Ça vous plaît de nettoyer derrière eux ?

– C'est pas si terrible, marmonna-t-elle.

– Vous voulez dire qu'ils vont avoir libre accès à tout le garage ?

– Pourquoi pas ? répliqua-t-elle, sachant qu'aussitôt cette conversation terminée elle s'empresserait de fabriquer le plus minuscule enclos du monde

Il la dévisagea, l'air visiblement déconcerté.

– Sachez, à toutes fins utiles, qu'en ma qualité de vétérinaire je ne pense pas que vous preniez la bonne décision.

– Merci de me donner votre avis, répliqua-t-elle.

Il continuait à la regarder fixement.

– Entendu. Si ça vous convient, après tout. Vous passez chez moi vers les 10 heures, d'accord ?

– Je ne pense pas.

– Pourquoi donc ?

– Parce que je ne crois pas que ce soit une bonne idée.

– Pourquoi ?

– Parce que.

– Je vois, dit-il sur le ton qu'aurait employé la mère de Gabby.

– Bien.

– Quelque chose vous dérange ?

– Non.

– J'ai dit un truc qui ne vous a pas plu ?

Oui, répondit la petite voix. *Toi et tes fichues cuisses musclées.*

– Non.

– Alors où est le problème ?

– Il n'y en a aucun.

– Alors c'est quoi, cette façon de vous comporter ?

– Je n'ai pas de comportement particulier.

Le sourire éclatant s'était évanoui, de même que l'attitude chaleureuse.

– Oh que si ! Je dépose une corbeille garnie sur le pas de votre porte, histoire de vous souhaiter la bienvenue. Je sauve votre chienne et la veille toute la nuit pour m'assurer qu'elle va bien. Je vous invite à faire une sortie en bateau, tout ça après que vous m'avez enguirlandé sans raison, figurez-vous ! Et voilà que vous me traitez comme un moins que rien. J'ai essayé d'être sympa, mais chaque fois que je vous vois, vous avez l'air en colère contre moi. Je veux juste savoir pourquoi.

– Pourquoi ? répéta-t-elle comme un perroquet.

– Ouais, dit-il d'une voix posée. Pourquoi.

– Parce que, réitéra-t-elle, sachant qu'elle passait pour une gamine boudeuse.

Mais elle ne voyait pas ce qu'elle aurait pu lui répondre. Sans la quitter des yeux, il insista encore :

– Parce que quoi ?

– Ça ne vous regarde pas.

Il laissa la réponse flotter dans le silence.

– Peu importe, dit-il enfin.

Il tourna les talons et secoua la tête d'un air dépité en s'approchant des marches. Il avait atteint la pelouse lorsque Gabby fit un pas en avant.

– Attendez ! lâcha-t-elle.

Travis ralentit, puis s'arrêta et se retourna :

– Ouais ?

– Je suis désolée...

– Ah ouais ? De quoi ?

Elle hésita :

– Je ne vois pas ce que vous voulez dire.

– Je m'en serais douté, marmonna-t-il.

Sentant qu'il s'apprêtait à reprendre son chemin et à rentrer chez lui – ce qui, selon elle, mettrait un terme à leurs relations de bon voisinage –, elle s'avança encore, malgré elle.

– Je suis désolée pour tout, dit-elle d'une voix qui lui paraissait tendue et nasillarde. Je n'ai pas été correcte, et vous avez dû me prendre pour une ingrate...

– Et ?

Elle eut l'impression de rapetisser à vue d'œil... ce qui ne semblait se produire qu'en sa présence, décidément.

– Et puis, ajouta-t-elle en se radoucissant, parce que je me suis trompée.

– À propos de quoi ? demanda-t-il, intrigué, les poings sur les hanches.

Bon sang, par où commencer ? répondit la petite voix. *Peut-être que je ne me suis pas trompée. Peut-être que mon intuition me prévenait d'un truc que je n'ai pas vraiment compris mais que je n'aurais pas dû sous-estimer...*

– À propos de vous, dit-elle en ignorant la voix de sa conscience. Je me suis mal comportée avec vous, mais, en toute honnêteté, j'aimerais autant ne pas chercher à savoir pourquoi.

Elle s'efforça de sourire, mais lui resta de marbre.

– Est-ce qu'on pourrait tous les deux recommencer à zéro ?

Il parut méditer sur la question.

– J'en sais rien.

– Pardon ?

– Vous m'avez très bien entendu. La dernière chose dont j'aie besoin dans la vie, c'est d'une voisine cinglée. Sans vouloir vous vexer, j'ai appris depuis longtemps à les repérer.

– C'est pas juste.

– Ah bon ? répliqua-t-il, l'air manifestement dubitatif. Au contraire, je pense me montrer plus qu'indulgent. Mais je vais vous dire... Si vous êtes prête à redémarrer sur de nouvelles bases, alors moi aussi. Uniquement si vous êtes certaine de le vouloir.

– Je le suis.

– Alors, d'accord.

Il revint sur ses pas en direction de la véranda.

– Salut, dit-il en tendant la main. Je m'appelle Travis Parker et je te souhaite la bienvenue dans le quartier.

Elle contempla sa main, puis finit par la lui serrer en disant :

– Moi, c'est Gabby Holland. Ravie de faire ta connaissance.

– Tu fais quoi dans la vie ?

– Assistante médicale, répondit-elle, se sentant un peu ridicule. Et toi ?

– Vétérinaire. Tu viens d'où ?

– Savannah, en Géorgie. Et toi ?

– Je suis né ici et j'y ai grandi.

– Et ça te plaît ?

– Faudrait être difficile, non ? Un climat idéal et pas de circulation.

Il s'interrompit, puis :

– Et surtout... les voisins sont charmants.

– C'est ce que je me suis laissé dire. En fait, je sais que le véto peut même se déplacer en cas d'urgence. Dans une grande ville, c'est impossible.

– En effet.

Il désigna sa maison par-dessus son épaule :

– Au fait, mes amis et moi allons faire un tour en bateau aujourd'hui. Ça te dirait de te joindre à nous ?

Elle le regarda en plissant les yeux :

– Volontiers, mais je dois fabriquer un petit enclos pour les petits que ma chienne Molly a mis au monde avant-hier soir. Je ne veux pas vous retarder.

– T'as besoin d'un coup de main ? J'ai des planches inutilisées et des vieilles caisses dans le garage. Ce sera fait en deux temps trois mouvements.

Elle hésita, puis lui décocha un sourire.

– Dans ce cas, ça me ferait plaisir de venir.

Chose promise, chose due. Travis arriva – toujours à moitié nu, pour le plus grand désarroi de Gabby – avec quatre grandes planches sous les bras. Après les avoir déposées par terre, il repartit au trot vers son garage, puis revint avec les caisses, un marteau et une poignée de clous.

Même s'il prétendait ne pas être dérangé par l'odeur, Gabby remarqua qu'il fabriqua le petit parc avec une rapidité déconcertante.

– Tu devrais tapisser ce coin avec du papier journal. T'en as suffisamment ?

Comme elle acquiesçait, il désigna sa maison en disant :

– J'ai encore deux ou trois trucs à préparer, alors je te revois dans un petit moment, d'accord ?

Elle hocha encore la tête, l'estomac noué par une sensation proche de la nervosité. Après qu'il fut rentré chez lui et qu'elle eut disposé les journaux comme il faut, elle se retrouva au beau milieu de sa chambre, en train de comparer les mérites de ses maillots de bain. Plus précisément, à se demander si elle devait porter son Bikini ou son maillot une pièce.

Chacun présentait des avantages et des inconvénients. Normalement, elle aurait mis son Bikini. Car à vingt-six ans, même si elle n'avait pas la silhouette d'un top model, elle se trouvait plutôt mignonne en deux pièces. Kevin partageait sûrement son avis... Quand elle annonçait qu'elle allait porter son maillot une pièce, il boudait jusqu'à ce qu'elle opte pour le Bikini. Mais Kevin n'était pas là, alors qu'elle s'apprêtait à faire du bateau avec son voisin... et vu la taille du maillot deux pièces, elle pouvait aussi bien sortir en petite culotte et soutien-gorge... Ça ne ferait que la mettre mal à l'aise et plaidait en faveur du maillot une pièce.

Malgré tout, celui-ci était un peu vieillot, et délavé par le chlore de la piscine et le soleil. Sa mère le lui avait offert voilà quelques années pour les après-midi au country-club (« Une jeune fille ne se dénude pas comme une catin, voyons ! »). Le modèle n'était guère flatteur pour la ligne, et au lieu d'affiner ses cuisses par une découpe échancrée, il les faisait paraître courtes et trapues.

Pas question de montrer des jambes comme des poteaux. D'un autre côté, était-ce bien important ? *Bien sûr que non*, se dit-elle, tout en pensant : *Bien sûr que si.*

Le maillot une pièce, décida-t-elle. Au moins, elle ne leur ferait pas mauvaise impression. Et puis il y aurait aussi des gamins à bord. Dans le doute, autant accentuer le côté classique plutôt que d'être un peu trop... dénudée. Elle s'empara donc du maillot une pièce, quand elle entendit la voix de sa mère lui dire qu'elle avait fait le bon choix.

Du coup, elle le lança sur le lit et saisit le Bikini.

– 8 –

– T'as invité ta nouvelle voisine, alors ? demanda Stephanie. Elle s'appelle comment, déjà ?

– Gabby, répondit Travis en rapprochant le bateau de l'appontement. Elle ne devrait pas tarder.

La corde se tendit puis se relâcha comme l'embarcation se mettait en place. Ils venaient de la mettre à l'eau et l'arrimaient pour charger les glacières.

– Elle est seule, non ?

– En théorie. Mais elle a un petit ami.

– Et alors ? répliqua Stephanie dans un large sourire. Est-ce que ce genre de détail t'a déjà arrêté ?

– Ne commence pas à délirer. Il est en déplacement, et elle n'avait rien à faire... Alors, en bon voisin, je l'ai invitée à se joindre à nous.

– Oui, oui, dit Stephanie en hochant la tête. En tout bien tout honneur. Comme si ça te ressemblait.

– Parfaitement, protesta-t-il.

– C'est bien ce que je disais.

Travis finit d'attacher le bateau.

– Mais tu n'avais pas l'air de le penser.

– Ah bon ? C'est bizarre.

– Ouais, c'est ça... continue.

Travis s'empara d'une glacière et grimpa à bord.

– Hmm... Tu la trouves séduisante, dis-moi ?
Travis mit la glacière en place.
– Mouais, j'imagine...
– T'imagines ?
– Que veux-tu que je te dise, à la fin ?
– Rien.
Travis lança un regard à sa sœur :
– Pourquoi j'ai comme l'impression que cette journée va être longue ?
– Je n'en ai aucune idée.
– Fais-moi plaisir... Sois sympa avec elle.
– Comment ça ?
– Tu m'as très bien compris. Laisse-lui le temps de s'habituer aux uns et aux autres, avant de commencer à la mettre en boîte.
Stephanie gloussa :
– Tu sais à qui tu t'adresses, franchement ?
– Je dis juste qu'elle risque de ne pas piger ton humour.
– Je te promets de me tenir super à carreau.

– Alors... t'es prête pour te baigner à poil ? s'enquit Stephanie.
Gabby battit des paupières, pas vraiment sûre d'avoir saisi :
– Pardon ?
Une minute plus tôt, vêtue d'un long tee-shirt, Stephanie s'était approchée d'elle, deux bières à la main. Tout en tendant une canette à Gabby, elle s'était présentée comme étant la sœur du voisin et l'avait entraînée vers des fauteuils sur la terrasse, pendant que Travis achevait ses préparatifs.
– Oh, pas tout de suite, reprit Stephanie en agitant la main d'un air nonchalant. En général, c'est après deux ou trois bières que les gens font les fous et tombent le maillot.

– On se baigne tout nu ?

– Tu ne savais pas que Travis était naturiste, c'est ça ?

D'un hochement de tête, elle désigna le toboggan aquatique que Travis avait installé plus tôt.

– Et après, on se jette à l'eau en glissant là-dessus.

Même si le vertige commençait à la gagner, Gabby hocha la tête de manière imperceptible, tandis qu'elle reconstituait le puzzle dans sa tête... C'était d'une logique imparable : Travis avait toujours l'air à moitié habillé, il n'était absolument pas gêné de discuter torse nu avec elle, et sculptait sa silhouette en faisant beaucoup de sport.

Stephanie partit soudain d'un grand éclat de rire qui arracha Gabby à ses pensées.

– Je plaisantais ! hurla-t-elle. Tu crois vraiment que j'irais me baigner toute nue avec mon frangin dans les parages ? Beurk ! Ça craint !

Gabby devint écarlate.

– Je savais que tu plaisantais.

Stephanie la lorgna par-dessus sa canette :

– Tu croyais vraiment que j'étais sérieuse ! Trop drôle ! Mais je suis désolée. Mon frère m'a dit d'y aller mollo avec toi. D'après lui, il faut un petit moment avant de piger mon humour. Je ne sais pas pourquoi il dit ça...

On se le demande, en effet...

– Vraiment ? répliqua Gabby, faussement étonnée.

– Oui, mais à mon humble avis, on se ressemble comme deux gouttes d'eau. D'où crois-tu que je tienne mes blagues ?

Stephanie s'adossa à son fauteuil et rajusta ses lunettes de soleil.

– Travis m'a dit que tu étais assistante médicale ?

– Oui. Je travaille au cabinet de pédiatrie.

– Comment ça se passe ?

– Ça me plaît, dit Gabby, préférant éviter de parler de son patron pervers ou des parents névrosés. Et toi ?

– Je suis étudiante, dit Stephanie avant de boire une gorgée de bière. J'envisage d'en faire ma profession.

Pour la première fois, Gabby rit de bon cœur et se détendit.

– Tu sais qui sont les autres invités ?

– Oh, sans doute la même vieille équipe. Mon frère a trois amis qu'il connaît depuis toujours, et je suis certaine qu'ils seront là avec femmes et enfants. Travis n'utilise plus tellement le bateau pour le parachute ascensionnel, c'est pourquoi il le met au mouillage à la marina. D'ordinaire, il prend le bateau pour le ski nautique ou le *wakeboard*, parce que les sports de glisse sont plus faciles à pratiquer. Tu grimpes à bord, tu démarres, et hop ! c'est parti. Tu peux skier quasiment partout. Mais le parachute ascensionnel, c'est génial. Pourquoi tu crois que je suis venue, alors que je devrais étudier ? En fait, j'ai même laissé tomber un boulot que j'étais censée faire au labo ce week-end. T'as déjà fait du parachute ascensionnel ?

– Non.

– Tu vas adorer. Et Travis connait son affaire. C'est comme ça qu'il se faisait de l'argent de poche à la fac. Du moins, c'est ce qu'il prétend. En fait, je suis quasi certaine qu'il a mis toutes ses économies dans l'achat de ce bateau ; c'est un modèle spécialement conçu pour ce sport, et c'est pas donné. Et même si Joe, Matt et Laird sont ses amis, ils ont toujours insisté pour se faire payer quand ils baladaient les touristes à l'époque où ils étaient étudiants. Alors que Travis n'a pas dû faire un seul dollar de bénéfice, à mon avis.

– Un homme d'affaires avisé, alors ?

– Tu parles ! s'esclaffa Stephanie. Un vrai Donald Trump en puissance ! En fait, l'argent ne l'intéresse pas vraiment et ne l'a jamais intéressé. Bon, il gagne bien sa vie et paie ses factures, je veux dire... mais tout le reste part dans l'achat d'un bateau, d'un jet-ski, ou dans un voyage. J'ai l'impression qu'il est allé partout. L'Europe, l'Amérique centrale, l'Amérique du Sud, l'Australie, l'Afrique, Bali, la Chine, le Népal...

– Vraiment ?

– Ça t'étonne, on dirait.

– Oui, plutôt.

– Pourquoi ?

– Je ne sais pas trop. J'imagine que c'est parce que...

– Parce qu'il a toujours l'air de se la couler douce ? Comme si la vie n'était qu'une grande fiesta ?

– Non !

– T'en es certaine ?

– Ben... euh...

Et Stephanie d'éclater de rire.

– Il a la tête dans les étoiles et aussi les pieds sur terre... Mais sous l'apparence, c'est un vrai provincial comme ses potes. Sinon il ne vivrait pas ici, pas vrai ?

– Exact, approuva Gabby, sans trop savoir si une réponse était bien nécessaire.

– Quoi qu'il en soit, tu vas adorer cette sortie en mer. Tu n'as pas le vertige, si ?

– Non... Enfin, je ne suis pas casse-cou non plus, mais je devrais pouvoir me débrouiller.

– C'est pas si terrible. N'oublie pas que t'as un parachute.

– Je vais tâcher de m'en souvenir.

Elles entendirent claquer des portières de voiture, et Stephanie se redressa dans son fauteuil.

– Voilà toute la tribu, les Schtroumpfs en tête, commenta-t-elle. Les envahisseurs, si tu préfères. Accroche-toi. Notre petite matinée bien tranquille touche à sa fin.

Gabby se retourna et vit surgir un groupe pour le moins tapageur à l'angle de la maison. Ça piaillait et jacassait joyeusement, les enfants gambadaient devant les adultes et donnaient l'impression qu'ils allaient dégringoler à chaque pas.

Stephanie se pencha vers Gabby :

– Pour les distinguer, rien de plus simple. Megan et Joe sont les deux blonds. Laird et Allison sont les plus grands. Et Matt et Liz... disons qu'ils sont un peu plus enrobés que les autres.

Gabby fit la grimace :

– Un peu plus enrobés ?

– Pour ne pas dire rondouillards. Mais c'était juste pour te faciliter la tâche. En théorie, je déteste qu'on me présente à un tas de gens dont j'oublie les noms dans la minute qui suit.

– En théorie ?

– Je n'oublie pas les noms. C'est bizarre, mais ça ne m'arrive jamais.

– Qu'est-ce qui te fait croire que je les oublierai ?

Stephanie haussa les épaules :

– Tu ne fonctionnes pas comme moi, c'est tout.

Gabby gloussa, la sœur de Travis lui était de plus en sympathique.

– Et les gosses ?

– Tina, Josie et Ben. Ce dernier est facile à repérer. Sinon, rappelle-toi que Josie a des couettes.

– Et si elle n'en porte pas la prochaine fois que je la verrai ?

Stephanie sourit à belles dents :

– Pourquoi ? T'imagines que tu vas venir régulièrement ? Et ton petit copain, alors ?

Gabby secoua la tête :

– Tu m'as mal comprise... Je voulais dire...

– Je te taquinais ! T'es drôlement susceptible, dis donc.

– J'ai un peu peur de m'emmêler les crayons.

– D'accord. Procède par association d'idées. Pour Tina, pense à Tina Turner... La chanteuse, tu vois ? Mais en rousse.

Gabby hocha la tête.

– Pour Josie, pense au groupe *Josie et les Pussycats*[1], la bande dessinée. Et pour Ben, qui est plutôt grand et costaud pour son âge, pense à Big Ben, l'horloge géante de Londres.

– Mouais...

– Je ne plaisante pas. Ça aide vraiment. Maintenant, passons à Joe et Megan... les blonds... Imagine un GI Joe blond qui lutte contre un megalodon, tu sais... un genre de requin préhistorique. Tu piges ?

Gabby acquiesça encore.

– Pour Laird et Allison, pense à un « allosaure » qui prend l'air. Et enfin pour Matt et Liz...

Stephanie s'interrompit, puis :

– Ah, ça y est... imagine Elizabeth Taylor, mais avec la peau mate. Pigé ?

Gabby mit une bonne minute à tout enregistrer, et Stephanie dut répéter les descriptions... Et quand Gabby fut prête, Stephanie l'interrogea sur les prénoms. À son grand étonnement, Gabby les avait retenus.

---

1. Adaptée en une série animée dans les années 1970 et sous forme de film en 2001. *(N.d.T.)*

– Super, hein ?
– Extra ! admit Gabby.
– C'est un de mes domaines d'études à la fac.
– Tu fais ça avec toutes les personnes que tu rencontres ?
– C'est pas systématique. À vrai dire, je ne le fais pas consciemment. Pour moi, c'est presque une seconde nature. Maintenant, tu vas leur en mettre plein la vue !
– Je suis censée les impressionner ?
– Non, mais c'est toujours marrant d'épater les gens, répliqua Stephanie dans un haussement d'épaules. Pense à ce que je viens de faire avec toi à l'instant. Mais j'ai encore unc question.
– Je t'écoute.
– Comment je m'appelle ?
– Je connais ton prénom, voyons.
– C'est quoi, alors ?
– C'est... commença Gabby en se creusant la tête.
– Stephanie. Stephanie tout simplement.
– Quoi ? Aucun moyen mnémotechnique pour le retenir ?
– Non. Celui-ci, tu vas devoir t'en souvenir toute seule.
Elle se leva du fauteuil.
– Viens... Maintenant que tu connais leurs noms, laisse-moi passer devant pour te les présenter. Comme si tu ne savais pas déjà qui était qui... histoire de faire ton petit effet.

Elle la présenta à Megan, Allison, et Liz tandis qu'elles regardaient les enfants qui s'amusaient à courir l'un après l'autre. Entre-temps, Joe, Laird et Matt avaient rejoint Travis à l'embarcadère, les bras chargés de serviettes de bain et de glacières. Stephanie étreignit chacune des trois femmes et la conversation s'orienta sur ses études à la fac. Son astuce pour retenir les prénoms fonctionnait toujours et Gabby se demanda si elle n'allait pas la tester sur certains patients au cabinet, avant de se rappeler qu'elle avait tout simplement la possibilité de lire leur nom au préalable sur leur dossier médical.

Elle pourrait peut-être appliquer la méthode avec certains collègues de Kevin...

– Hé ! Tout le monde est prêt ? s'écria Travis. De notre côté, c'est bon !

Gabby suivit le groupe en lui laissant une légère avance et ajusta le tee-shirt qu'elle portait sur son Bikini. Convaincue d'avoir bravé les habituels conseils maternels, elle avait fini par décider qu'en fonction de ce que porteraient les autres femmes elle pourrait soit ôter son tee-shirt ou son short... soit garder les deux.

Les hommes étaient déjà sur le bateau lorsqu'elles parvinrent au ponton. Joe récupéra les enfants à tour de rôle, chacun équipé d'un petit gilet de sauvetage, et Laird tendit la main pour aider les femmes à monter à bord. Gabby veilla à ne pas perdre l'équilibre malgré le tangage, tout en s'étonnant de la taille du bateau. Il dépassait d'un bon mètre cinquante celui utilisé par Travis pour le ski nautique, avec un banc de chaque côté du pont, où s'installèrent la plupart des adultes et des gamins. Stephanie et Allison (l'allosaure géant) s'étaient confortablement assises à l'avant. Euh... en proue ? en poupe ?... s'interrogea Gabby, perplexe. Puis elle se dit que ça n'avait aucune importance. L'arrière du bateau, où Travis tenait la barre, était pourvu d'une vaste plateforme et d'une manivelle. Joe (le GI blond) dénouait la corde d'amarrage, et Laird (l'air) l'enroulait au fur et à mesure. Peu après, Joe rejoignit Travis, tandis que Laird s'installait près de Josie (et les Pussycats).

Gabby secoua la tête, encore éberluée de pouvoir retenir leurs noms.

– Viens t'asseoir près de moi, l'invita Stephanie en tapotant la place libre à ses côtés.

Gabby s'exécuta et, du coin de l'œil, vit Travis se coiffer d'une casquette de base-ball récupérée dans un casier. Ce genre de couvre-chef, qu'elle trouvait toujours un peu ridicule sur la tête des autres hommes, cadrait finalement assez bien avec l'allure nonchalante de son voisin.

– Tout le monde est installé ? lança-t-il.

Sans attendre de réponse, il démarra, et le bateau commença à voguer, bercé par une légère houle. Ils atteignirent l'embouchure de la rivière et mirent le cap au sud, dans les eaux du Back Sound. Devant eux se dessinait l'île de Shackleford, des herbes folles constellant ses dunes.

Gabby se pencha vers Stephanie :

– On va où, au juste ?

– Au cap Lookout, à mon avis. À moins qu'il y ait peu de bateaux dans le détroit, on va sans doute se diriger vers la crique, puis aller dans la baie d'Onslow. Ensuite, on pique-nique soit à bord, soit sur l'île de Shackleford, soit au cap Lookout. Tout dépend de l'endroit où on larguera les amarres, et de l'humeur des uns et des autres. Enfin, surtout des enfants. Attends une seconde...

Elle se tourna vers Travis :

– Hé, frangin ! Je peux prendre la barre ?

Il leva la tête :

– C'est quoi, cette nouvelle lubie ?

– Ça fait un bail que ça me démange.

– Plus tard.

– Je crois que je devrais tenir le gouvernail.

– Pourquoi donc ?

Stephanie secoua la tête, comme si elle n'en revenait pas

de la stupidité des hommes. Elle se leva et retira son tee-shirt sans la moindre gêne.

– Je m'absente un moment, d'accord ? Faut que je parle à mon abruti de frère.

Tandis que Stephanie gagnait l'arrière du bateau, Allison fit un signe de tête à Gabby :

– N'aie aucune crainte. Travis et elle se parlent toujours comme ça.

– Je suppose qu'ils sont très proches.

– Ils sont copains comme cochons, même si tous deux refusent de l'admettre. Travis dirait sans doute que Laird est son meilleur ami. Ou encore Joe ou Matt. Bref, n'importe qui sauf Stephanie. Mais à moi, on ne me la fait pas.

– Laird est ton mari, c'est ça ? Celui qui tient Josie dans ses bras ?

Allison ne put cacher sa surprise :

– Tu t'en es souvenue ? Tu viens à peine de faire notre connaissance !

– J'ai la mémoire des noms.

– J'en doute pas ! Tu connais déjà tout le monde ?

– Oui, oui.

Et Gabby de désigner chaque passager par son prénom, plus fière que jamais.

– Waouh ! T'es aussi douée que Stephanie. Pas étonnant que vous ayez bien accroché, toutes les deux.

– Elle est géniale.

– Suffit d'apprendre à la connaître. Mais faut un petit temps d'adaptation.

Elle observa Stephanie en train de sermonner Travis, une main sur le rebord pour garder l'équilibre, l'autre faisant de grands gestes.

– Comment vous vous êtes rencontrés, Travis et toi ? Stephanie a laissé entendre que tu vivais dans le quartier.

– On est voisins, en fait.

– Et ?

– Et... euh, c'est une longue histoire. Mais pour faire court, disons que ma chienne, Molly, a eu des problèmes quand elle a mis ses petits au monde, et Travis a eu la gentillesse de venir s'occuper d'elle. Ensuite, il m'a invitée à cette sortie en bateau.

– Il est doué avec les animaux. Avec les mômes aussi.

– Tu le connais depuis longtemps ?

– Oh oui. Laird et moi nous sommes rencontrés à la fac, et Laird m'a présentée à lui. Ils sont amis depuis l'enfance. En fait, il était garçon d'honneur à notre mariage. Tiens, dès qu'on parle du loup... Salut, Travis !

– Salut, les filles ! On va bien s'amuser aujourd'hui, pas vrai ?

Derrière lui, Stephanie était postée derrière le gouvernail et faisait mine de ne pas les observer.

– Avec un peu de chance, il ne devrait pas y avoir trop de vent.

Allison regarda autour d'elle :

– Non, je ne pense pas.

– Pourquoi ? s'enquit Gabby. Qu'est-ce qu'on risque ?

– Le parachute peut s'éventrer par endroits, répondit Travis, et les filins s'emmêler, et c'est la dernière chose qu'on souhaite quand on fait du parachute ascensionnel.

Gabby s'imagina tournoyant comme une toupie et tombant à l'eau.

– Ne t'inquiète pas, la rassura-t-il. Si je sens qu'il y a le moindre problème, personne ne décollera.

– J'espère bien, intervint Allison. Mais je suggère que Laird passe en premier.

– Pourquoi ?

– Parce qu'il était censé repeindre la chambre de Josie cette semaine, ça fait des mois qu'il l'a promis... et tu crois qu'il tiendrait parole ? Bien sûr que non. Ça lui fera les pieds.

– Il va devoir faire la queue. Megan a déjà proposé Joe. D'après elle, il ne passerait pas assez de temps en famille après le boulot.

Tout en les écoutant plaisanter, Gabby se sentit un peu étrangère. Elle aurait préféré que Stephanie ne s'éloigne pas pour aller barrer ; bizarrement, elle avait déjà l'impression que c'était sa première amie à Beaufort.

– Cramponnez-vous ! s'écria la sœur de Travis en donnant un violent coup de gouvernail.

D'instinct, Travis s'agrippa au bastingage, tandis qu'ils croisaient le sillage d'un gros bateau, et la proue se souleva puis retomba dans un claquement sourd. Allisson détourna aussitôt son attention vers les enfants et se précipita vers Josie qui était tombée et commençait déjà à pleurer. Laird la releva en tendant le bras.

– T'étais censé la tenir ! lui reprocha Allisson tout en s'emparant de la petite. Viens par ici, mon bébé. Maman est là, n'aie pas peur...

– Je la tenais ! protesta Laird. Peut-être que si Ellen MacArthur regardait où elle allait...

– Ne me mêle pas à vos histoires, répliqua Stephanie. J'ai prévenu tout le monde, mais j'imagine que tu n'as pas écouté. Comme si je pouvais contrôler les remous.

– Mais tu pourrais aller moins vite...

Travis secoua la tête en levant les yeux au ciel, puis s'assit auprès de Gabby.

– C'est toujours comme ça ? s'enquit-elle.

– Quasiment. Depuis qu'il y a les gamins, en tout cas.

Autant te prévenir... chacun des trois va piquer sa petite crise de larmes dans la journée. Mais sinon ce ne serait pas drôle, hein ?

Il s'adossa et allongea les jambes, tout en demandant :

– Alors, comment tu trouves ma sœur ?

Elle le voyait à contre-jour et distinguait mal ses traits.

– Je l'aime bien. Elle est... assez unique.

– Je crois qu'elle t'apprécie aussi. Dans le cas contraire, crois-moi, elle me l'aurait fait savoir. Aussi intelligente qu'elle puisse être, elle ne sait pas toujours tenir sa langue. Parfois, je me dis que mes parents l'ont adoptée en douce.

– Détrompe-toi. Il suffirait que tu te laisses un peu pousser les cheveux, et vous pourriez presque passer pour des jumelles.

Il éclata de rire :

– Pour un peu, j'ai l'impression de l'entendre !

– J'imagine qu'elle a déteint sur moi.

– T'as eu l'occasion de faire connaissance avec les autres ?

– En vitesse, disons. J'ai échangé deux ou trois mots avec Allison, mais c'est tout.

– Ce sont les gens les plus sympas qui existent, affirma Travis. Pour moi, c'est comme une famille.

Elle l'observa tandis qu'il ôtait sa casquette, et comprit soudain ce qui se passait :

– Stephanie t'a dit de venir discuter avec moi, c'est ça ?

– Ouais, admit-il. Elle m'a rappelé que tu étais mon invitée et qu'il serait incorrect de ne pas veiller à ce que tu te sentes à l'aise.

– Tout va bien, je t'assure. Je profite de la vue. Si tu veux reprendre la barre, pas de problème, dit-elle en montrant le gouvernail.

– Tu es déjà allée au cap Lookout ?

– Non.

– C'est une réserve naturelle, avec une crique idéale pour les gamins, car il n'y a pas de grosses vagues. Et côté Atlantique, il y a une plage de sable blanc tout à fait préservée, ce qui est quasi introuvable de nos jours.

Gabby le regarda se tourner vers Beaufort qui se profilait à distance, par-delà la marina où les mâts des bateaux se dressaient vers le ciel, de même qu'elle pouvait distinguer les restaurants bordant la promenade. Scooters des mers et hors-bord se croisaient ici et là, laissant derrière eux de longues traînées d'écume. Malgré elle, Gabby sentait le corps de Travis frôler doucement le sien, tandis que le bateau glissait sur l'eau.

– C'est vraiment une jolie ville, dit-elle enfin.

– Je l'ai toujours adorée, approuva-t-il. En grandissant, je rêvais de m'installer dans une grande métropole, mais tout compte fait c'est ici que je me sens chez moi.

Ils se dirigeaient vers le bras de mer. Derrière eux, Beaufort diminuait à vue d'œil, tandis que devant eux la baie d'Onslow s'ouvrait sur l'Atlantique. Un nuage solitaire flotta au-dessus de leur tête, boursouflé et floconneux, comme modelé dans de la barbe à papa. Le ciel azuré surplombait l'Océan miroitant sous le soleil. Peu à peu l'agitation du Back Sound céda la place à une impression de liberté, à peine rompue par la vision d'un bateau jetant l'ancre dans les eaux basses de l'île de Shackleford. Les trois couples installés à l'avant se taisaient, éblouis par le panorama, et même les petits semblaient plus calmes. Assis sur les genoux de leurs parents, ils paraissaient se détendre, comme prêts à s'endormir. Gabby sentait le vent dans ses cheveux et la douceur du soleil sur sa peau.

– Hé, Trav ! lança Stephanie. Par là, c'est bon ?

Son frère s'arracha à sa rêverie et tourna la tête.

– Allons un peu plus loin. Je veux m'assurer qu'on ait suffisamment de place. On a une débutante à bord.

Stephanie hocha la tête, et le bateau reprit de la vitesse.

Gabby se pencha vers lui :

– Comment ça marche, au fait ?

– C'est facile, répondit-il. D'abord, je gonfle le parachute et je le fixe aux harnais, à l'aide de cette barre que tu vois là-bas.

Il désigna un coin du bateau.

– Ensuite, ton partenaire et toi, vous enfilez les harnais que j'accroche à la longue barre, et vous vous asseyez sur la plate-forme. Je commence à tourner la manivelle, et vous décollez. Il faut quelques minutes pour atteindre la hauteur idéale... et puis vous flottez dans les airs. Vous avez une vue géniale sur Beaufort et le phare et... comme il fait super beau, vous pourrez peut-être apercevoir des dauphins, des marsouins, des raies, des requins, et même des tortues. Il m'est même arrivé de voir des baleines. Après, on ralentit pour que vous mettiez les pieds dans l'eau, et puis vous redécollez. C'est génial !

– Des requins ?

– Bien sûr. C'est l'Océan.

– Ils mordent ?

– Certains, oui. Les requins bouledogues peuvent être drôlement mauvais.

– Alors pas question de faire trempette, merci.

– Il n'y a aucune raison d'avoir peur. Ils ne te feront rien.

– Facile à dire.

– Depuis le temps que je pratique cette activité, je n'ai jamais entendu dire que quelqu'un s'était fait mordre par un requin. Tu ne restes dans l'eau que deux ou trois secondes. Et d'ordinaire les requins se nourrissent à la tombée de la nuit.

– Je l'ignorais...

– Et si je suis avec toi ? Tu veux bien tenter le coup ? Franchement, ce serait dommage de rater ça.

Elle hésita, puis hocha légèrement la tête.

– Je vais y réfléchir, proposa-t-elle. Je ne te promets rien.

– Ça me va.

– Tu supposes que toi et moi, on va décoller ensemble, bien sûr.

Il lui fit un clin d'œil, accompagné d'un de ses fabuleux sourires :

– Bien sûr.

Gabby tenta d'ignorer le nœud qui se formait dans son estomac. Elle sortit une lotion de son sac, en versa au creux de sa main, puis commença à l'appliquer nerveusement sur son visage en essayant de se ressaisir.

– Stephanie m'a dit que tu étais un vrai globe-trotter.

– J'ai un peu voyagé...

– À l'entendre, tu as quasiment fait le tour du monde.

Il secoua la tête.

– J'aimerais bien. Crois-moi, il existe des tas d'endroits où je ne suis pas allé.

– Et lequel as-tu préféré ?

Il prit son temps pour répondre, une certaine mélancolie transparaissant sur son visage.

– Je ne sais pas...

– Eh bien... où me conseillerais-tu d'aller ?

– Ça ne se passe pas comme ça.

– Que veux-tu dire ?

– Voyager, c'est plus une histoire d'expérience personnelle que le simple fait de visiter des lieux...

Il contempla l'eau tout en rassemblant ses idées.

– Laisse-moi t'expliquer, reprit-il. Quand je suis sorti de la fac, diplôme en poche, j'étais sûr de ce que je voulais faire, alors j'ai décidé de prendre une année sabbatique pour voir le monde. J'avais un peu d'argent de côté – pas autant que ce que je croyais nécessaire –, mais j'ai pris quelques affaires et ma moto, et je me suis envolé pour l'Europe. J'ai passé les trois premiers mois là-bas... en faisant tout ce qui me passait par la tête, et ça n'avait souvent aucun rapport avec ce que j'étais censé voir. Je n'avais même pas d'itinéraire précis. Ne te méprends pas... j'ai vu plein de choses. Mais quand je repense à ces mois-là, je me souviens surtout des amis que je me suis faits en chemin et aux bons moments passés ensemble. Comme en Italie... J'ai vu le Colisée à Rome, Venise et ses canaux, mais je me rappelle surtout un week-end à Bari avec des étudiants rencontrés là-bas... dans cette ville du Sud pas forcément dans les guides et dont tu n'as sans doute jamais entendu parler. Ils m'ont entraîné dans ce petit bar où se produisait un groupe local, et même si la plupart d'entre eux ne parlaient pas un mot d'anglais et que mon italien se limitait aux noms des plats sur la carte, on a passé la nuit à rigoler. Ensuite, ils m'ont fait visiter Lecce et Matera, et petit à petit on est devenus de bons amis. J'ai vécu la même chose en France, en Norvège et en Allemagne. Au besoin, je descendais dans des auberges de jeunesse, mais le plus souvent je débarquais dans une ville et j'arrivais d'une manière ou d'une autre à rencontrer des gens acceptant de m'héberger quelque temps, tandis que je trouvais des petits boulots pour me faire de l'argent de poche, et quand je me sentais prêt à découvrir un nouvel endroit, je m'en allais tout simplement. Au début je pensais que c'était facile, parce que l'Europe et l'Amérique se ressemblent beaucoup. Mais j'ai vécu la même expérience en Syrie, en Éthiopie, en Afrique du Sud, au Japon et en Chine. Par moments, j'avais même l'impression que ce voyage m'était prédestiné, comme si les gens que je croisais m'attendaient plus ou moins. Mais...

Il s'interrompit et la regarda droit dans les yeux, avant de poursuivre :

– Mais je suis différent aujourd'hui de ce que j'étais à l'époque. Tout comme je l'ai été à la fin de mon voyage par rapport au début. Et demain je ne serai plus tout à fait celui que je suis aujourd'hui... ce qui signifie que je ne peux pas reproduire ce voyage. Même si je me rendais aux mêmes endroits, si je rencontrais les mêmes personnes, ce ne serait pas pareil. Je ne vivrais plus la même expérience. Voilà ce que signifie voyager à mes yeux. Rencontrer des gens, apprendre non seulement à apprécier une autre culture, mais aussi en profiter comme quelqu'un du cru, quitte à suivre la première idée qui te traverse l'esprit. Alors comment je pourrais recommander un voyage à quelqu'un si je ne sais même pas à quoi m'attendre ? Mon seul conseil consisterait à dresser une liste de lieux, en notant chacun sur une fiche, puis de toutes les mélanger, avant d'en tirer cinq au hasard. Ensuite... il suffit d'aller voir sur place ce qui se passe. Si tu y vas dans cet état d'esprit, peu importe l'endroit où tu atterris ou combien d'argent tu emportes. Tu en garderas un souvenir inoubliable.

Gabby restait muette, le temps d'assimiler tout ce qu'elle avait entendu.

– Waouh... fit-elle enfin.

– Quoi ?

– En t'écoutant, voyager a l'air tellement... romanesque.

Dans le silence qui suivit, Stephanie ralentit l'allure du bateau, et Travis se redressa. Sa sœur lui lança un regard et il hocha la tête, puis se leva. Stephanie réduisit encore les gaz.

– On est prêts, déclara-t-il en s'approchant d'un coffre de rangement.

Tout en sortant le parachute, il ajouta :

– T'es partante pour une nouvelle expérience ?

Gabby sentit sa gorge se serrer.

– Je ne tiens plus en place, murmura-t-elle.

– 9 –

Une fois le parachute gonflé et les harnais bien sanglés, Joe et Megan volèrent les premiers, suivis par Allison et Laird, puis par Matt et Liz. L'un après l'autre, les couples s'asseyaient sur la plate-forme, puis décollaient petit à petit pendant que la corde de traction se déroulait, jusqu'à ce qu'ils se retrouvent à trente mètres au-dessus de l'eau. Gabby les observait depuis le bateau, et ils lui paraissaient minuscules dans le ciel. Travis, qui avait repris la barre à Stephanie, naviguait à vitesse constante en décrivant de grandes courbes lorsqu'il tournait, puis il ralentissait progressivement, afin de permettre au couple de redescendre vers la mer. Leurs pieds n'avaient pas sitôt effleuré les vagues qu'il remettait les gaz, et le parachute décollait à nouveau comme un cerf-volant.

En redescendant sur la plate-forme, chaque couple était intarissable sur les poissons, les dauphins. Gabby devenait malgré tout de plus en plus nerveuse à mesure que son tour approchait. Allongée sur le pont avant en Bikini, Stephanie peaufinait son bronzage en sirotant une bière. Elle lui fit signe en levant sa canette.

– Au plaisir d'avoir fait ta connaissance, ma belle !

Travis mit sa casquette de côté.

– Viens, dit-il à Gabby. Je vais t'aider à fixer le harnais.

Liz lui tendit un gilet de sauvetage.

– C'est vraiment super, dit-elle. Tu vas te régaler.

Travis conduisit Gabby à la plate-forme. Il y monta le premier et se pencha en lui tendant la main. Elle sentit toute sa chaleur tandis qu'il l'aidait à se hisser. Il indiqua ensuite deux sangles en boucle sur le harnais posé par terre.

– Glisse tes jambes là-dedans et remonte-le. Je m'occupe des réglages.

Elle obtempéra et se tint bien droite tandis qu'il resserrait les bretelles.

– C'est bon ?

– Presque. Quand tu seras assise sur la plate-forme, garde la grosse sangle sous les cuisses et non pas sous les fesses, pour que ton poids soit mieux soutenu. Sinon, t'as peut-être envie d'enlever ton tee-shirt, à moins que ça te soit égal de le mouiller.

Elle retira son tee-shirt en essayant de contrôler sa nervosité.

Si Travis remarqua sa gêne, il n'en laissa rien paraître. À l'aide de mousquetons, il accrocha son harnais à la barre de suspension, puis il fit de même avec le sien avant de l'inviter à s'asseoir.

– La sangle est bien sous tes cuisses ? s'enquit-il.

Comme elle hochait la tête, il lui sourit :

– Maintenant détends-toi et profite au maximum...

Dans la seconde qui suivit, Joe accéléra, le parachute commença à gonfler, puis Gabby et Travis décollèrent de la plate-forme. Gabby sentit tous les yeux braqués sur eux deux tandis qu'ils s'élevaient en diagonale dans le ciel. Elle se cramponnait tellement aux bretelles que ses phalanges en devinrent toutes blanches à mesure que le bateau rapetissait à vue d'œil au-dessous d'eux. Après un moment, elle ne vit plus que la corde de traction qui lui apparaissait comme dans un mirage. Elle eut bientôt l'impression qu'ils volaient bien plus haut que les autres et elle allait parler quand Travis effleura son bras.

– Regarde par là-bas ! s'exclama-t-il en désignant la mer. Il y a une raie ! Tu la vois ?

Elle la voyait en effet, noire et lisse, nageant sous la surface au ralenti comme une sorte de grand papillon.

– Et un banc de dauphins ! Là-bas ! Près du rivage !

Émerveillée par le panorama, Gabby sentit sa nervosité s'atténuer et commença à profiter pleinement de tout ce qui s'offrait à sa vue... la ville, les familles allongées sur les plages, les bateaux, l'Océan. Comme elle se détendait, elle se surprit à penser qu'elle pourrait probablement voler pendant une heure sans se lasser. C'était extraordinaire de se laisser porter sans effort par le vent marin, tel un oiseau. Malgré la chaleur, la brise la rafraîchissait, et en balançant ses jambes elle sentit le harnais osciller.

– T'as envie de faire trempette ? s'enquit Travis. Je te garantis que c'est génial.

– Alors allons-y, dit-elle avec une confiance dont elle était la première surprise.

Travis fit toute une série de signes à Joe et le vrombissement du moteur du bateau diminua soudain. Le parachute commença à descendre. Tandis que l'eau se rapprochait, Gabby scruta les vagues pour s'assurer qu'il n'y avait aucune menace sous la surface.

Ils perdirent encore de l'altitude et, bien qu'elle levât les jambes, Gabby sentit l'eau froide les éclabousser. Juste au moment où elle s'attendait à barboter malgré elle, le bateau prit de la vitesse et tous deux redécollèrent. Elle sentit l'adrénaline fuser à travers tout son corps et sourit jusqu'aux oreilles.

Travis lui donna un coup de coude en disant :

– Tu vois ? C'était pas si terrible.
– On recommence ?

Travis et Gabby volèrent encore une quinzaine de minutes, en rasant l'eau à deux ou trois reprises ; lorsqu'ils redescendirent à bord, chaque couple refit un tour dans les airs. Le soleil atteignait son zénith, et les gamins commençaient à s'agiter. Travis navigua en direction de la crique du cap Lookout. L'Océan étant beaucoup moins profond, il coupa le moteur ; Joe jeta l'ancre par-dessus bord, ôta son tee-shirt et sauta dans l'eau. Elle lui arrivait à la taille, et Matt, d'un geste habile et aguerri, lui tendit une glacière, avant de retirer lui aussi son tee-shirt pour le rejoindre, bientôt suivi par Joe, tandis qu'ils déchargeaient les glacières au fur et à mesure. Vint le tour de Travis, qui se mit à l'eau, un barbecue portable et un sac de briquettes dans les bras. Simultanément, les mères le suivirent et s'occupèrent des petits. Quelques minutes plus tard, il ne restait plus que Stephanie et Gabby à bord. Celle-ci se tenait à l'arrière, se disant qu'elle aurait pu donner un coup de main, tandis que la sœur de Travis continuait à bronzer à l'avant et semblait ne pas se soucier du reste.

– Je suis en vacances, alors je ne me sens pas obligée de proposer mes services, déclara-t-elle, le corps aussi immobile que le bateau. Et puis ils savent se débrouiller sans moi. Je ne me sens pas coupable de jouer les tire-au-flanc.
– Tu n'en es pas une.
– Bien sûr que si. Tout le monde devrait l'être de temps en temps. Comme Confucius l'a dit un jour : « Celui qui ne fait rien est celui qui ne fait rien. »
Gabby médita sur la citation, les sourcils froncés :
– T'es sûre qu'il a dit ça ?

Lunettes de soleil sur le nez, Stephanie haussa à peine les épaules.

– Non, mais quelle importance ? Le fait est qu'ils ont la situation bien en main, et je suis persuadée qu'ils en tirent une certaine satisfaction. Pourquoi les en priver ?

– Peut-être que tu voulais simplement lézarder au soleil, reprit Gabby, les mains sur les hanches.

Stephanie sourit à belles dents :

– Comme Jésus l'a dit : « Bénis soient les paresseux allongés sur le pont d'un bateau, car ils hériteront d'un joli bronzage. »

– Jésus n'a jamais dit ça.

– C'est vrai, admit Stephanie en se redressant.

Elle ôta ses lunettes, examina les verres, puis les essuya avec une serviette de bain.

– Mais là aussi, ajouta-t-elle, qu'est-ce que ça peut faire ?

Elle plissa les yeux en observant Gabby :

– Franchement, t'as envie de trimballer les glacières et tout le bazar jusqu'à la plage ? Crois-moi, il y a mieux comme expérience.

Elle rajusta le haut de son maillot, puis se leva.

– La voie est libre, on peut y aller, annonça-t-elle en prenant son sac de plage. Il faut savoir choisir le bon moment pour flemmarder. Si tu te débrouilles bien, c'est tout un art... dont tout le monde peut profiter.

Gabby hésita.

– Je ne sais pas pourquoi, mais je crois que j'aime bien ta façon de penser.

Stephanie éclata de rire.

– Tu m'étonnes ! C'est dans la nature humaine d'être fainéant. Mais ça fait toujours plaisir de découvrir que je ne suis pas la seule à comprendre cette vérité essentielle.

Gabby commença à protester, mais Stephanie sauta par-dessus bord, éclaboussant une partie du pont.

– Viens, dit-elle sans la laisser finir. Je plaisante, voyons. Par ailleurs, inutile de réfléchir deux fois à ce qu'on a fait ou pas. Comme je te l'ai dit, ce genre de petites choses a de l'importance pour des gens comme eux. À leurs yeux, ça les rend plus virils ou ça leur donne l'impression d'être de bonnes mères... et c'est dans l'ordre des choses. En tant que célibataires, tout ce qu'il nous reste à faire, c'est d'en profiter !

Comme pour le déchargement du bateau, l'installation du campement se déroula selon un rituel assez simple, chacun sachant apparemment quelle tâche accomplir. Une tente autoportante fut mise en place, des couvertures étalées par terre et le barbecue allumé. Fidèle à elle-même, Stephanie alla simplement prendre une canette et une serviette, repéra un coin, puis reprit son bronzage. Ne sachant trop quoi faire, Gabby étala son drap de bain et l'imita. Elle sentit presque aussitôt les effets du soleil et resta allongée là, tentant d'ignorer le fait que tous les autres, à l'exception de la sœur de Travis, s'affairaient.

– T'as besoin d'une crème protectrice, lui indiqua Stephanie.

Sans lever la tête, elle pointa l'index sur le sac qu'elle avait emporté.

– Prends le tube marqué indice 50. Si tu ne protèges pas ta peau blanche, tu vas te transformer en écrevisse d'ici une demi-heure.

Gabby s'exécuta. Elle mit un petit moment à étaler la crème ; le soleil ne lui faisait pas de cadeau si elle oubliait la moindre parcelle de peau. À l'inverse de ses sœurs ou de sa mère, elle avait hérité de la carnation irlandaise de son père. L'une des petites calamités de sa vie.

Lorsqu'elle eut terminé, elle s'allongea sur son drap de bain, bien qu'elle se sentît toujours coupable de ne pas aider les autres à préparer le pique-nique.

– Comment c'était là-haut avec Travis ?

– Super.

– Petite piqûre de rappel : c'est mon frangin, tu sais.

Gabby se tourna vers Stephanie en l'interrogeant du regard.

– Hé ! C'est juste pour que tu n'oublies pas que je le connais par cœur.

– Je ne vois pas le rapport...

– Je pense que tu lui plais.

– Tu me parles comme si on était dans une cour de récré.

– Quoi ? Il ne te fait aucun effet ?

– Non.

– Parce que t'as un petit copain ?

– Entre autres.

Stephanie eut un rire.

– Bon, d'accord. Si je ne te connaissais pas, je pourrais presque te croire.

– Mais tu ne me connais pas !

– Oh... tu sais... Crois-le ou non, mais je sais exactement qui tu es.

– Ah ouais ? D'où je viens alors ?

– Aucune idée.

– Parle-moi de ma famille.

– Impossible.

– Alors tu ne me connais pas, tu vois ?

Après quelques instants, Stephanie roula sur elle-même pour lui faire face :

– Si, je te connais, insista-t-elle d'un ton plein de défi. Écoute et dis-moi ce que t'en penses... T'es une fille bien comme il faut et tu l'as toujours été, mais au fond de toi tu sais que la vie c'est autre chose que suivre bêtement les règles, et t'es parfois tentée par l'inconnu. Si t'es honnête envers toi-même, Travis en fait partie. T'es plutôt sélective côté sexe, mais dès que tu t'engages avec quelqu'un, tu balances par la fenêtre tous tes critères habituels. Tu penses épouser ton petit ami, mais ça ne t'empêche pas de te demander pourquoi t'as toujours pas la bague au doigt. T'aimes ta famille, mais t'aimerais encore plus pouvoir prendre tes propres décisions concernant ton avenir, d'où ton installation ici. Car t'as quand même peur que ta famille réprouve tes choix. Je me débrouille bien jusque-là ?

Gabby était devenue toute pâle, comme si toute réponse se révélait superflue. Pensant qu'elle avait marqué un point, Stephanie se redressa en s'appuyant sur le coude :

– Tu veux que je continue ?

– Non.

– J'ai raison, alors ?

Gabby poussa un long soupir.

– Pas sur tout.

– Non ?

– Non.

– Où est-ce que je me plante ?

Plutôt que de répondre, Gabby secoua la tête et se tourna sur sa serviette.

– J'ai pas envie d'en discuter, dit-elle.

Elle s'attendait à ce que Stephanie insiste, mais celle-ci haussa les épaules et s'allongea de nouveau, comme si de rien n'était.

Gabby entendait les cris des gamins pataugeant au bord de l'eau et des bribes de conversation à distance. Ce que venait de lui dire Stephanie lui donnait le vertige : c'était comme si cette fille la connaissait depuis toujours... elle et ses secrets les plus sombres.

– À propos, au cas où ça te flanquerait la trouille, autant te prévenir tout de suite que je suis médium, observa Stephanie. Bizarre, mais véridique. D'après ce que j'en sais, le don me viendrait de ma grand-mère. Elle était réputée pour prévoir la météo.

Même si elle trouvait l'idée ridicule, Gabby se redressa, soulagée, et s'assit. Stephanie partit d'un éclat de rire :

– Mais non, voyons, bien sûr que non ! Ma grand-mère a regardé *Le Juste Prix* pendant des années et n'a jamais pu en deviner un seul. Mais, franchement, j'étais pas loin du compte, hein ?

Les pensées se bousculaient de nouveau dans la tête de Gabby, lui donnant le tournis.

– Mais comment... ?

– Facile, expliqua Stephanie. J'ai simplement calqué ta « fabuleuse expérience personnelle » sur celle que vivent la plupart des femmes. Enfin... sauf pour la partie concernant Travis. Ça, je l'ai deviné. Incroyable, hein ? J'étudie ça aussi, d'ailleurs. J'ai participé à une demi-douzaine d'enquêtes, et ça m'épate toujours de découvrir que sur l'essentiel tout le monde se ressemble plus ou moins. Notamment à l'adolescence et dans les premières années de la vie adulte. Pour la plupart, les gens traversent les mêmes épreuves et pensent la même chose, mais bizarrement chacun s'imagine que son expérience est unique dans un tas de domaines.

Gabby s'allongea sur son drap de bain, décidant qu'elle ferait mieux d'ignorer Stephanie pendant un moment. Même si elle l'appréciait, ses propos lui donnaient un peu trop souvent le vertige.

– Tiens, au cas où ça t'intéresserait, observa Stephanie, Travis ne fréquente personne en ce moment. Et non seulement il est célibataire, mais c'est aussi un très bon parti.

– Ça ne m'intéresse pas.

– Parce que t'as déjà un copain, c'est ça ?

– Exact. Mais même si j'étais seule, ça ne changerait rien.

Stephanie s'esclaffa.

– Oui, bien sûr ! Comment ai-je pu me tromper autant ? Sans doute parce que tu ne le quittes pas des yeux.

– Jamais de la vie !

– Oh, ne prends pas la mouche ! Après tout, lui non plus n'arrête pas de te mater.

– 10 –

Étendue sur sa serviette, Gabby huma les odeurs mêlées de charbon de bois, de hot-dogs, de hamburgers et de poulet grillé, portées par un vent léger. Malgré la brise – et la crème protectrice –, elle avait l'impression que sa peau commençait à rissoler. Elle trouvait parfois ironique que ses ancêtres d'Écosse et d'Irlande aient évité les brumes du Nord et les ciels nuageux pour venir s'installer dans une région où toute exposition prolongée au soleil leur garantissait presque à coup sûr de contracter un mélanome... ou, dans le meilleur des cas, des rides ; c'est pour cette raison que sa mère ne sortait jamais sans chapeau, même si ses déplacements se limitaient à des allées et venues entre la maison et la voiture. Gabby préférait ne pas songer aux dégâts du soleil, car elle aimait le bronzage, qui lui donnait bonne mine et un moral au beau fixe. Et puis elle n'allait pas tarder à renfiler son tee-shirt et s'obligerait à s'asseoir à l'ombre.

Stephanie restait singulièrement calme depuis sa dernière repartie. Chez certaines personnes, Gabby aurait interprété cela comme de la gêne ou de la timidité ; chez Stephanie, cela passait davantage pour une forme d'aplomb que Gabby avait toujours secrètement envié. Car Stephanie était tellement décontractée que Gabby se sentait en confiance à ses côtés, et elle devait bien admettre que ce sentiment lui faisait défaut ces derniers temps. Pendant longtemps, elle ne s'était pas sentie à l'aise en famille, elle ne l'était pas encore tout à fait au travail, et encore moins quant à la tournure de sa relation avec Kevin.

En ce qui concernait Travis, nul doute : cet homme la perturbait. Enfin... quand il était torse nu, du moins. Elle jeta un coup d'œil et l'aperçut occupé à construire des châteaux de sable avec les trois gamins. Quand leur attention se relâcha, il se mit à les poursuivre au bord de l'eau pour leur plus grande joie. Travis semblait s'amuser autant qu'eux, et en les voyant Gabby avait envie de sourire. Elle se l'interdit malgré tout, au cas où il la verrait et se ferait des idées.

Attirée par le fumet du barbecue, elle finit par se redresser. Assise sur son drap de bain, elle ne pouvait s'empêcher de s'imaginer en vacances sur une île exotique, alors qu'elle se trouvait à quelques minutes de Beaufort. Les vaguelettes lapaient la grève à un rythme régulier et, derrière la plage, les quelques villas inoccupées semblaient presque irréelles. Par-dessus son épaule, elle entrevit un sentier qui traversait les dunes et menait à un phare noir et blanc ayant survécu à des milliers de tempêtes.

Le plus surprenant, c'était que personne ne les avait rejoints dans la crique ; cela ne faisait qu'ajouter à son charme. Sur le côté, elle vit Laird, debout près du gril, attisant le feu à l'aide de pincettes. Megan alignait les sachets de chips et les petits pains, avant d'ouvrir des boîtes Tupperware sur une petite table pliante ; Liz, elle, disposait les condiments, ainsi que les assiettes et les couverts en plastique. Derrière elles, Joe et Matt jouaient au ballon. Gabby n'avait pas le souvenir d'un week-end dans son enfance où des familles se retrouvaient avec un tel plaisir dans un endroit aussi magnifique simplement parce que c'était... samedi. Elle se demanda si la plupart des gens vivaient ainsi, ou si c'était lié à la vie dans une petite ville, ou encore si cela correspondait à une tradition établie de longue date par ce groupe d'amis. Quoi qu'il en soit, elle se dit qu'elle pourrait facilement y prendre goût.

– C'est prêt ! s'écria Laird.

Gabby enfila son tee-shirt et s'approcha des aliments, surprise d'être aussi affamée, avant de se rappeler qu'elle n'avait pas eu l'occasion de petit-déjeuner. En se tournant, elle vit Travis qui s'escrimait à faire venir les petits, tel un berger rassemblant son troupeau. Les trois enfants se précipitèrent vers le barbecue, où Megan montait la garde.

– Asseyez-vous sur les couvertures ! ordonna-t-elle.

Et les gamins, visiblement habitués à lui obéir, s'exécutèrent sans sourciller.

– Megan a une sorte de pouvoir magique sur les enfants, commenta Travis en arrivant, un peu poussif. J'aimerais qu'ils m'écoutent autant. Je dois toujours leur courir après jusqu'à ce que je sois au bord de l'évanouissement.

– Pourtant, tu as l'air naturellement doué avec les enfants.

– J'adore jouer avec eux, mais les rassembler est une vraie plaie.

Il se pencha vers elle et, d'un air de conspirateur, murmura :

– Ça reste entre nous, d'accord ? Voilà ce que j'ai appris au sujet des parents : plus tu t'amuses avec leurs gosses, plus ils t'apprécient. Si ton affection pour leurs gamins se révèle aussi sincère que la leur, tu deviens la coqueluche de ces messieurs-dames.

– La coqueluche ?

– Une métaphore médicale, ça devrait te parler, non ?

Elle ne put réprimer un sourire.

– Tu as sans doute raison. Ma tante préférée était du genre à grimper dans les arbres avec mes sœurs et moi, pendant que les autres adultes discutaient au salon.

– Et malgré tout... remarqua-t-il en désignant Stephanie, t'es restée à te prélasser sur ta serviette avec ma sœur, au lieu de profiter de l'occasion pour montrer à mes amis que tu trouvais leurs gosses irrésistibles.

– Euh... je....

– Je te taquinais, répliqua-t-il en lui glissant une œillade. Le fait est que j'avais envie de passer du temps avec eux. D'ici un petit moment, ils vont commencer à ronchonner. C'est là que je m'affale dans un transat pour laisser les parents prendre le relais.

– Autrement dit, quand ça devient dur, les durs s'y mettent.

– Je crois que... le moment venu, je pourrais peut-être proposer tes services.

– Merci, trop aimable...

– De rien. Dis donc... t'as une petite faim ?

– Énorme !

Lorsqu'ils approchèrent du barbecue, les petits étaient assis sur une couverture avec hot-dogs, salade de pommes de terre et fruits frais coupés en dés. Liz, Megan et Allison se tenaient ni trop près ni trop loin pour les surveiller, tout en bavardant. Gabby remarqua qu'elles mangeaient toutes les trois du poulet avec différentes garnitures. Joe, Matt et Laird avaient chacun pris place sur une glacière, une assiette sur les genoux et leur canette de bière plantée dans le sable.

– Hamburger ou poulet ? s'enquit Gabby.

– J'aime le poulet, mais les steaks hachés sont d'enfer à ce qu'on m'a dit. Je n'ai jamais vraiment su apprécier la viande rouge.

– Je pensais que tous les hommes aimaient ça.

– Alors je n'en suis pas un, j'imagine, répliqua Travis en se redressant. Ça ne va pas manquer de surprendre et de décevoir mes parents... vu qu'ils m'ont donné un prénom masculin et tout ça.

Elle rit, puis indiqua le gril d'un hochement de tête :

– Euh... tes amis t'ont visiblement laissé la dernière part de poulet.

– Uniquement parce qu'on est arrivés avant Stephanie. Sinon elle l'aurait prise, même si elle préfère les hamburgers... juste pour me faire râler !

– Je savais que j'avais de bonnes raisons de l'apprécier.

Ils prirent chacun une assiette, tout en louchant sur les divers plats, plus appétissants les uns que les autres : haricots, pommes de terre, concombres, gratins, et salade de fruits... le tout exhalant de délicieuses odeurs. Gabby prit un petit pain, ajouta un peu de ketchup, de la moutarde et des cornichons, puis tendit son assiette. Travis lui servit un hamburger après avoir pris la part de poulet.

Il se servit de la salade de fruits, tandis que Gabby remplissait son assiette avec un peu de tout. Quand elle eut fini, elle compara leurs deux portions d'un air presque coupable, ce que Travis, heureusement, ne parut pas remarquer.

– Une bière ? suggéra-t-il.

– Volontiers.

Il en sortit une de la glacière, puis se réserva une bouteille d'eau minérale.

– Je dois tenir la barre, expliqua-t-il. Et si on allait s'installer là-bas ? ajouta-t-il en montrant la dune.

– Tu ne veux pas manger en compagnie de tes amis ?

– Ils se débrouilleront très bien sans moi, dit-il.

– Je te suis, alors.

Ils gagnèrent un coin ombragé par un arbre gâté par les embruns et courbé par des années de brise océane, car toutes ses branches pointaient dans la même direction. Gabby sentait le sable rouler sous ses pieds. Travis s'installa près de la dune et s'assit en tailleur d'un seul mouvement. À ses côtés, Gabby prit place avec beaucoup moins d'aisance, tout en veillant à laisser suffisamment d'espace entre eux pour éviter de l'effleurer par mégarde. Même à l'ombre, il y avait une telle réverbération sur le sable et l'eau qu'elle devait plisser les yeux.

Travis commença à découper son morceau de poulet.

– Quand je reviens ici, ça me rappelle le lycée, dit-il. C'est fou le nombre de week-ends qu'on a passés ici à l'époque.

Il ajouta, dans un haussement d'épaules :

– Avec d'autres filles et sans les mioches, bien sûr.

– Je parie que vous deviez bien vous amuser.

– C'est vrai, admit-il. Je me souviens d'une soirée où Joe, Matt et moi, on était là avec des copines qu'on essayait d'impressionner. Assis autour d'un feu de camp, on buvait de la bière, on faisait les fous et on rigolait... et je me rappelle m'être dit qu'une vie plus agréable, ça ne pouvait pas exister.

– On se croirait dans une pub pour Budweiser. Sauf que vous étiez mineurs et que vous n'aviez pas le droit de consommer de la bière.

– Et toi, t'as jamais fait ce genre de trucs ?

– En fait, non.

– Vraiment ? Jamais ?

– Ça t'étonne à ce point ?

– Je ne sais pas. J'imagine que... c'est juste que je ne te vois pas comme quelqu'un qui a grandi en respectant forcément les règles établies.

En voyant son expression effarée, il revint aussitôt sur ses propos :

– Attention, je ne parlais pas de délinquance. Je voulais seulement dire que tu me paraissais indépendante et toujours prête pour de nouvelles expériences.

– Tu ne sais rien de moi.

Gabby n'avait pas sitôt prononcé cette phrase qu'elle se rappela avoir dit la même chose à Stephanie. Elle s'arma de courage pour la suite.

L'air absent, il triturait ses fruits avec sa fourchette.

– Je sais que t'as quitté ta ville natale, continua-t-il, que t'as acheté ta propre maison, et que tu te débrouilles toute seule. C'est ce que j'appelle être indépendante. Quant à ton côté aventureux... t'es là avec toute une bande d'étrangers, non ? T'as fait du parachute ascensionnel, en allant jusqu'à surmonter ta peur des requins pour plonger les pieds dans l'eau. Bref, t'as relevé tes propres défis, et je trouve ça admirable.

Elle rougit, préférant de loin l'explication de Travis à celle de sa sœur.

– Peut-être, concéda-t-elle. Mais ça n'a rien à voir avec le fait de partir aux quatre coins du monde sans itinéraire précis.

– Détrompe-toi. Tu crois que je n'étais pas nerveux quand je suis parti ? J'étais terrifié. Crois-moi, il y a une sacrée différence entre le fait d'annoncer à tes amis ce que tu vas faire et prendre effectivement l'avion pour atterrir dans un pays où quasiment personne ne parle ta langue. T'as déjà voyagé ?

– Pas beaucoup. Hormis mes vacances de Pâques aux Bahamas, je n'ai jamais quitté le pays. Et à vrai dire, quand on reste dans la station balnéaire, au milieu d'un tas d'étudiants américains, comme je l'ai fait, autant aller en Floride.

Elle s'interrompit, puis lui demanda :

– Ta prochaine destination, c'est où ? Ta prochaine grande aventure ?

– Pas si loin que ça, cette fois-ci. Le parc national de Grand Teton, dans le Wyoming. Je vais camper, je ferai de la randonnée, du canoë, le truc classique, quoi. On m'a dit que les paysages étaient d'une beauté à couper le souffle, et je n'y suis jamais allé.

– Tu y vas seul ?

– Non, avec mon père. J'ai hâte.

Gabby fit la grimace.

– Je ne m'imagine pas faire un voyage avec mon père ou ma mère.

– Pourquoi ?

– Mes parents ? Si tu les connaissais, tu comprendrais.

Il attendit. Dans le silence qui suivit, elle posa son assiette et s'épousseta les mains.

– Bon... reprit-elle dans un soupir. Tout d'abord, ma mère est le genre de dame qui considère que descendre dans un hôtel en dessous de cinq étoiles équivaut à dormir à la dure. Et mon père ? Je le verrais sans doute faire des trucs plus exaltants, sauf que tout ce qui l'intéresse, c'est la pêche. En plus, il n'irait jamais nulle part sans maman. Et comme elle a ses propres critères de confort, ça signifie que leurs seuls moments passés à l'extérieur se limitent à dîner en terrasse. Avec carte des vins raffinée et serveurs stylés, ça va de soi.

– Ils m'ont l'air très amoureux, dis donc.

– Tu déduis ça du peu d'infos que je viens de te donner ?

– Ça, et le fait que ta mère n'est pas une mordue des grands espaces.

Ça la fit éclater de rire.

– Ils doivent être très fiers de toi, ajouta-t-il.

– Qu'est-ce qui te fait dire ça ?

– Pourquoi ils ne le seraient pas ?

Pour quelles raisons, en effet ? se demanda-t-elle. La liste aurait été trop longue à dresser...

– Disons juste que je suis quasi certaine que ma mère préfère mes sœurs. Et crois-moi, les miennes n'ont rien à voir avec Stephanie.

– Tu veux dire qu'elles savent se tenir en société ?

– Je veux surtout dire qu'elles sont le portrait craché de ma mère.

– Et ça signifie qu'elle ne peut pas être fière de toi ?

Elle prit une bouchée de son hamburger et ne répondit pas tout de suite.

– C'est compliqué, dit-elle enfin.

– Comment ça ? insista-t-il.

– Pour commencer, j'ai les cheveux roux. Mes sœurs sont toutes les deux blondes, comme ma mère.

– Et alors ?

– J'ai vingt-six ans et je suis toujours célibataire.

– Et alors ?

– Je veux faire carrière.

– Et alors ?

– Rien de tout ça ne cadre avec l'image de la fille idéale souhaitée par ma mère. Elle a des idées bien précises sur le rôle de la femme, notamment de la femme du Sud et de bonne famille.

– J'ai comme l'impression que tu ne t'entends pas très bien avec elle ?

– Oh, tu crois ?

Par-dessus son épaule, Gabby aperçut Allison et Laird se promenant main dans la main sur le sentier menant au phare

– Peut-être qu'elle est jalouse, suggéra-t-il. Tu mènes ta barque, avec les objectifs que tu t'es fixés et tes rêves d'indépendance par rapport au milieu dans lequel tu as grandi, celui où elle espérait te voir évoluer... simplement parce que c'est la vie qu'elle a connue. Il faut du courage pour tenter autre chose, et peut-être bien que cette déception n'a rien à voir avec toi, mais avec ce qu'elle se reproche tout au fond d'elle-même.

Au tour de Travis de prendre une bouchée de poulet et d'attendre sa réaction. Gabby était éberluée. Elle n'avait jamais considéré la situation sous cet angle.

– Ça n'a rien à voir, finit-elle par répondre.

– Peut-être pas. Tu lui as déjà posé la question ?

– Si elle était déçue par sa propre vie ? Je ne pense pas. Et ne me dis pas non plus que tu oserais la poser à tes parents. Parce que...

– Aucun risque, affirma-t-il en secouant la tête. Pourtant j'ai le sentiment que les tiens sont probablement très fiers de toi, même s'ils ne savent pas comment te le dire.

Sa remarque se révélait aussi inattendue qu'étrangement touchante. Elle se pencha légèrement vers lui :

– J'ignore si tu as raison, mais en tout cas merci. Et je te rassure, on se parle au téléphone chaque semaine... avec amabilité. Sauf que je souhaiterais parfois entretenir d'autres rapports avec eux, le genre de relations où on a vraiment du plaisir à passer du temps ensemble.

Travis ne répondit rien, et Gabby fut soulagée qu'il ne tente pas de lui suggérer une solution ou un conseil. Lorsqu'elle avait abordé le sujet avec Kevin, sa première réaction avait été de mettre en œuvre toute une stratégie pour changer la situation. Elle replia ses jambes et entoura ses genoux de ses bras :

– Dis-moi... qu'est-ce qui te plaît le plus dans le métier de vétérinaire ?

– Les animaux, dit-il. Et les gens. Mais tu t'attendais sans doute à ce genre de réponse, non ?

Elle songea à Eva Bronson.

– Les animaux, je peux comprendre...

Il leva les mains comme pour se défendre :

– Attention... Moi aussi j'ai du mal avec certaines personnes, tout comme toi.

– Des gens arrogants, tu veux dire ? Névrosés ? Avec des tendances hypocondriaques ? Autrement dit, cinglés ?

– Bien sûr. Les gens sont ce qu'ils sont, et nombre d'entre eux considèrent leur animal de compagnie comme un membre de la famille. Et s'ils pensent qu'il y a un truc qui cloche chez leur toutou ou leur minet, ils exigent un examen complet... quitte à l'amener en consultation une fois par semaine, voire plus. La plupart du temps, l'animal n'a rien. Mais mon père et moi avons en place un système pour gérer ce genre de problème.

– Qu'est-ce que vous faites au juste ?

– On colle un Post-It jaune dans la chemise qui contient le dossier de leur bestiole. Alors si Mme Foldingue se pointe avec Rex ou Kittie, on repère le fameux Post-It : on procède à un examen de routine, avant de lui annoncer qu'on ne détecte rien de particulier, mais qu'on aimerait revoir le chien ou le chat d'ici une semaine, ne serait-ce que pour confirmer le diagnostic. Comme de toute manière elle va revenir, ça permet de gagner du temps. Et tout le monde est content. Notre sérieux n'est pas remis en cause, et les maîtres angoissés sont rassurés sur la bonne santé de leur animal tout en se disant qu'ils avaient raison de s'inquiéter puisqu'on a souhaité une deuxième consultation.

– Je me demande comment réagiraient les médecins de mon cabinet si je me mettais à coller des Post-It dans certains dossiers.

– C'est infernal à ce point ?

– Quelquefois oui. Dès que sort un nouveau numéro du *Reader's Digest* ou je ne sais quel article sur une maladie rare, la salle d'attente se remplit de gamins qui évidemment en présentent tous les symptômes.

– J'agirais sans doute de la même façon avec mon gosse.

Elle secoua la tête.

– Ça m'étonnerait. D'après moi, t'es du genre à penser qu'une promenade ou une bonne nuit de sommeil peut chasser un mal de tête, par exemple. Et ça ne changera pas beaucoup quand tu seras père.

– T'as peut-être raison, admit-il.

– Évidemment.

– Parce que tu me connais ?

– C'est ta sœur et toi qui avez commencé, dis donc !

Dans la demi-heure qui suivit, ils restèrent là à bavarder avec une étonnante familiarité. Elle parla davantage de sa mère, de son père, et de leurs personnalités opposées ; elle fit quelques allusions à ses sœurs et au fait qu'il était difficile de grandir avec une telle pression sociale. Elle aborda ensuite ses années d'étudiante et sa formation au métier d'assistante médicale, puis ses soirées passées à Beaufort avant d'y emménager. Elle évoqua à peine Kevin, ce qui l'étonna elle-même, jusqu'à ce qu'elle se rende compte que s'il occupait une place importante dans sa vie actuelle, cela n'avait pas toujours été le cas. En discutant avec Travis, elle se rappela qu'elle était devenue la femme qu'elle était aujourd'hui bien avant de rencontrer Kevin.

De fil en aiguille, elle se surprit à lui confier les contrariétés qui survenaient de temps à autre à son travail, les mots lui échappant malgré elle. Sans pour autant citer le Dr Melton, elle lui raconta des anecdotes au sujet de certains parents rencontrés au cabinet. Elle ne révéla aucun nom, mais à l'occasion Travis esquissait un petit sourire laissant entendre qu'il savait exactement de qui elle parlait.

Entre-temps, Megan et Liz avaient presque fini de ranger les aliments dans les glacières. Laird et Allison étaient partis en balade. Matt, en revanche, était à moitié enterré par les petits, dont les gestes encore maladroits faisaient pleuvoir des pelletées de sable dans ses yeux, son nez, sa bouche et ses oreilles.

Au même moment, un Frisbee atterrit aux pieds de Gabby, qui vit Joe s'approcher.

– Je crois qu'il est temps pour nous d'aller délivrer Matt, lança-t-il à Travis avant de désigner le disque en plastique. T'es partant ?

– T'es en train de me dire que les mômes ont besoin d'un dérivatif ?

Joe sourit à belles dents :

– Je crois qu'on n'a pas trop le choix.

Travis se tourna vers Gabby :

– Ça ne t'embête pas ?

– Non, vas-y.

– Autant te prévenir tout de suite... ça ne va pas être génial.

Il se leva et interpella les enfants :

– Hé, les gosses ! Vous êtes prêts à voir le champion du monde de Frisbee en action ?

– Ouais ! crièrent-ils en chœur.

Ils lâchèrent leurs pelles et filèrent au bord de l'eau.

– Faut que j'y aille, dit Travis. Mon public m'attend.

Tandis qu'il courait à petites foulées vers le rivage, Gabby ne put s'empêcher de le regarder, tout en éprouvant curieusement un sentiment proche de l'affection.

Le temps passé en sa compagnie ne ressemblait en rien à ce qu'elle s'était imaginé. Il ne se vantait pas, ne cherchait pas vraiment à l'épater, et semblait savoir d'instinct à quel moment se taire ou réagir. C'est cette écoute attentive, se dit-elle, qui l'avait conduite au début à se lancer dans une relation avec Kevin. Pas uniquement le plaisir physique lors de leurs premières nuits ensemble ; elle recherchait avant tout ce réconfort qu'elle éprouvait lorsqu'ils bavardaient tranquillement ou rejoignaient la voiture, main dans la main, pour s'en aller dîner. Dans ces moments-là, Gabby n'avait aucun mal à penser qu'ils étaient faits l'un pour l'autre... des moments plus rares ces derniers temps.

Gabby réfléchissait à cela tout en regardant Travis plonger pour récupérer le Frisbee. Il rata la prise, tandis que le disque le heurtait en pleinc poitrine, et il dégringola dans une grande gerbe d'eau. Les gamins hurlaient de plaisir, comme si c'était le spectacle le plus hilarant qu'ils aient jamais vu. Lorsqu'ils crièrent « Recommence, tonton Travis ! », il se releva d'un bond, plus cabotin que jamais. Il fit trois longues foulées au ralenti et lança le Frisbee à Joe. Grimaçant à souhait, il prit la pose d'un joueur de base-ball prêt à rattraper la balle. Tout en leur faisant un clin d'œil, il promit aux enfants : « La prochaine fois, je ne vais même pas me mouiller ! », avant de trébucher avec perte et fracas, en ratant évidemment le disque pour la plus grande joie des petits. Il semblait sincèrement s'amuser à faire le clown, ce qui le rendait d'autant plus touchant aux yeux de Gabby. Elle essayait encore d'analyser ce qu'elle éprouvait pour lui lorsqu'il réapparut enfin à la surface de l'Océan et marcha vers elle tout en secouant la tête pour chasser l'eau qui dégoulinait de ses cheveux. L'instant d'après, il se laissa choir sur le sable à ses côtés, et comme ils s'effleuraient sans le vouloir Gabby eut la vision fugace de Travis et elle assis au même endroit, lors d'une centaine d'autres week-ends à venir...

– 11 –

Le reste de l'après-midi se déroula comme la séquence inversée des événements de la matinée. Ils passèrent encore une heure sur la plage avant de charger le bateau ; au retour, chaque couple fit un nouveau tour de parachute, mais cette fois Gabby vola en compagnie de Stephanie. En fin de journée, le bateau traversa le bras de mer, et Travis s'arrêta pour acheter des crevettes chez un pêcheur qu'il semblait bien connaître. Lorsqu'ils accostèrent enfin en contrebas de la maison, les trois petits dormaient à poings fermés. Cheveux ébouriffés et teint hâlé par le soleil, les adultes étaient enchantés de leur sortie en mer.

Après avoir déchargé toutes les affaires, les couples s'en allèrent l'un après l'autre, jusqu'à ce que Gabby, Stephanie et Travis se retrouvent seuls. Ce dernier se tenait sur le ponton avec Moby, où il avait étalé le parachute pour le faire sécher, et nettoyait le bateau au jet d'eau.

Stephanie étira les bras au-dessus de sa tête :

– Je devrais déjà être au volant, j'imagine. Je dîne chez les parents, ce soir. Ils se vexent si je ne passe pas assez de temps avec eux quand je descends à Beaufort. Tu sais comment c'est. Bon, je vais dire au revoir à Travis.

Gabby hocha la tête, l'esprit un peu engourdi, tandis que

Stephanie se penchait au-dessus de la balustrade de la véranda.

– Hé, Trav ! s'écria-t-elle. Je file. Merci pour la sortie !

– Je suis content que tu aies pu venir ! répondit-il en agitant la main.

– Tu pourrais peut-être faire griller quelque chose. Gabby vient de me dire qu'elle mourait de faim !

Gabby sortit sur-le-champ de sa léthargie, mais avant même qu'elle ait pu protester, Travis levait déjà le pouce en signe d'approbation.

– Je remonte dans une minute pour allumer le gril ! hurla-t-il. Le temps de terminer mon nettoyage.

Stephanie passa devant Gabby d'un pas nonchalant, manifestement ravie de les avoir réunis pour le dîner.

– Pourquoi t'as dit ça ? lui souffla Gabby à mi-voix.

– Parce que je vais retrouver mes parents. Je ne veux pas que mon pauvre frère passe la soirée tout seul. Il aime bien avoir du monde chez lui.

– D'accord, mais si j'avais envie de rentrer chez moi ?

– Alors quand il remontera, dis-lui que t'as changé d'avis. Il ne se formalisera pas. C'était juste histoire de te faire gagner quelques minutes, parce que je te garantis qu'il t'aurait invitée, de toute manière... Et si tu avais dit non, il aurait insisté.

Elle mit son sac en bandoulière avant d'ajouter :

– C'était vraiment sympa de faire ta connaissance. Je suis contente qu'on ait eu l'occasion de se rencontrer. Ça t'arrive de te balader à Raleigh ?

– Oui, parfois, répondit Gabby, encore sous le choc de ce qui venait de se passer, ne sachant trop si elle devait féliciter Stephanie ou lui en vouloir.

– Super. On pourra déjeuner ensemble. Je te proposerais bien demain, mais faut vraiment que je rentre à la fac.

Elle ôta ses lunettes de soleil et les essuya sur son tee-shirt.

– À bientôt, alors ?

– Bien sûr.

Stephanie franchit la porte de la véranda, puis disparut dans la maison avant de ressortir côté rue. Sur ses entrefaites, Travis remonta du ponton, Moby trottinant joyeusement à ses côtés. Pour la première fois de la journée, Travis avait enfilé une chemisette, encore qu'il ne l'eût pas boutonnée.

– Le temps d'allumer le feu et c'est parti. Brochettes de crevettes, ça te va ?

Gabby hésita un court instant, avant de se dire que c'était ça ou se retrouver chez elle devant un plat au micro-ondes et une affligeante émission de télé... tout en se remémorant malgré elle le sentiment qu'elle avait éprouvé en voyant Travis faire le clown avec les enfants.

– Tu me laisses deux minutes pour me changer, et je reviens, d'accord ?

Pendant que Travis attisait les braises, Gabby passa jeter un œil sur Molly et la trouva en train de dormir profondément avec les chiots.

Elle prit une douche rapide, puis enfila une tenue légère en coton composée d'une jupe et d'un corsage. Après s'être séché les cheveux, elle se demanda si elle allait se maquiller ou non, puis opta pour un soupçon de mascara. Le soleil lui avait donné bonne mine et, tandis qu'elle s'éloignait du miroir, Gabby songea qu'il y avait des années qu'elle n'avait pas dîné en tête à tête avec un autre homme que Kevin.

Bien sûr, elle pouvait se dire que c'était la suite logique de la journée au grand air, ou que Stephanie l'avait piégée.

Elle savait pourtant que ce n'était pas tout à fait vrai, dans un cas comme dans l'autre.

Devait-elle pour autant se sentir coupable de sa décision, voire ne pas en parler à Kevin ? De prime abord, elle se dit qu'elle n'avait aucune raison de le lui cacher. Une sortie en mer, ce n'était pas bien méchant... En théorie, elle avait même passé plus de temps avec Stephanie qu'avec son frère. Alors, franchement, quelle importance ?

Et ce soir, bien sûr, tu dînes toute seule, lui chuchota une petite voix.

Est-ce que ça posait un réel problème ? Stephanie n'inventait rien : après tout, Gabby avait faim, et son voisin avait de quoi manger. Il fallait bien se nourrir, non ? Ce n'était pas comme si elle allait passer la nuit avec lui. Elle n'avait même pas l'intention de l'embrasser. Ils étaient amis, voilà tout. Et si Kevin avait été présent, nul doute que Travis l'aurait invité dans la foulée.

Mais il n'est pas là, insista la petite voix. *Tu vas parler à Kevin de ton petit dîner en tête à tête ?*

– Absolument. Je le lui dirai sans problème, murmura-t-elle en tâchant de faire taire la petite voix.

Par moments, cela lui était carrément insupportable. Pour un peu elle aurait cru entendre sa mère.

Sa décision prise, Gabby se regarda une dernière fois dans le miroir, et comme ce qu'elle vit lui plut, elle sortit sur sa terrasse et traversa la pelouse.

Alors qu'elle surgissait dans son jardin en franchissant la haie, Travis l'aperçut du coin de l'œil et, malgré lui, la fixa sans la moindre gêne tandis qu'elle s'approchait. Lorsqu'elle parvint sur la véranda, il sentit comme un étrange changement dans l'atmosphère, qui le prit un peu au dépourvu.

– Voilà, dit-elle simplement. Tout est prêt ?

– D'ici deux ou trois minutes, répondit-il. Bravo pour ton sens du timing.

Elle regarda à la dérobée les brochettes de crevettes, préparées avec des oignons et des poivrons de toutes les couleurs. Comme un fait exprès, son estomac gargouilla au même moment.

– Waouh... murmura-t-elle en espérant qu'il n'avait rien entendu. Ça a l'air rudement bon.

– Tu veux boire quelque chose ? reprit-il en désignant l'autre bout de la terrasse. Il doit rester des bières et des sodas dans la glacière.

Tandis qu'elle allait se servir, Travis tenta d'ignorer le mouvement chaloupé de ses hanches, en se demandant ce qui lui prenait. Il l'observa soulever le couvercle, farfouiller dans la glacière, avant d'en sortir deux canettes. Lorsqu'elle revint et lui en tendit une, les doigts de Gabby effleurèrent les siens. Il dévissa la capsule et but une longue gorgée, tout en la surveillant du coin de l'œil alors qu'elle admirait la côte. Au-dessus des arbres, le soleil brillait encore, mais il faisait moins chaud, et les ombres s'étiraient peu à peu sur la pelouse.

– Voilà pourquoi je me suis installée ici, déclara-t-elle. Pour profiter de la vue.

– Superbe, hein ?

Il se rendit compte qu'il la dévorait des yeux en prononçant ces paroles et préféra ne pas penser à ce que cela impliquait dans son subconscient.

– Comment va Molly ? reprit-il après s'être éclairci la voix.

– Elle a l'air d'aller. Elle dormait quand je suis passée la voir.

Elle jeta un regard à la ronde et ajouta :

– Où est Moby ?

– Je pense qu'il se promène de l'autre côté de la maison. Il en a eu marre de me voir cuisiner quand il a compris que je ne lui donnerais rien.

– Il mange des crevettes ?

– Il mange de tout.

– C'est une fine gueule, répliqua-t-elle avec un clin d'œil. Je peux te donner un coup de main, sinon ?

– Pas vraiment. Sauf si tu veux bien chercher des assiettes dans la cuisine.

– Aucun problème, dit-elle en hochant la tête. Tu les ranges où exactement ?

– Dans le placard à gauche de l'évier. Ah oui... prends aussi l'ananas. Sur le plan de travail. Et le couteau. Il devrait être à côté.

– Je reviens dans une minute.

– Prends aussi les couverts... Dans le tiroir près du lave-vaisselle.

Tandis qu'elle entrait dans la maison, le regard de Travis s'attarda encore sur elle. Décidément, Gabby le captivait. Pas seulement parce qu'elle était séduisante ; des jolies femmes, il en croisait partout. Son intelligence spontanée et son humour naturel laissaient entrevoir chez elle une perception innée du bien et du mal. La beauté alliée au bon sens, c'était une combinaison plutôt rare, mais il doutait qu'elle soit même consciente de posséder cette qualité.

Lorsque Gabby réapparut, les brochettes étaient prêtes. Travis en disposa deux dans chaque assiette, accompagnées de tranches d'ananas, et ils se mirent à table. Derrière eux, le cours d'eau coulait lentement et reflétait le ciel comme un miroir, la quiétude ambiante à peine brisée par un vol d'étourneaux.

– C'est délicieux, dit-elle.

– Merci.

Elle but une gorgée de bière et désigna le bateau :

– Tu y retournes demain ?

– Je ne pense pas. J'ai prévu une chevauchée dans la région, ironisa-t-il.

– Tu fais de l'équitation ?

Il secoua la tête en souriant.

– De la moto. Quand j'étais étudiant, j'ai acheté une Honda Shadow de 1983 toute cabossée, avec l'idée de la restaurer et de la revendre pour faire rapidement un petit bénéfice. Disons que ça m'a pris du temps et que je ne crois pas en tirer profit un jour. Mais je peux t'assurer que j'ai tout réparé moi-même.

– Ça doit être gratifiant.

– Dis plutôt que ça ne rime à rien. Elle n'est pas très pratique, puisqu'elle a tendance à tomber en panne, et les pièces d'origine sont quasi impossibles à trouver. Mais c'est le prix à payer quand on possède une moto de collection, non ?

La bière se laissait boire, et Gabby en but une autre gorgée.

– Aucune idée, répondit-elle. Même pour une simple vidange, j'apporte ma voiture au garage.

– T'as déjà fait de la moto ?

– Non. Trop dangereux.

– Le danger dépend plus du conducteur et de l'état de la route que de la moto.

– Pourtant, la tienne tombe souvent en panne.

– Exact. Mais j'aime bien me faire des frayeurs.

– J'avais cru deviner ce trait de caractère.

– C'est bien ou mal ?

– Ni l'un ni l'autre. Mais on ne s'y attend pas, c'est sûr. Surtout si j'essaye de concilier ça avec ton métier de vétérinaire. Une profession qui évoque tellement la stabilité !

Quand je pense aux vétos, la première image qui me vient à l'esprit, c'est celle d'un père de famille, avec la femme en tablier lui mitonnant de bons petits plats et les gamins qu'elle emmène chez l'orthodontiste.

– Autrement dit, rasoir. Comme si mes activités les plus exaltantes se limitaient au golf.

Elle pensa à Kevin.

– Il y a pire.

– Sache quand même que je suis un père de famille dans l'âme, répliqua Travis dans un haussement d'épaules. Sauf que je n'en ai pas encore fondé une.

– C'est la condition *sine qua non*, tu ne crois pas ?

– Je pense qu'être un père de famille, ça tient plus à la façon dont on voit le monde qu'au fait d'avoir effectivement une femme et des enfants.

– Pas mal comme explication...

Elle plissa les yeux en le regardant, tandis qu'elle commençait à ressentir les effets de la bière.

– J'avoue que je t'imagine difficilement dans la peau d'un type marié. Ça ne colle pas avec ton personnage. T'as plus l'air du genre à sortir avec des tas de filles... l'éternel célibataire, quoi.

– T'es pas la première personne à me le dire. En fait, si je manquais de jugeote, je dirais que t'as passé un peu trop de temps à écouter mes amis aujourd'hui.

– Ils parlaient de toi en termes élogieux.

– D'où ma décision de les emmener en bateau.

– Et Stephanie ?

– C'est une énigme. Mais c'est aussi ma sœur, alors j'y peux rien, pas vrai ? Comme je te disais, je suis un gars qui a le sens de la famille.

– Pourquoi j'ai comme l'impression que tu essayes de m'épater ?

– Peut-être que c'est le cas. Parle-moi de ton petit copain. Le genre père de famille, lui aussi ?

– C'est pas tes oignons.

– D'accord, ne me dis rien. Pas tout de suite, du moins. Dis-moi plutôt ce que ça fait d'avoir grandi à Savannah.

– Je t'ai déjà parlé de ma famille. Que te dire d'autre ?

– N'importe quoi, je t'écoute.

Elle hésita.

– En été, il fait très chaud, là-bas. On étouffe. Et c'est très humide.

– Tu restes toujours aussi vague ?

– Chacun a droit à sa part de mystère, non ?

– Ton petit ami le pense aussi ?

– Mon petit ami me connaît bien.

– Il est grand ?

– Ça a de l'importance ?

– Aucune. Je fais juste la conversation.

– Alors changeons de sujet.

– D'accord... T'as déjà fait du surf ?

– Non.

– De la plongée sous-marine ?

– Non.

– Quelle poisse !

– Pourquoi ? Parce que je ne sais pas ce que je rate ?

– Non, dit-il. Parce que maintenant que mes copains sont mariés et ont des gamins, il faut que je trouve quelqu'un pour ce genre d'activités.

– À ce que j'ai pu voir, tu sais fort bien t'occuper. Sitôt rentré du travail, tu pars faire du *wakeboard* ou du jet-ski.

– Il n'y a pas que ça dans la vie. Et le parachute ascensionnel, t'en fais quoi ?

Gabby s'esclaffa, et il se joignit à elle, qui prit soudain conscience qu'elle aimait l'entendre rire.

– J'ai une question au sujet de l'école vétérinaire, reprit-elle tout à trac, sans se soucier désormais de la tournure de la conversation.

Cela lui faisait du bien de se détendre, de profiter de la compagnie de Travis. Elle se sentait à l'aise en sa présence.

– Je sais que c'est idiot, poursuivit-elle, mais je me suis toujours interrogée sur l'ampleur des cours d'anatomie. Combien d'animaux différents tu devais étudier au juste ?

– Uniquement les principaux, répondit-il. La vache, le cheval, le cochon, le chien, le chat et le poulet.

– Et tu devais connaître quasiment tout sur chacun d'eux ?

– Concernant leur anatomie, oui.

Elle médita sur la question.

– Waouh ! Moi qui trouvais déjà difficile de tout savoir sur le corps humain...

– Oh, n'oublie pas que la plupart des gens ne vont pas m'attaquer en justice si leur poulet passe l'arme à gauche. T'as une bien plus grande responsabilité, surtout que tu t'occupes d'enfants.

Il marqua une pause, avant d'ajouter :

– Et je parie que t'es géniale avec eux.

– Qu'est-ce qui te fait penser ça ?

– Tu respires la gentillesse et la patience.

– Ben voyons... Je crois que le soleil t'a tapé sur la tête aujourd'hui.

– Probablement, dit-il avant de se lever en désignant sa canette. T'en veux une autre ?

Gabby ne s'était même pas rendu compte qu'elle avait fini la sienne.

– Vaudrait mieux pas.

– Ça restera entre nous, promis.

– Là n'est pas le problème. Je ne veux pas te laisser une mauvaise impression.

– Permets-moi d'en douter.

– Je ne pense pas que mon petit ami apprécierait.

– Du coup, ça tombe bien qu'il ne soit pas là, non ? Et puis on commence à peine à faire connaissance. Quel mal y a-t-il à ça ?

– Bon... soupira-t-elle. C'est la dernière, alors.

Il rapporta deux bières et décapsula celle de Gabby. Dès qu'elle l'entama et sentit les bulles couler dans sa gorge, la petite voix de sa conscience lui chuchota à l'oreille : *Tu ne devrais pas faire ça.*

– Tu le trouverais sympa, reprit-elle, tentant de rétablir une certaine distance entre eux. C'est un type super.

– J'en suis persuadé.

– Et... euh, pour répondre à ta question de tout à l'heure, oui, il est grand.

– Je croyais que tu ne souhaitais pas en parler.

– En effet. Juste pour te dire que je l'aime.

– L'amour, c'est formidable. Grâce à lui, la vie mérite d'être vécue. J'adore être amoureux.

– Et c'est un homme d'expérience qui parle. Mais n'oublie pas que le véritable amour est éternel.

– Les poètes diraient qu'il se termine toujours en tragédie.

– Et tu es poète ?

– Non. Je ne fais que répéter leurs propos. Je ne dis pas que je les approuve. Comme toi, je suis plutôt du genre sentimental qui aime les fins heureuses. Mes parents se sont mariés pour la vie, et c'est ce que j'ai moi aussi envie de connaître un jour.

Gabby ne pouvait s'empêcher de le trouver plutôt doué pour ce type de conversation à mi-chemin du flirt... et elle se rappela qu'il avait une certaine pratique. Néanmoins, elle devait bien admettre qu'elle se sentait flattée par l'attention qu'il lui portait, même si elle savait que Kevin n'apprécierait pas.

– Tu savais que j'ai failli acheter ta maison ? demanda-t-il.

Elle secoua la tête, surprise.

– Elle était en vente en même temps que celle-ci. Je préférais la disposition des pièces, mais celle-ci avait déjà la véranda, l'élévateur et l'abri pour bateau. Un choix difficile.

– Et t'as même un Jacuzzi maintenant.

– T'aimes ça ? répliqua-t-il en haussant un sourcil. On pourrait y aller plus tard, à la tombée de la nuit.

– J'ai pas mon maillot de bain.

– On peut s'en dispenser.

Elle roula des yeux, ignorant volontairement le frisson qui l'avait parcourue.

– Je ne crois pas.

Il s'étira, manifestement content de lui.

– Et si on n'y trempait que les pieds ?

– Ça ne devrait pas me poser de problème.

– Il faut un début à tout.

– Je n'irai pas plus loin.

– Évidemment.

De l'autre côté du cours d'eau, le soleil couchant transformait le ciel en une palette de nuances dorées s'étirant à l'horizon. Travis rapprocha une chaise et y posa les pieds. Gabby contempla la côte en ressentant un bien-être qu'elle n'avait pas connu depuis longtemps.

– Parle-moi de l'Afrique, reprit-elle. C'est aussi irréel que l'idée qu'on s'en fait ?

– Ça l'a été pour moi. J'ai toujours eu envie d'y retourner. Je m'y suis senti chez moi, c'était comme viscéral... alors que quasiment rien là-bas ne me rappelait le monde d'où je venais.

– Tu as vu des lions ou des éléphants ?

– Plein...

– C'était vraiment génial, alors ?

– Un voyage que je n'oublierai jamais.

Elle se tut quelques instants.

– Je t'envie.

– Alors vas-y. Et si tu te décides, n'oublie pas d'aller voir les chutes Victoria. C'est l'endroit le plus spectaculaire que j'aie jamais visité. Les arcs-en-ciel, la brume, ce rugissement incroyable... comme si tu te tenais tout au bord de l'univers.

Elle sourit d'un air rêveur.

– Combien de temps tu es resté là-bas ?

– À quelle époque ?

– Tu y es allé combien de fois ?

– Trois.

Elle tenta de s'imaginer menant une vie aussi libre, mais en vain.

– Parle-moi de ces trois séjours.

Ils bavardèrent tranquillement pendant un long moment, le crépuscule cédant la place à la nuit. Ses descriptions hautes en couleur des gens et des lieux se révélaient si vivantes et si détaillées que Gabby avait le sentiment de voyager à ses côtés... et elle se demanda à combien de reprises, et avec combien de femmes, il avait partagé toutes ces histoires. Il s'interrompit au milieu de son récit, se leva de table et revint avec deux bouteilles d'eau, respectant ainsi le souhait de Gabby ; cela ne fit qu'ajouter à l'affection grandissante qu'elle éprouvait pour lui. Même si elle savait que c'était mal, elle ne pouvait s'en empêcher.

Lorsque tous deux se levèrent pour débarrasser, les étoiles scintillaient dans le ciel. Pendant qu'il rinçait les plats, Gabby se promena dans le salon de Travis en songeant que cela ressemblait moins à la tanière d'un célibataire qu'elle ne l'avait imaginé. Mobilier confortable et raffiné, canapés en cuir marron, table basse en noyer, luminaires en laiton... mais la propreté ambiante ne confinait pas à la maniaquerie. Quelques magazines empilés ici et là sur la télévision, une fine couche de poussière sur la chaîne stéréo... ce qu'elle jugea tout à fait normal. Au lieu d'œuvres d'art, des affiches de films décoraient les murs et reflétaient les goûts éclectiques de Travis : *Casablanca*, *Die Hard* et *Maman, j'ai raté l'avion*. Derrière elle, Gabby entendit l'eau cesser de couler, et l'instant d'après Travis entra dans le salon. Elle lui sourit.

– Prête pour le bain ?

– Tant que tu ne te dénudes pas trop.

Ils ressortirent sur la terrasse pour gagner le Jacuzzi. Travis retira la bâche de protection et la mit de côté pendant que Gabby ôtait ses sandales ; peu après, ils étaient assis côte à côte et balançaient leurs pieds dans le bain à remous. Elle pencha la tête en arrière et tenta de repérer les constellations dans le ciel.

– À quoi tu penses ? s'enquit-il.

– Aux étoiles, dit-elle. J'ai acheté un bouquin d'astronomie et j'essaye de voir si j'ai retenu ce que j'y ai appris.

– Et alors ?

– Uniquement les grands groupes d'étoiles. Les plus évidents.

Elle poursuivit, tout en pointant l'index vers la maison :

– Remonte un peu au-dessus de la cheminée et tu verras le baudrier d'Orion. Bételgeuse se situe à son épaule gauche et Rigel désigne son pied. Il a deux chiens de chasse. L'étoile qui scintille par là-bas, c'est Sirius, qui fait partie du Grand Chien, tandis que Procyon appartient au Petit Chien.

Travis localisa la ceinture d'Orion et, bien qu'il suivît ses indications, ne put repérer la suite.

– Je ne suis pas sûr de voir les deux autres.

– Moi non plus. Je sais seulement qu'elles sont dans les parages.

– Je distingue le Grand Chariot, dit-il en tendant le bras par-dessus l'épaule de Gabby. Juste là-bas. C'est la seule constellation que j'arrive toujours à trouver.

– On l'appelle aussi la Grande Ourse ou *Ursa Major* en latin. Tu savais qu'on lui associe l'image d'une ourse depuis l'ère glaciaire ?

– Non, je l'ignorais.

– J'adore leurs noms, même si je n'arrive pas encore à toutes les identifier. *Canes Venatici* ou les Chiens de chasse, *Coma Berenices* ou la Chevelure de Bérénice, la Pléiade, Antinoüs, Cassiopée... c'est comme une douce musique à l'oreille.

– Apparemment, c'est ton nouveau passe-temps.

– Disons que ça ressemble plus à de bonnes intentions que la vie quotidienne a rapidement étouffées. Mais au moins, pendant deux ou trois jours, je me suis vraiment plongée dans le bouquin.

– En tout cas, t'es sincère, répliqua-t-il en riant.

– Je connais mes limites. Pourtant j'aimerais en savoir plus. En classe de cinquième, j'ai eu un prof d'histoire-géo passionné d'astronomie. Il savait si bien parler des étoiles que tu ne pouvais que retenir ce qu'il disait.

– Et il disait quoi, au juste ?

– Qu'observer les étoiles, c'était comme remonter dans le temps, car certaines sont si éloignées que leur lumière met des millions d'années pour parvenir jusqu'à nous.

Qu'on les voyait non pas comme elles sont aujourd'hui, mais comme elles étaient à l'époque des dinosaures. Je trouvais cette idée... fascinante.

– Il m'a l'air d'être un sacré bon prof.

– Il l'était. Et on apprenait des tas de choses avec lui, même si j'ai presque tout oublié depuis, tu t'en doutes. Mais le charme opère toujours. Quand je contemple le ciel, je sais que quelqu'un l'observait aussi il y a des millions d'années.

Travis la regarda, troublé par le son de sa voix dans l'obscurité.

– Et le plus étrange, continua-t-elle, c'est que même si on a aujourd'hui une connaissance plus approfondie de l'univers, le commun des mortels en sait moins que nos ancêtres. Même sans télescope, sans les mathématiques, ou sans savoir que la Terre était ronde, ils utilisaient les étoiles pour naviguer, décider du jour où ils planteraient leurs futures récoltes, construire leurs édifices, prédire les éclipses... Bref, je me demande à quoi devait ressembler une telle existence, entièrement vouée aux étoiles.

Perdue dans ses pensées, elle resta silencieuse un long moment.

– Désolée, reprit-elle, tu dois me trouver rasoir.

– Non, pas du tout. Dorénavant, je ne penserai plus aux étoiles de la même façon.

– Tu me taquines.

– Absolument pas, affirma-t-il le plus sérieusement du monde.

Il soutint son regard. Elle eut l'impression soudaine qu'il allait l'embrasser et détourna aussitôt la tête. Elle entendait les grenouilles coasser dans les marécages et les grillons crisser dans les arbres. La lune avait atteint son apogée dans le ciel et projetait une lueur miroitante alentour.

Gabby agita nerveusement ses pieds dans le Jacuzzi, sachant qu'elle devait s'en aller.

– Je crois que j'ai la peau des orteils toute fripée, dit-elle.

– Tu veux que j'aille te chercher une serviette ?

– Non, ça ira. Mais je devrais sans doute rentrer. Il se fait tard.

Travis se leva et lui tendit la main. En la prenant, elle en sentit toute la puissance.

– Je te raccompagne.

– Je ne risque pas de me perdre.

– Jusqu'aux buissons, alors.

Elle récupéra ses sandales laissées près de la table et aperçut Moby. Comme ils traversaient la pelouse, le chien les rejoignit en trottinant dans un concert de jappements joyeux. Moby leur fit la fête, puis se précipita vers l'eau comme s'il avait repéré un animal tapi dans l'ombre. Il s'arrêta brusquement, les pattes avant plaquées au sol, puis détala dans une autre direction.

– Moby déborde d'enthousiasme et de curiosité, observa Travis.

– Un peu comme toi.

– Exact. Sauf que je ne me roule pas dans les carcasses de poissons échoués.

Elle sourit. L'herbe était douce sous ses pieds, et ils atteignirent la haie l'instant d'après.

– J'ai passé une super journée, dit-elle. Idem pour la soirée.

– Moi aussi. Et merci pour la leçon d'astronomie.

– Je ferai mieux la prochaine fois. Je scintillerai au firmament de la connaissance !

Il éclata de rire.

– Jolie image. Elle t'est venue comme ça ?

– Non, toujours mon fameux prof. C'est ce qu'il nous disait à la fin des cours.

Travis se dandinait d'un pied sur l'autre, puis il la regarda droit dans les yeux :

– T'as prévu quoi, demain ?

– Rien de spécial. Je sais juste que je dois aller faire quelques courses. Pourquoi ?

– Tu veux m'accompagner ?

– Sur ta moto ?

– Je voudrais te montrer quelque chose. Ce sera sympa... je te le promets. J'apporterai même le déjeuner.

Gabby hésita. C'était une question simple et elle connaissait la réponse, surtout si elle voulait éviter que sa vie ne devienne compliquée. « Je ne crois pas que ce soit une bonne idée », voilà tout ce qu'elle devait dire, et l'affaire serait close.

Elle pensa à Kevin et à la culpabilité qu'elle avait déjà éprouvée tout à l'heure en acceptant de venir dîner. En dépit de tout ce qui s'était passé, ou peut-être à cause de tout cela, Gabby sourit malgré elle.

– Bien sûr, dit-elle. À quelle heure ?

Si Travis fut étonné de sa réponse, il ne le montra pas.

– Vers 11 heures, ça te va ? Tu pourras faire la grasse matinée, comme ça.

Elle se passa une main dans les cheveux.

– Bon... eh bien, encore merci...

– Ouais... merci d'être venue. À demain.

Un bref instant, elle crut qu'elle allait juste se tourner et s'en aller. Mais leurs regards se croisèrent encore et s'attardèrent une seconde de trop, et avant même qu'elle puisse réagir, Travis posa une main sur sa hanche et l'attira à lui. Il l'embrassa, ses lèvres à la fois tendres et fermes sur les siennes. Le temps que Gabby comprenne ce qui lui arrivait, elle le repoussa vivement.

– Qu'est-ce que tu fais ? s'exclama-t-elle

– C'était plus fort que moi, dit-il dans un haussement d'épaules, sans s'excuser le moins du monde.

– Je t'ai dit que j'avais un copain, rétorqua-t-elle.

Au fond d'elle-même, elle savait que ce baiser ne l'avait pas dérangée, et elle s'en voulait d'autant plus.

– Désolé si je t'ai mise mal à l'aise.

– Ça va, dit-elle en levant les mains pour le garder à distance. On oublie. Mais ça ne se reproduira plus, d'accord ?

– D'accord.

– D'accord, répéta-t-elle, soudain pressée de rentrer chez elle.

Elle n'aurait pas dû se mettre dans ce genre de situation. Elle avait su dès le début ce qui allait se passer, s'était elle-même fait la leçon... et à juste titre, en définitive.

Gabby se tourna et franchit la haie, encore sous le choc. Il l'avait embrassée ! Elle n'en revenait toujours pas. Même si elle avait l'intention de marcher tout droit jusqu'à sa porte, pour bien montrer à Travis qu'elle n'avait surtout pas l'intention que ça se reproduise, elle jeta un coup d'œil par-dessus son épaule... et faillit mourir de honte en le voyant lui faire signe, l'air plus décontracté que jamais :

– À demain !

Elle ne prit pas la peine de répondre, puisqu'elle n'avait absolument aucune raison de le faire. Elle appréhendait ce qui risquait d'arriver le lendemain. Pourquoi fallait-il que Travis gâche tout ? Pourquoi ne pouvaient-ils pas rester voisins et bons amis ? Pourquoi fallait-il que ça se termine ainsi ?

Gabby referma la porte coulissante derrière elle et gagna sa chambre d'un pas décidé, faisant de son mieux pour attiser sa colère que la situation, selon elle, devait susciter. Cela aurait dû marcher... mais ses jambes chancelaient, son cœur battait la chamade, et une pensée ne cessait de la hanter... Travis Parker la trouvait assez désirable pour vouloir l'embrasser.

– 12 –

Après le départ de Gabby, Travis vida la glacière. Comme il souhaitait passer un peu de temps avec Moby, il prit la balle de tennis pour s'adonner à leur jeu familier. Toutefois, il ne pouvait s'empêcher de penser à Gabby. Tandis que Moby galopait comme un fou aux quatre coins du jardin, Travis songeait au regard pétillant de la jeune femme quand elle souriait et à l'émotion dans sa voix lorsqu'elle nommait les étoiles. Malgré lui, il s'interrogeait sur la relation qu'elle entretenait avec son petit ami. Curieusement, elle ne s'étalait pas sur le sujet... et même s'il ignorait pourquoi, c'était suffisant pour le laisser perplexe.

Quoi qu'il en soit, Gabby l'intéressait. Bizarre... Car s'il devait se fier à son passé sentimental, elle ne correspondait pas à son type. Rien à voir avec ces filles délicates, susceptibles, le genre fleur fragile à ménager – qu'il attirait jusqu'à présent par wagons entiers. Lorsqu'il la taquinait, elle se défendait. Et s'il dépassait les bornes, elle n'hésitait pas à le remettre à sa place. Il aimait sa fougue, son sang-froid et son assurance, d'autant plus qu'elle ne semblait pas consciente de ces qualités. Aux yeux de Travis, toute la journée s'était déroulée comme une parade de séduction, où chacun d'eux menait la danse à tour de rôle. Et il se demandait si une telle harmonie pouvait durer à l'infini.

Dans le passé, c'était l'une des causes de ses ruptures. Même au premier stade de la relation, celle-ci fonctionnait toujours à sens unique. En général, il décidait seul de ce qu'ils allaient faire, du restaurant où ils iraient dîner, du film qu'ils iraient voir, ou encore s'ils dormiraient chez elle ou chez lui. Une chose le dérangeait plus que tout : l'aspect unilatéral définissait tout le reste de la relation, et cela lui donnait l'impression de sortir avec une employée et non pas une vraie partenaire. Franchement, ça devenait lassant.

Le plus étrange, c'est que Travis n'avait jamais réellement réfléchi à ses précédentes relations sous cet angle. D'ordinaire, il n'y pensait pas du tout. En somme, après avoir passé du temps en compagnie de Gabby, il prenait désormais conscience de ce qui lui manquait. Il se remémorait leurs conversations et réalisait qu'il en souhaitait d'autres, qu'il voulait passer plus de temps avec elle. Il n'aurait pas dû l'embrasser, se reprocha-t-il avec une angoisse inhabituelle chez lui... Il était allé trop loin. À présent, il ne lui restait plus qu'à attendre jusqu'au lendemain, dans l'espoir qu'elle ne changerait pas d'avis et le rejoindrait.

– Comment ça s'est passé ? demanda Stephanie.

Le lendemain matin, l'esprit un peu embrumé, Travis parvenait à peine à ouvrir les yeux.

– Quelle heure est-il ?

– J'en sais rien, répondit sa sœur. Assez tôt, je crois.

– Pourquoi tu m'appelles ?

– Parce que je veux savoir comment s'est passé ton dîner avec Gabby.

– Le soleil est levé, au moins ?

– Ne change pas de sujet. Crache le morceau !

– T'es drôlement indiscrète, dis donc.

– Je suis une fille curieuse de nature. Mais t'inquiète pas... Tu viens de me donner la réponse.

– J'ai rien dit.

– Exact. Je suppose que tu la revois aujourd'hui ?

Travis éloigna le combiné et le regarda d'un air ahuri. Comment sa sœur s'y prenait-elle pour tout deviner ?

– Steph...

– Donne-lui le bonjour de ma part. Écoute, faut que je file. Merci de m'avoir tenue au courant !

Elle raccrocha avant qu'il ait eu le temps de réagir.

Au réveil, la première pensée de Gabby fut de se dire qu'elle aimait se considérer comme quelqu'un de bien. En grandissant, elle avait toujours essayé de respecter les règles. Elle rangeait sa chambre, révisait pour ses examens, et faisait de son mieux pour observer les bonnes manières en présence de ses parents.

Toutefois, elle ne doutait pas de son intégrité à cause du baiser de la veille au soir... Travis en était le seul responsable. Et puis la journée s'était déroulée en toute innocence. D'ailleurs, elle serait ravie de tout raconter à Kevin. Non, elle s'en voulait surtout d'être retournée dîner avec Travis. Si elle avait fait preuve d'honnêteté envers elle-même, Gabby aurait pu se douter que Travis avait une idée derrière la tête et remédier à la situation. Surtout à la fin. Elle s'attendait à quoi, franchement ?

Quant à Kevin... le fait de lui parler ne l'avait pas vraiment aidée à effacer le baiser de sa mémoire.

Gabby l'avait appelé la veille au soir en rentrant chez elle. Avant même qu'il décroche, elle priait déjà pour qu'il ne décèle pas la culpabilité dans sa voix. Aucun souci de ce côté-là, comme elle le comprit aussitôt ; ils pouvaient à peine s'entendre, car il se trouvait en boîte de nuit.

– ’Soir, mon chéri, je voulais juste te faire un coucou et...

– Salut, Gabby ! Parle plus fort, ma puce ! Il y a un bruit d’enfer ici.

Il hurlait tellement qu’elle dut écarter le combiné.

– Je m’en rends bien compte.

– Quoi ?

– Je disais que c’est effectivement bruyant ! cria-t-elle à son tour. J’imagine que tu t’amuses bien ?

– Je t’entends à peine ! Qu’est-ce que tu dis ?

En fond sonore, elle perçut une voix de femme demandant à Kevin s’il voulait une autre vodka-tonic. La réponse de son petit ami se noya dans la cacophonie ambiante.

– Où es-tu ?

– J’ai oublié le nom. Une boîte quelconque !

– Quel genre ?

– Juste une boîte où les autres gars voulaient aller ! Rien d’extraordinaire !

– Je suis contente que tu t’amuses bien.

– Parle plus fort !

– Je voulais seulement te parler... Tu me manques.

– Ouais, tu me manques aussi... mais je reviens d’ici quelques jours ! Écoute, faut que je...

– Je sais, je sais... tu dois y aller.

– Je te rappelle demain, d’accord ?

– Pas de problème.

– Je t’aime !

– Moi aussi je t’aime.

Gabby raccrocha, agacée. Elle souhaitait seulement lui parler, mais elle aurait dû savoir à quoi s’en tenir. Dès qu’ils participaient à un congrès, les hommes adultes redevenaient des adolescents... elle l’avait constaté lors d’une convention médicale à Birmingham quelques mois plus tôt. Dans la journée, les réunions étaient remplies de médecins sérieux et posés ; le soir, elle les voyait par la fenêtre de sa chambre d'hôtel : ils sortaient en bandes, buvaient trop, et en général se ridiculisaient. Pas de quoi fouetter un chat. Gabby ne l'imaginait pas un instant s'attirer des ennuis ou faire quelque chose qu'il regretterait ensuite.

Comme... embrasser quelqu'un d'autre ?

Elle repoussa les draps en souhaitant de tout cœur ne plus y penser. Elle voulait oublier la main de Travis sur sa hanche lorsqu'il l'avait attirée vers lui, et surtout la sensation électrisante de ses lèvres sur les siennes. Néanmoins une question l'obnubilait tandis qu'elle se dirigeait vers la douche. Comme elle ouvrait le robinet, elle se demanda malgré elle si – pendant l'instant fugace du baiser – elle l'avait embrassé à son tour.

Incapable de se rendormir après le coup de fil de Stephanie, Travis partit faire un jogging. Ensuite, il chargea sa planche de surf à l'arrière de son pick-up puis roula jusqu'à Bogue Banks, de l'autre côté du pont. Après s'être garé sur le parking de l'hôtel Sheraton, il prit sa planche et se dirigea vers la mer. Une dizaine d'autres surfeurs avaient eu la même idée, et il salua au passage ceux qu'ils connaissaient. À l'instar de Travis, la plupart ne resteraient pas longtemps ; les meilleures vagues déferlaient de bonne heure et disparaissaient dès le changement de marée. Toutefois, ça restait une excellente manière de commencer la journée.

L'eau était fraîche. D'ici un mois, sa température serait quasi parfaite. Travis remonta la houle en pagayant et tenta de trouver le rythme. Sans exceller dans ce sport – à Bali, il n'avait pas osé s'attaquer aux gigantesques et périlleux rouleaux –, il était quand même assez doué pour en profiter.

Il avait l'habitude de venir seul. Laird, l'autre surfeur du groupe, ne l'accompagnait plus depuis des années. Ashley et Melinda, deux anciennes petites amies, le rejoignaient parfois par le passé... mais ni l'une ni l'autre n'étaient capables de le retrouver sur la plage au pied levé ; elles arrivaient comme par hasard au moment où il avait terminé, et ça chamboulait toute la matinée. Et comme d'habitude, c'était lui qui avait proposé l'activité.

Avec le recul, Travis songea qu'il avait décidément le chic pour choisir systématiquement le même type de femme. Pas étonnant qu'Allison et Megan aiment autant le mettre en boîte. Elles avaient sans doute l'impression de voir toujours le même film : seules les actrices changeaient, mais le scénario restait le même. Tandis qu'il guettait les vagues, allongé sur sa planche, Travis se rendit compte que ce qui l'attirait au départ chez les femmes – le besoin qu'on s'occupe d'elles – devenait précisément l'élément décisif de la fin d'une relation. Que disaient les gens, déjà ? Quand on a divorcé une fois, on peut toujours penser que le problème venait de son ex. Mais après trois fois ? Eh bien, le problème c'est toi, mon vieux. Bon d'accord, il n'avait pas divorcé... mais le principe s'appliquait tout de même à son cas.

Travis n'en revenait pas que toute cette quête de l'âme sœur resurgisse soudain à cause de sa journée en compagnie de Gabby, la femme qui l'avait accusé à tort, qui n'avait cessé de l'éviter, de le contrarier, et qui s'escrimait à lui répéter qu'elle était amoureuse d'un autre. Allez comprendre !

Derrière lui, une vague lui parut prometteuse. Travis se mit à pagayer comme un fou, tout en essayant de trouver la meilleure position. Malgré cette matinée splendide et les plaisirs de l'Océan, il ne pouvait se voiler la face. Ce qu'il souhaitait vraiment, c'était passer du temps avec Gabby... et le plus souvent possible !

– Bonjour, dit la voix de Kevin, tandis que Gabby se préparait à partir.

Elle changea le combiné d'oreille.

– Oh, salut ! Comment vas-tu ?

– Bien. Écoute... je voulais juste te dire que j'étais désolé pour le coup de fil d'hier soir. Je voulais te rappeler une fois de retour à l'hôtel, mais il était très tard.

– Pas de problème. Tu avais vraiment l'air de t'amuser.

– C'était moins palpitant que tu ne l'imagines. Et la musique était si forte que j'en ai encore les oreilles qui bourdonnent. D'abord, je me demande ce qui m'a pris d'accompagner ces types. J'aurais dû me douter que ce serait la galère quand ils se sont mis à boire à peine le dîner terminé, mais il fallait bien que quelqu'un garde un œil sur eux.

– Et je suis certaine que tu as été un modèle de sobriété.

– Bien sûr ! Tu sais que je ne bois pas beaucoup. Du coup, je vais sans doute les battre à plates coutures au tournoi de golf d'aujourd'hui. Ils auront tellement la gueule de bois qu'ils ne pourront même pas frapper la balle !

– Qui étaient ces gars ?

– D'autres courtiers qui venaient de Charlotte et de Columbia. À en croire leur comportement, on aurait dit qu'ils n'étaient pas sortis depuis des lustres.

– C'était peut-être le cas.

– Ouais, enfin...

Elle l'entendait s'affairer et supposa qu'il était en train de s'habiller.

– Et toi ? dit-il. Qu'est-ce que tu as fait, finalement ?

Elle hésita, avant de répondre :

– Oh, pas grand-chose.

– J'aurais aimé que tu puisses m'accompagner. Ça aurait été plus sympa si tu avais été là.

– Tu sais bien que je ne pouvais pas me libérer.

– Je sais. Mais je tenais à te le dire. J'essaye de te rappeler plus tard, d'accord ?

– Pas de problème. Mais il se peut que je sois sortie.

– À propos... comment va Molly ?

– Très bien.

– Je crois que ça me plairait de garder un de ses chiots. Ils sont adorables !

– Tu cherches à m'attendrir.

– C'est parce que tu es attendrissante... Dis donc, je me disais que toi et moi, on pourrait passer un long week-end à Miami à l'automne. Un des gars avec qui je discutais hier me confiait qu'il revenait de South Beach et qu'il y avait deux ou trois parcours de golf drôlement sympas, là-bas.

Elle marqua un temps d'arrêt, puis :

– Tu as déjà pensé à aller en Afrique ?

– En Afrique ?

– Ouais. Histoire de décrocher un peu, faire un safari, voir les chutes Victoria ? Ou bien quelque part en Europe ? En Grèce, par exemple ?

– Pas vraiment. Et même si je le voulais, je ne pourrais pas prendre suffisamment de jours de congé. Qu'est-ce qui t'a mis cette idée en tête ?

– Rien... c'était juste pour savoir.

Tandis que Gabby était au téléphone, Travis arriva sur sa véranda et frappa à la porte. Quelques instants plus tard, elle lui ouvrit, le combiné à l'oreille, et lui fit signe. Il entra dans le salon, s'attendant à ce qu'elle abrège sa conversation, mais elle lui proposa de s'asseoir sur le canapé et disparut dans la cuisine.

Travis s'installa et attendit. Encore et encore... Il se sentait ridicule, avait l'impression d'être traité comme un gamin. Ignorant à qui elle s'adressait, il l'entendait parler à mi-voix... et envisagea de s'en aller. Toutefois il resta sur le canapé en se demandant pourquoi elle semblait avoir autant d'emprise sur lui.

Elle sortit enfin de la cuisine et vint au salon.

– Désolée. Je sais que je suis un peu en retard, mais ça n'a pas arrêté de sonner toute la matinée.

Travis se leva et se dit que Gabby avait encore embelli dans la nuit... Absurde !

– Pas grave, dit-il.

Le coup de fil de Kevin la laissait de nouveau songeuse. Elle s'efforça de cesser de se poser des questions.

– Le temps de prendre mes affaires, dit-elle, et on peut s'en aller... Ah oui, je voulais jeter un œil sur Molly... Elle allait bien ce matin, mais je veux m'assurer qu'elle a assez d'eau.

L'instant d'après, Gabby mit son sac en bandoulière, et ils allèrent tous deux au garage, où elle remplit à ras bord l'écuelle de la chienne.

– On va où, au fait ? s'enquit-elle en sortant. Pas dans un bar à motards en pleine campagne, j'espère ?

– Qu'est-ce tu as contre les bars à motards ?

– Je vais détonner. Je n'ai pas assez de tatouages.

– Tu n'aurais pas des préjugés ?

– Sans doute. Mais tu n'as toujours pas répondu.

– On va se balader, c'est tout. De l'autre côté du pont, jusqu'à Bogue Banks et l'île d'Émeraude... puis on repassera le pont, et je t'emmènerai dans un endroit que je tiens à te montrer.

– Où ça ?
– C'est une surprise.
– Un coin branché ?
– Pas vraiment.
– On peut y déjeuner ?
Il prit le temps de réfléchir.
– Oui, si on veut.
– C'est à l'intérieur ou à l'extérieur ?
– C'est une surprise ! Je ne veux pas te gâcher le plaisir de la découverte.
– Ça a l'air génial.
– Ne te fais pas trop d'illusions. C'est juste un coin où j'aime aller... rien d'extraordinaire.
Entre-temps ils avaient atteint l'allée du garage de Travis.
– Voilà la bête ! lança-t-il en montrant la moto.
Les chromes rutilants de l'engin éblouissaient Gabby, qui en profita pour chausser ses lunettes de soleil.
– Celle qui fait ta fierté et ta joie ?
– Plutôt ma source de contrariétés et d'angoisse !
– Dis donc, tu ne vas pas encore pleurnicher sur la difficulté à se procurer des pièces détachées ?
Il grimaça, puis éclata de rire.
– Je vais tâcher de garder ça pour moi.
Elle désigna le panier fixé par des tendeurs à l'arrière de la moto :
– Qu'y a-t-il au menu ?
– Comme d'habitude.
– Filet mignon, agneau braisé, sole meunière, omelette norvégienne ?
– Pas tout à fait.
– Barres de céréales ?
Il ignora ses moqueries.

– Si t'es prête, on peut y aller. Si le casque ne te va pas, j'en ai d'autres au garage.

Elle lui décocha un regard noir :

– Et ce fameux coin que tu souhaites me montrer ? Tu as emmené d'autres femmes là-bas ?

– Non, avoua-t-il. En fait, tu seras la première.

Elle attendit qu'il ajoute quelque chose, mais pour une fois il n'avait pas l'air de plaisanter. Elle acquiesça, puis s'approcha de la moto. Elle enfila le casque, l'attacha sous son menton, et enfourcha l'arrière de la selle.

– Où est-ce que je mets les pieds ?

– Là-dessus, répondit Travis en abaissant les repose-pieds. Il y en a un de chaque côté. Tâche de ne pas toucher le pot d'échappement avec la jambe. Ça chauffe drôlement, et tu risques de te brûler.

– C'est bon à savoir. Et les mains, j'en fais quoi ?

– Autour de ma taille, bien sûr.

– Quel dragueur invétéré ! Pour un peu je n'oserais même pas me cramponner à toi !

Il mit son casque, puis monta sur la moto et démarra sans trop accélérer. L'engin se révélait moins bruyant que prévu, mais Gabby sentait les légères vibrations sur la selle. Elle eut un frisson de plaisir à la perspective de la balade, un peu comme si elle allait faire un tour dans les montagnes russes... sauf qu'il n'y avait aucune barre de sécurité.

Travis s'engagea sur la route. Dès que Gabbby posa les mains sur ses hanches, elle songea à ses cuisses musclées... et sentit le trac lui chatouiller le ventre. Sinon, elle pouvait enrouler ses bras autour de lui... mais elle ne se sentait pas prête pour ça. Tandis que la moto prenait de la vitesse, Gabby s'interdit de remuer les mains ; elle devait les garder immobiles, comme une statue.

– Qu'est-ce que tu racontes ? s'enquit Travis en tendant le cou.

Elle n'avait pas réalisé qu'elle se parlait à voix haute.

– Euh... je me disais juste qu'il fallait que j'évite de remuer. Je n'ai pas envie d'avoir un accident.

– On n'en aura pas. J'aime autant les éviter.

– Tu n'en as jamais eu ?

Tout en continuant à se dévisser le cou... et à la rendre encore plus nerveuse, il répondit :

– Deux ou trois. Une fois, ça m'a valu deux nuits d'hôpital.

– Et tu n'as pas jugé utile de m'en parler avant de m'inviter ?

– Je ne voulais pas t'effrayer.

– Garde les yeux sur la route ! Et ne t'avise pas de jouer les casse-cou.

– Tu veux faire des cascades ?

– Non !

– Bien. Parce que ça m'embêterait de te gâcher la promenade, ironisa-t-il en se tournant encore vers elle. Je tiens avant tout à ta sécurité. Alors cramponne-toi bien à moi...

En dépit du casque, elle aurait juré qu'il lui avait fait un clin d'œil.

Gabby se fit toute petite à l'arrière de la selle, comme à la clinique vétérinaire. Elle était effarée à l'idée qu'il l'ait entendue marmonner, malgré le vent dans leurs visages et le bruit du moteur. Par moments, elle avait l'impression que tous les éléments se liguaient contre elle.

Heureusement, il ne revint pas sur le sujet, et elle se sentit mieux dans les minutes qui suivirent. Ils quittèrent leur paisible quartier, et Gabby apprit peu à peu à se pencher en même temps que Travis, tandis que la moto filait à travers la ville. Quelques virages plus loin, ils franchissaient le pont qui séparait Beaufort de Morehead City. La chaussée s'élargit pour se transformer en route à quatre voies, encombrée par les nombreux véhicules qui se rendaient à la plage. Alors qu'ils longeaient un énorme camion-benne, Gabby s'appliqua à ignorer son appréhension.

Ils obliquèrent vers le pont qui enjambait l'Intracoastal Waterway et roulèrent au pas. Lorsqu'ils atteignirent la nationale qui coupait Bogue Banks en deux, la circulation vers Atlantic Beach diminua, et Travis reprit peu à peu de la vitesse. Ils passèrent devant des résidences et des maisons nichées au milieu de la forêt côtière. Gabby commença à se détendre et à apprécier la caresse du soleil sur sa peau.

Agrippée à Travis pour garder l'équilibre, elle sentait les muscles de son dos à travers son tee-shirt. Malgré toutes ses bonnes résolutions, Gabby acceptait enfin l'attirance qu'elle éprouvait pour lui. En dépit de leurs différences, elle avait le sentiment qu'en sa présence un autre style de vie lui était offert, une vie qu'elle n'aurait jamais imaginée... sans les limites strictes que les autres lui avaient toujours imposées.

Travis et elle passèrent d'une ville à l'autre comme dans un rêve... Atlantic Beach, Pine Knoll Shores, Salter Path. Sur sa gauche, dissimulées par les chênes que la brise marine courbait en permanence, elle entrevit les plus séduisantes villas du bord de mer. Quelques minutes plus tôt, ils avaient contourné l'Iron Steamer Pier, la célèbre jetée où des dizaines de pêcheurs se donnaient rendez-vous.

À l'île d'Émeraude, la localité le plus à l'ouest, Travis freina pour laisser passer une voiture qui tournait, et Gabby se retrouva plaquée contre lui. Ses mains glissèrent par mégarde de ses hanches à son ventre, et elle se demanda s'il avait remarqué que leurs deux corps ne formaient plus qu'un. Elle aurait pourtant souhaité se détacher... mais n'en fit rien.

La situation lui échappait. Elle aimait Kevin et souhaitait l'épouser ; ces deux derniers jours n'avaient pas modifié sa décision. Malgré tout, elle ne pouvait nier que passer du temps en compagnie de Travis lui semblait, en un sens, tout à fait normal. C'était naturel, sans problème, dans l'ordre des choses, en somme. Mais incroyablement paradoxal... Et comme ils traversaient le pont tout au bout de l'île pour faire demi-tour, elle ne chercha plus à résoudre cette contradiction.

Ce fut alors que Travis la surprit en ralentissant pour s'engager sur un chemin perpendiculaire à la nationale qui s'étirait dans la forêt. Lorsqu'il stoppa, Gabby regarda autour d'elle d'un air perplexe.

– Pourquoi on s'arrête ? demanda-t-elle. C'est l'endroit que tu voulais me montrer ?

Travis descendit de l'engin, puis ôta son casque et secoua la tête.

– Non, c'est à Beaufort. Je voulais voir si tu avais envie de conduire un peu.

– Je n'ai jamais conduit de moto, répliqua Gabby en croisant les bras, toujours sur la selle.

– Je sais. D'où ma question.

– Je ne pense pas que ce soit une bonne idée, dit-elle en remontant la visière de son casque.

– Allez, ça va être sympa. On ne risque rien, je serai juste derrière toi. Je mettrai les mains à côté des tiennes et m'occuperai des changements de vitesse. Tu n'auras qu'à tenir le guidon, jusqu'à ce que tu t'y habitues.

– Mais ce n'est pas très légal.

– Tu ne vas pas chipoter pour si peu. Et puis, c'est une voie privée qui mène chez mon oncle... Un peu plus haut, ça devient un chemin de terre, et il est le seul à habiter dans le coin. C'est ici que j'ai appris à rouler.

Elle était tiraillée entre l'enthousiasme et l'effroi, s'étonnant même de son hésitation.

Travis leva les bras au ciel.

– Fais-moi confiance... il n'y a pas une seule voiture sur cette route. Personne ne risque de nous arrêter, et je serai là tout près de toi.

– Ça va être dur ?

– Non, c'est juste un coup à prendre.

– Mouais... Suffit de savoir conduire, quoi.

– Tant qu'on garde l'équilibre. T'inquiète pas, je serai là, alors tout va bien se passer.

Il ajouta, sourire aux lèvres :

– Alors, t'es prête ?

– Pas vraiment, mais...

– Super ! Bon, pour commencer, glisse-toi à l'avant de la selle. Sur le guidon, à droite, tu as la poignée des gaz et le frein avant. À gauche, c'est l'embrayage. La vitesse se régule par la poignée des gaz. Pigé ?

Elle acquiesça.

– Ton pied droit contrôle le frein arrière. Tu passes les vitesses avec le gauche.

– Facile.

– Vraiment ?

– Non. C'est juste pour que t'aies l'impression d'être un bon prof.

Voilà qu'elle se met à parler comme Stephanie, se dit-il.

– Ensuite, le changement de vitesse, c'est un peu comme en voiture. Tu lâches les gaz, tu embrayes, puis tu accélères. Je vais te montrer... Alors, va falloir qu'on se colle l'un contre l'autre. Assis à l'arrière, je n'aurai pas les bras et les jambes assez longs pour conduire.

– La bonne excuse...
– Mais non, c'est vrai ! Tu te sens prête ?
– J'ai une trouille bleue.
– Je vais prendre ça pour un « oui ». Avance un peu sur la selle, tu veux ?

Elle s'exécuta, et Travis s'installa derrière elle. Après avoir remis son casque, il se glissa contre Gabby et tendit les mains pour saisir le guidon... Elle eut de nouveau un léger frisson.

– Maintenant, mets tes mains sur les miennes, commanda-t-il. Et fais de même avec tes pieds. C'est juste pour que tu sentes comment ça marche. Suffit d'attraper le rythme, tu vas voir.
– C'est comme ça que tu as appris ?
– Non. Mon copain se tenait sur le côté et me braillait ses instructions. La première fois, j'ai confondu embrayage et frein, et j'ai atterri dans un arbre. C'est pour ça que je veux être en selle avec toi.

Il leva la béquille, embraya et démarra. Dès que le moteur tourna au ralenti, Gabby retrouva la même nervosité teintée d'excitation qui avait précédé son décollage en parachute. Elle posa les mains sur les siennes et savoura ce contact.

– Prête ?
– Plus que jamais.
– Laisse-moi te guider, ne te crispe pas...

Travis ouvrit les gaz tout en débrayant en douceur, et la moto commença à avancer, tandis qu'il relevait les pieds. Gabby posa les siens sur ceux de Travis.

Ils roulèrent lentement au début, puis Travis accéléra peu à peu, changea de vitesse et accéléra encore, avant de ralentir et de s'arrêter. Puis ils recommencèrent, et Travis expliqua à Gabby avec soin chacun de ses gestes : comment freiner, se préparer à débrayer, en lui rappelant qu'elle ne devait pas freiner d'un coup, sinon elle voltigerait par-dessus le guidon. Gabby commençait à s'habituer à la conduite. Les mouvements synchronisés des mains et des pieds lui paraissaient proches de la manière de jouer du piano, et après quelques minutes elle parvint presque à anticiper le geste suivant. Malgré tout, Travis continua à la guider jusqu'à ce que ses gestes deviennent quasi automatiques.

Ensuite, il invita Gabby à prendre le contrôle de l'engin en plaçant ses mains et ses pieds sur les siens, et ils recommencèrent à rouler. Ce ne fut pas aussi facile qu'il l'avait laissé entendre. De temps à autre la moto avançait par saccades, ou bien Gabby freinait trop fort, mais il se montrait patient et l'encourageait sans relâche. Comme il ne haussait jamais la voix, elle pensa à son comportement de la veille avec les enfants sur la plage. Décidément, admit-elle, Travis avait une personnalité bien plus riche qu'elle ne l'imaginait au début.

Dans le quart d'heure qui suivit, alors qu'elle s'exerçait toujours, le contact des mains et des pieds de Travis se fit de plus en plus discret, jusqu'à ce qu'il la laisse se débrouiller seule. Même si elle n'était pas encore vraiment à l'aise, elle commença à accélérer davantage, tout en douceur, et le freinage lui vint naturellement. Pour la première fois, elle éprouva ce sentiment de puissance et de liberté qu'offre la moto.

– Tu te débrouilles comme un chef, commenta Travis.

– C'est génial ! s'écria-t-elle, folle de joie.

– Tu veux tenter le coup en solo ?

– Tu plaisantes ?

– Pas du tout.

Gabby prit à peine le temps de réfléchir.

– Allez, je me lance ! lâcha-t-elle avec enthousiasme.

Elle stoppa, et Travis descendit de l'engin d'un bond. Elle attendit qu'il recule, prit une profonde inspiration, ignora son pouls qui battait à cent à l'heure... et la voilà partie ! L'instant d'après, elle filait sur le chemin. Elle stoppa, puis repartit de plus belle une dizaine de fois, en réduisant progressivement les distances. Elle surprit Travis lorsqu'elle décrivit un grand arc de cercle pour faire demi-tour et revenir vers lui pleins gaz. À tel point qu'il crut qu'elle avait perdu le contrôle du deux-roues ! Mais pas du tout... Elle stoppa habilement à quelques pas de lui.

– Je n'en reviens pas d'avoir roulé toute seule ! s'extasia Gabby, souriant jusqu'aux oreilles.

– Tu t'en es tirée haut la main !

– T'as vu mon demi-tour ? Je sais bien que je n'allais pas assez vite, mais je l'ai réussi.

– J'ai vu ça !

– Je comprends maintenant pourquoi tu adores la moto. C'est super !

– Ravi de constater que tu t'es régalée.

– Je peux recommencer ?

– Ne te gêne pas ! répliqua Travis en indiquant le chemin.

Elle fit plusieurs allers et retours sur la voie privée, et Travis la vit prendre de plus en plus d'assurance. Elle exécutait son demi-tour avec beaucoup plus de facilité, allant même jusqu'à décrire un cercle complet. Lorsqu'elle stoppa enfin devant lui, Gabby affichait un visage rayonnant. Quand elle retira son casque, Travis se dit qu'il n'avait jamais vu de femme aussi belle et pleine de vie.

– C'est fini, annonça-t-elle. Tu peux conduire à présent.

– T'es sûre ?

– Je sais depuis longtemps qu'il vaut mieux s'arrêter

quand on tient la forme. Je n'ai pas envie d'avoir un accident et de tout gâcher.

Elle glissa vers l'arrière de la selle, Travis enfourcha l'engin et sentit aussitôt les bras de Gabby s'enrouler autour de lui. Comme il prenait la direction de la nationale, Travis était survolté, comme si toutes ses sensations étaient décuplées... tandis que le corps de Gabby épousait le sien. Ils revinrent sur la grand-route, tournèrent, puis coupèrent par Morehead City en empruntant le pont d'Atlantic Beach, pour boucler la boucle et revenir à Beaufort.

Quelques minutes plus tard, ils traversaient le quartier historique puis passaient devant les restaurants et la marina en descendant Front Street. Travis ralentit et se gara sur un terrain vague situé presque au bout de la rue. D'un côté, se dressait une maison datant d'une bonne centaine d'années, et de l'autre une demeure victorienne tout aussi ancienne. Il coupa le moteur et ôta son casque.

– On y est, annonça-t-il en l'invitant à mettre pied à terre. Voilà ce que je voulais te montrer.

Il parlait d'un ton bizarre, si bien que Gabby n'osa pas plaisanter à propos de ce qui ressemblait à un terrain en friche... du moins en apparence. Elle se contenta donc de regarder Travis faire quelques pas en silence. Mains dans les poches, il fixait un point de l'autre côté de la route, en direction de l'île de Shackleford. À son tour, elle retira son casque et se recoiffa d'un geste tout en le rejoignant. Arrivée à sa hauteur, elle sentit que Travis lui dirait de quoi il retournait quand il serait prêt.

– À mon avis, c'est l'un des plus beaux panoramas qu'on puisse avoir depuis la côte, déclara-t-il enfin. C'est pas seulement une vue sur l'Océan, avec des vagues et l'eau qui s'étire à l'horizon. C'est super, bien sûr, mais on s'en lasse au bout d'un moment, parce que ça ne change pas beaucoup. Alors qu'ici il y a toujours quelque chose à découvrir. Les voiliers et les yachts qui voguent vers la marina, par exemple ; et si tu viens le soir, tu vois les gens se promener sur le front de mer et tu peux écouter la musique. J'ai aperçu des marsouins et des raies qui traversaient le chenal, et puis j'adore observer les chevaux sauvages sur l'île de Shackleford. Ce n'est pourtant pas nouveau pour moi, mais je ne m'en lasse jamais.

– Tu viens ici souvent ?

– Deux fois par semaine, peut-être. C'est là que je viens réfléchir.

– Je suis sûre que les voisins doivent être enchantés...

– Ils ne peuvent pas y faire grand-chose. Ça m'appartient.

– Ah bon ?

– Ça t'étonne ?

– J'en sais trop rien. J'imagine que ça fait penser... à quelqu'un d'établi.

– Je suis déjà propriétaire d'une maison...

– Et je me suis laissé dire que ta voisine était géniale.

– Ouais, ouais...

– Non, mais le fait d'avoir acheté un terrain évoque plutôt un gars qui a des projets à long terme.

– Et tu ne m'imagines pas comme ça ?

– Ben... euh...

– Si t'essayes de me flatter, c'est raté.

Elle éclata de rire.

– Bon, disons que tu n'arrêtes pas de m'étonner.

– Dans le bon sens ?

– Tout le temps.

– Comme lorsque tu as amené Molly à la clinique et que tu t'es rendu compte que j'étais vétérinaire ?

– J'aimerais autant ne pas en parler.

Au tour de Travis de s'esclaffer.

– Alors, déjeunons !

Ils regagnèrent la moto, et Travis décrocha le panier. Puis il conduisit Gabby jusqu'à une petite butte à l'arrière de la propriété ; il étala sur le sol le plaid qu'il avait apporté et lui fit signe de s'asseoir. Quand ils furent tous les deux confortablement installés, il sortit des boîtes en plastique.

– Tupperware ?

– Mes copains me surnomment « l'homme d'intérieur », répliqua-t-il en lui faisant un clin d'œil.

Il décapsula une canette de thé glacé et la lui tendit.

– Qu'est-ce qu'on va manger de bon ? s'enquit Gabby.

Il désigna les différents récipients :

– J'ai trois sortes de fromage, des crackers, des olives noires à la grecque, du raisin... C'est plus un casse-croûte qu'un vrai repas.

– Super, dit-elle en prenant des biscuits avant de se couper une tranche de fromage. Dans le temps, il y avait une maison ici, non ? Impossible d'imaginer que ce lopin de terre soit resté inoccupé pendant cent cinquante ans.

– En effet. Elle a brûlé quand j'étais gosse. Je sais que tu trouves Beaufort tout petit, mais dans mon enfance la ville représentait juste un point minuscule sur la carte. La plupart de ces maisons d'époque sont tombées en ruine, et celle qui se trouvait là était à l'abandon depuis des années. Le genre de grande bicoque délabrée avec des trous dans la toiture, dont on disait même qu'elle était hantée... ce qui la rendait d'autant plus attirante pour les gamins. On avait l'habitude d'y venir en douce, le soir. C'était un peu notre forteresse, et on y jouait à cache-cache pendant des heures. Elle fourmillait de coins et de recoins.

L'air absent, il tira sur une touffe d'herbe, comme s'il déterrait ses souvenirs.

– Quoi qu'il en soit, reprit-il, je crois que deux vagabonds ont fait du feu à l'intérieur pour se tenir au chaud. Elle a flambé en quelques minutes, et le lendemain il ne restait plus qu'un tas de cendres. Mais le problème, c'est que personne ne savait comment contacter celui qui la possédait. Le propriétaire d'origine était mort et l'avait léguée à son fils. Puis celui-ci avait disparu en la léguant à quelqu'un d'autre, et ainsi de suite... si bien qu'il est resté une pile de gravats pendant un an, avant que la municipalité intervienne avec le bulldozer. Après, le terrain est plus ou moins tombé dans l'oubli, jusqu'à ce que je finisse par retrouver le propriétaire actuel au Nouveau-Mexique. Je lui ai fait une offre de rachat à très bas prix, qu'il a acceptée sur-le-champ. Il n'avait sans doute jamais mis les pieds ici et ne devait pas savoir au juste ce qu'il vendait.

– Et tu vas y faire construire une maison ?

– Ça fait partie de mes projets à long terme, en tout cas, vu que je suis un « homme d'intérieur » et tout ça, dit Travis en gobant une olive. T'es prête à me parler de ton petit ami, maintenant ?

Gabby repensa à sa dernière conversation téléphonique avec Kevin.

– En quoi ça t'intéresse ?

– C'est juste pour discuter...

Elle prit une olive à son tour.

– Alors, parlons plutôt de tes ex-petites amies.

– Laquelle ?

– Peu importe.

– D'accord. L'une d'elles m'a offert des affiches de cinéma.

– Elle était jolie ?

Il réfléchit avant de répondre :

– La plupart des gens diraient ça, oui.

– Et toi ?

– Euh... je dirais... que tu as raison. Peut-être qu'on ne devrait pas aborder ce sujet.

Gabby se mit à rire et désigna les olives :

– Elles sont délicieuses, dis donc. Tout ce que tu as apporté est parfait.

Il se resservit un bout de fromage sur un cracker, puis lui demanda :

– Quand est-ce qu'il revient, ton petit copain ?

– On remet le sujet sur le tapis, alors ?

– Je pensais à toi, c'est tout. Je ne veux pas t'attirer des ennuis.

– J'apprécie ta sollicitude, mais je suis une grande fille. Et même si ce n'est pas si important que ça, sache qu'il rentre mercredi... Pourquoi ?

– Parce que ça m'a fait plaisir d'apprendre à mieux te connaître ces deux derniers jours.

– C'est réciproque.

– Mais ça ne t'embête pas que ça doive se terminer ?

– Pourquoi ça se terminerait ? On est toujours voisins.

– Et je suis certain que ton petit ami ne verrait pas d'inconvénient à ce que je t'emmène de nouveau faire un tour à moto, ou bien qu'on s'en aille pique-niquer, ou encore que tu me rejoignes dans mon Jacuzzi, pas vrai ?

La réponse coulait de source, et Gabby prit un air grave :

– J'imagine qu'il n'apprécierait pas, en effet...

– Alors ce sera la fin.

– On peut toujours être amis.

Il la dévisagea un instant, puis s'agrippa soudain la poitrine comme s'il avait reçu une balle dans le cœur.

– T'es franchement douée pour frapper là où ça fait mal.

– Mais qu'est-ce que tu racontes ?

Il secoua la tête d'un air dépité :

– Il n'y a pas d'amitié qui tienne. Pas entre des hommes et des femmes célibataires de notre âge. Ça ne marche pas, sauf entre personnes qui se connaissent depuis longtemps. Mais pas quand il s'agit d'étrangers.

Gabby voulut réagir, mais ne trouva rien à lui répondre.

– Et puis, enchaîna-t-il, je ne suis pas sûr de vouloir qu'on soit amis.

– Pourquoi donc ?

– Parce que, malgré moi, je voudrais sans doute plus.

De nouveau, elle resta muette. Travis l'observa, incapable de lire dans ses pensées. Il finit par hausser les épaules.

– Toi non plus, je ne pense pas que tu veuilles qu'on soit amis. Ce ne serait pas très sain pour ta relation avec ton copain, puisque tu finirais sans doute par tomber amoureuse de moi, et au bout du compte tu ferais quelque chose que tu regretterais. Ensuite, tu m'en voudrais. Tu finirais par déménager, parce que la situation te pèserait trop.

– Vraiment ?

– Je suis tellement adorable que la vie me réserve toujours ce genre de malédiction, ironisa-t-il.

– À croire que tu t'es déjà fait ton petit film dans ta tête.

– Exact.

– Sauf que je ne vais pas tomber amoureuse de toi.

– Tu ne sens pas que c'est ce qui te guette ?

– J'ai un petit ami.

– Et tu vas l'épouser ?

– Dès qu'il me le demandera. C'est pour cette raison que j'ai emménagé ici.

– Pourquoi il ne t'a pas encore fait sa demande ?

– C'est pas tes oignons.

– Je le connais ?

– Pourquoi es-tu aussi curieux ?

– Parce que, dit-il en la regardant droit dans les yeux, si

j'étais à sa place et que tu sois venue t'installer ici pour te rapprocher de moi, je t'aurais déjà demandée en mariage.

Le ton de Travis avait un accent de sincérité, et Gabby détourna le regard. Lorsqu'elle reprit la parole, elle murmurait presque :

– Ne viens pas tout gâcher, d'accord ?

– Gâcher quoi ?

– La sortie d'aujourd'hui. Celle d'hier. La soirée. Tout ça.

– Je ne vois pas où tu veux en venir.

Elle prit une profonde inspiration.

– Ce week-end a beaucoup compté pour moi, ne serait-ce que parce que j'ai enfin eu l'impression de me faire un ami. Deux, à vrai dire. Je ne me rendais pas compte à quel point ça manquait à ma vie. En passant du temps avec ta sœur et toi, ça m'a rappelé tout ce que j'ai laissé derrière moi en venant m'installer ici. Bon, je savais ce que je faisais, bien sûr... et je ne regrette pas ma décision. Crois-le ou non, j'aime vraiment Kevin.

Elle s'interrompit, le temps de mettre un peu d'ordre dans ses pensées.

– Mais parfois c'est dur. Le genre de week-end comme celui-ci ne risque sans doute pas de se reproduire, et j'y suis en partie résolue, à cause de Kevin. Malgré tout, j'ai du mal à accepter que ça restera quelque chose d'unique, même si on en a tous les deux conscience.

Elle hésita encore, avant d'ajouter :

– Quand tu tiens ce genre de propos, et je sais que tu ne pensais pas ce que tu disais, c'est comme si tu banalisais tout ce que je suis en train de vivre.

Travis l'écouta avec attention et décela dans la voix de Gabby une intensité dont elle l'avait jusqu'ici privé. Et alors qu'il aurait dû simplement hocher la tête et s'excuser, il ne put s'empêcher de réagir :

– Qu'est-ce qui te fait croire que je plaisantais ? Je ne retire rien de ce que j'ai dit. Mais je comprends que tu n'aies pas envie d'entendre ça. Permets-moi juste de te dire que j'espère que ton copain réalise combien il a de la chance d'avoir une femme comme toi dans sa vie. Sinon, c'est un imbécile. Désolé si ça te met mal à l'aise, je ne le répéterai pas. Pourtant il fallait que je te le dise, conclut-il en souriant.

Gabby se détourna encore, appréciant malgré elle ce qu'il venait de dire. Travis regarda la baie et lui accorda le petit moment de répit dont elle avait besoin ; contrairement à Kevin, il savait toujours respecter ses silences.

– On ferait mieux de rentrer, non ? suggéra-t-il en montrant la moto. Et tu devrais passer voir si Molly va bien.

– Ouais... Bonne idée.

Ils rassemblèrent les restes du pique-nique et rangèrent les boîtes dans le panier, puis replièrent le plaid avant de rejoindre la moto. Du coin de l'œil, Gabby aperçut des gens qui se rendaient au restaurant pour un déjeuner tardif et elle se surprit à les envier, persuadée de la simplicité des choix qu'ils avaient à faire.

Travis attacha la couverture et le panier, puis remit son casque. Gabby enfila le sien, et l'instant d'après ils s'éloignaient du terrain vague. Gabby s'accrochait aux hanches de Travis tout en essayant de se convaincre, sans succès, qu'il avait tenu le même langage à des dizaines d'autres filles dans le passé.

Ils s'engagèrent dans l'allée de la maison de Gabby, puis Travis stoppa. Gabby descendit de l'engin et retira son casque. Debout devant lui, elle se sentit gauche comme une lycéenne, ce qui lui parut ridicule... et elle crut qu'il allait de nouveau l'embrasser.

– Merci pour la balade, dit-elle en souhaitant garder une certaine distance. Et aussi pour la leçon de conduite.

– Tout le plaisir était pour moi. T'es drôlement douée. Tu devrais envisager d'avoir ta propre moto.

– Un jour, peut-être.

Dans le silence, Gabby entendait le cliquetis du moteur qui refroidissait. Elle rendit le casque à Travis et le regarda le poser sur la selle.

– À un de ces jours, j'imagine... dit-il.

– Le contraire serait difficile, puisqu'on est voisins...

– Tu veux que j'aille jeter un œil sur Molly ?

– Non, c'est bon. Je suis sûre qu'elle va bien.

Il acquiesça.

– Écoute... je suis désolé pour ce que j'ai dit tout à l'heure. J'ai eu tort de me mêler de ce qui ne me regarde pas et de te mettre mal à l'aise.

– Ne t'inquiète pas. Ça ne m'a pas embêtée.

– Ben voyons...

Elle haussa les épaules :

– Puisque tu mentais. Je me suis dit que je mentirais aussi.

Malgré la tension ambiante, il éclata de rire :

– Alors sois sympa, d'accord ? Si ça ne colle pas avec ton petit copain, passe-moi un coup de fil.

– Il se pourrait que je le fasse.

– Et sur cette note d'espoir, je vais te laisser.

Il tourna le guidon et commença à reculer la moto pour sortir de l'allée. Il allait démarrer quand il regarda soudain Gabby :

– Ça te dirait de dîner avec moi demain soir ?

Elle croisa les bras :

– Je n'en reviens pas que tu oses me le demander.

– Un homme doit savoir saisir sa chance. C'est un peu ma devise.

– Tu m'étonnes...

– Alors, c'est oui ou non ?

Elle recula d'un pas, mais ne put s'empêcher de sourire devant la persévérance de Travis.

– Et si je nous préparais plutôt un repas ce soir ? Chez moi ? À 7 heures.

– Génial !

L'instant d'après, Gabby se retrouva seule dans l'allée, se demandant si elle n'avait pas perdu la tête.

– 13 –

Entre le soleil de plomb et l'eau glacée du tuyau d'arrosage, Travis avait un mal fou à tenir Moby, qui n'arrêtait pas de gigoter. La courte laisse ne l'aidait pas beaucoup. Moby détestait les bains, alors qu'il adorait bondir dans les vagues et n'hésitait pas à plonger sous l'eau pour attraper les balles de tennis que son maître lançait dans l'Océan. Mais dès qu'il voyait Travis ouvrir le tiroir où était rangée la laisse, Moby profitait de l'occasion pour aller explorer le quartier pendant des heures, ne rentrant en général qu'à la nuit tombée.

Comme Travis n'était pas dupe des tours que lui jouait son chien, il avait caché la laisse jusqu'au dernier moment, puis accroché celle-ci au collier de Moby avant qu'il puisse réagir. « Pourquoi tu me prends en traître ? », semblait demander le regard de Moby, tandis que son maître le ramenait dans le jardin en déclarant :

– Ne fais pas comme si je ne t'avais pas prévenu. Je t'ai déjà dit de ne pas aller te vautrer dans les poissons crevés, pas vrai ?

Moby adorait ça... plus ça sentait mauvais, plus il se régalait. Et tandis que Travis rentrait sa moto dans le garage, le chien l'avait rejoint en trottinant joyeusement, langue pendante et tout fier de lui. Travis avait d'abord souri, puis grimacé, écœuré par l'odeur atroce et les lambeaux de poisson mort entremêlés aux poils de Moby. Après lui avoir tapoté la tête d'une main hésitante, il s'était faufilé dans la maison pour troquer son jean contre un short, et avait glissé la laisse dans la poche arrière.

À présent dans le jardin, la laisse attachée à la rambarde de la véranda, Moby s'agitait dans tous les sens pour éviter le jet du tuyau d'arrosage, mais il était trempé.

– C'est rien que de l'eau, espèce de gros bêta ! dit Travis, qui l'aspergeait depuis cinq minutes.

Il ne voulait pas attaquer le shampooing avant que le chien soit débarrassé de tous ces déchets de poisson répugnants.

Moby gémissait de plus belle et continuait à remuer et à tirer sur la laisse. Lorsqu'il fut enfin prêt, Travis posa le tuyau et versa un tiers de la bouteille de shampooing sur le dos du chien. Il frotta quelques minutes, puis le rinça, le renifla... et fit la grimace. Il répéta deux fois l'opération, sous le regard accablé de Moby : « Tu ne comprends donc pas que je me suis roulé dans les carcasses de poisson pour te faire plaisir ? »

Travis, satisfait, emmena Moby dans un autre coin de la terrasse et l'attacha de nouveau. Il savait que s'il le lâchait aussitôt après le bain, Moby s'empresserait de retourner sur les lieux du crime. Travis espérait le garder assez longtemps en laisse pour lui en faire passer l'envie. Le chien s'ébroua et, voyant qu'il était coincé, finit par s'allonger sur la véranda avec un grognement.

Travis commença à tondre la pelouse. Contrairement à la plupart de ses voisins qui pilotaient un mini-tracteur, Travis utilisait une tondeuse classique. Il mettait sans doute plus de temps, mais il en profitait pour faire un peu d'exercice, trouvant que les mouvements répétitifs de cette activité lui offraient un moment de détente. Tout en s'affairant sur le gazon, il ne cessa de lancer des regards du côté de chez Gabby.

Quelques minutes plus tôt, il l'avait vue sortir du garage et monter dans sa voiture. Si elle avait remarqué qu'il l'épiait, elle n'en avait rien laissé paraître. Il l'avait vue faire marche arrière puis s'engager sur la route en direction du centre-ville. Décidément, c'était la première fois qu'il rencontrait une fille comme elle. Voilà qu'elle venait de l'inviter à dîner !

Franchement, il ne savait plus quoi en penser, et cela le perturbait depuis qu'il l'avait quittée. Il avait mis de l'huile dans les rouages dès leur première rencontre, mais il regrettait à présent de ne pas s'être montré un peu plus subtil. Auquel cas il serait moins gêné par cette invitation et n'aurait pas le sentiment de lui avoir, d'une certaine manière, forcé la main.

Travis n'avait pas l'habitude de se poser ce genre de question. Mais il ne se rappelait pas non plus s'être autant amusé avec une femme. Il avait plus ri en compagnie de Gabby qu'avec Monica, Jocelyn, Sarah... ou n'importe laquelle de ses ex. Trouver une femme ayant le sens de l'humour, c'était capital aux yeux de son père... et le seul conseil qu'il lui ait jamais donné en matière de sentiments. Travis comprenait enfin pourquoi son père y attachait une telle importance. Si la conversation constituait les paroles d'une chanson, le rire en devenait la musique, et les moments passés en tête à tête, une véritable mélodie qu'on pouvait rejouer sans cesse sans jamais se lasser.

Après en avoir fini avec la pelouse, il rangea la tondeuse et nota au passage que Gabby n'était pas encore rentrée. Elle avait laissé la porte de son garage entrouverte, et Molly s'aventura un instant dans le jardin puis rebroussa chemin.

De retour dans sa cuisine, Travis avala d'un trait un verre de thé glacé. Même s'il savait à quoi s'en tenir, il ne put s'empêcher de songer au petit ami de Gabby. Il se demandait s'il connaissait Kevin. Il trouvait bizarre qu'elle en parle si peu et qu'elle ait mis si longtemps à lui dire simplement son nom. On pouvait facilement y voir une forme de culpabilité, sauf qu'elle évitait le sujet depuis le début. De quoi laisser Travis perplexe... À quoi pouvait bien ressembler ce Kevin ? Qu'avait-il donc fait pour que Gabby tombe amoureuse de lui ? Toutes sortes d'archétypes masculins défilèrent dans la tête de Travis... Sportif, intello, quelque part entre les deux... mais aucun ne semblait convenir à Gabby.

Il regarda l'heure et se dit qu'il pourrait ramener le bateau à la marina avant de se doucher et de se préparer. Il récupéra donc la clé puis ressortit, détacha Moby et le regarda dévaler les marches tandis qu'il descendait vers l'embarcadère. S'arrêtant au ponton, Travis désigna le bateau.

– Allez, grimpe !

Moby bondit à bord en agitant la queue, et Travis le rejoignit. Quelques minutes plus tard, tous deux voguaient au fil de l'eau. En passant devant chez Gabby, Travis jeta un regard sur la maison et s'interrogea sur la tournure qu'allait prendre leur dîner. Pour la première fois depuis qu'il sortait avec des femmes, Travis se sentait nerveux à l'idée de faire un faux pas.

Gabby roula jusqu'au supermarché, puis s'engagea sur le parking bondé. Il y avait toujours foule le dimanche et elle dut se garer loin de l'entrée, en regrettant d'avoir pris sa voiture pour un si court trajet.

Sac en bandoulière, elle sortit de son véhicule, dénicha un Caddie et entra dans le magasin.

Tout à l'heure, en apercevant Travis qui tondait sa

pelouse, elle avait détourné le regard, car elle sentait qu'elle perdait le contrôle d'elle-même. Sa petite vie bien ordonnée se retrouvait sérieusement ébranlée, et Gabby avait à tout prix besoin de se ressaisir.

Dans le supermarché, elle acheta des haricots verts frais et les ingrédients nécessaires à la composition d'une salade. Passant rapidement d'un rayon à l'autre, elle glissa ensuite une boîte de pâtes et un sachet de croûtons dans le Caddie, puis se dirigea vers le fond.

Sachant que Travis aimait la volaille, elle prit une barquette de blanc de poulet, puis se dit qu'une bouteille de chardonnay conviendrait à merveille pour le dîner. Elle ne savait pas trop si Travis appréciait le vin – elle en doutait un peu, à vrai dire –, mais l'idée lui paraissait bonne malgré tout, et elle parcourut du regard les rangées de bouteilles en quête des vignobles qu'elle connaissait. Elle repéra deux cépages en provenance de la vallée de Napa, puis se décida finalement pour un cru australien en se disant que son choix ferait plus exotique.

Après une longue file d'attente à la caisse, Gabby paya enfin puis regagna sa voiture. Elle surprit son reflet dans le rétroviseur et s'y attarda un instant, comme si elle se voyait à travers les yeux d'une étrangère.

Depuis combien de temps un autre homme que Kevin l'avait-il embrassée ? Elle avait beau essayer d'oublier l'incident, celui-ci ne cessait de lui revenir en mémoire, comme un secret tabou.

Travis l'attirait... Impossible de le nier, à présent. Et pas seulement parce qu'il était séduisant et savait la rendre désirable, mais plutôt à cause de cette exubérance naturelle qu'il tenait à lui faire partager. Et même s'il avait mené une vie en apparence bien différente de la sienne, tous deux semblaient pourtant parler le même langage, avec une familiarité incroyable... alors qu'ils se connaissaient depuis si peu de temps ! Bref, Gabby n'avait jamais rencontré un homme comme lui auparavant. La plupart des types qu'elle avait connus, et certainement tous ceux de sa promotion à la fac de médecine, donnaient l'impression de mener leur existence comme une compétition sportive dans laquelle il leur fallait sans cesse marquer des points. Ils bachotaient comme des fous pour obtenir leur diplôme, puis décrochaient un emploi, se mariaient, avaient des enfants... et Gabby venait de réaliser, ce week-end, qu'elle fonctionnait comme eux. Comparée à la vie de Travis, avec ces choix qu'il avait faits et tous ces pays lointains qu'il avait visités, la sienne lui semblait d'une affligeante banalité.

Toutefois, agirait-elle autrement si elle en avait la possibilité ? Elle en doutait. Son expérience de la vie avait ni plus ni moins forgé la femme adulte qu'elle était devenue, au même titre que Travis était le fruit de son propre vécu, et elle ne regrettait rien de son passé. Mais Gabby savait que le problème se situait ailleurs. Et, tandis qu'elle démarrait, elle se dit qu'un seul choix s'imposait à elle désormais...

Quelle direction vais-je prendre, à présent ?

Il n'est jamais trop tard pour changer de cap.

L'idée l'effrayait et l'excitait tout autant. Quelques minutes plus tard, elle roulait vers Morehead City en songeant que le destin lui offrait l'occasion de repartir à zéro.

Le soleil était presque couché quand Gabby arriva chez elle et aperçut Molly allongée dans l'herbe, les oreilles dressées et la queue battant le sol. La chienne trottina dans sa direction lorsqu'elle ouvrit la porte de derrière et l'accueillit par de vigoureux coups de langue.

– Te voilà redevenue presque normale, dit Gabby. Tes petits vont bien ?

Et comme si elle venait d'entendre un mot magique, Molly partit les rejoindre.

Gabby posa ses achats sur le plan de travail. Elle avait passé plus de temps que prévu au supermarché, mais il lui en restait suffisamment pour lancer la préparation du dîner. Elle posa une casserole d'eau sur une plaque de la cuisinière et tourna le bouton au maximum. Pendant que celle-ci chauffait, elle coupa les tomates et les concombres pour la salade. Elle découpa la laitue et mélangea le tout avec un peu de fromage et des olives noires, que Travis lui avait fait découvrir.

Gabby plongea ensuite les pâtes dans l'eau bouillante, avec une pincée de sel, puis fit sauter les escalopes de poulet à la poêle, tout en regrettant de ne pas concocter un plat un peu plus raffiné. Elle ajouta du poivre et d'autres aromates, mais ça semblait toujours aussi banal. *Peu importe*, se dit-elle, *ça fera l'affaire.* Elle alluma le four et mit le thermostat à feu doux, ajouta un peu de jus de viande au poulet, et disposa le tout dans un plat qu'elle glissa sur la plaque, en espérant que cela resterait chaud sans se dessécher. Elle égoutta les pâtes, puis les versa dans un saladier qu'elle plaça au frigo, en prévoyant de les assaisonner plus tard.

Elle alla dans sa chambre, étala quelques vêtements sur le lit, puis se faufila sous la douche. Elle se délecta de la voluptueuse sensation de l'eau tiède sur sa peau, en profita pour se raser les jambes, sans se presser, afin de ne pas se couper, puis se lava, acheva son shampooing par un démêlant, et sortit enfin se sécher.

Sur le lit étaient posés un nouveau jean ainsi qu'un corsage décolleté, orné de perles. Elle avait choisi sa toilette avec soin, en faisant l'impasse sur le trop classique ou le trop décontracté... et son choix paraissait convenir à merveille. Elle s'habilla, puis compléta le tout par des sandales neuves et une paire de pendentifs. Elle se regarda ensuite dans le miroir, en se tournant un peu de chaque côté, enchantée de son look.

Comme le temps pressait, Gabby disposa quelques bougies ici et là dans le salon. Elle plaçait les dernières sur la table quand elle entendit frapper. Elle se redressa, essaya de se calmer, puis se dirigea vers l'entrée.

Lorsqu'elle ouvrit la porte, elle découvrit Travis en train de caresser Molly qui l'avait rejoint sur le perron. Il ne put détacher son regard de Gabby, et les mots lui manquèrent. Submergé par une multitude d'émotions, il la contemplait bouche bée.

Gabby ne put s'empêcher de sourire en le voyant aussi emprunté.

– Entre, dit-elle. Tout est presque prêt.

Travis la suivit à l'intérieur en évitant de la fixer du regard.

– J'allais ouvrir le vin, enchaîna-t-elle. Je te sers ?

– Avec plaisir.

Dans la cuisine, Gabby s'empara de la bouteille et du tire-bouchon.

– Je peux m'en charger, proposa-t-il en s'avançant vers elle.

– Volontiers. J'ai tendance à déchiqueter le bouchon et je déteste avoir des petits bouts de liège qui flottent dans mon verre.

Tandis qu'il débouchait la bouteille, Travis regarda Gabby sortir deux verres du placard puis les poser sur le plan de travail. Il fit mine de s'intéresser à l'étiquette, pour tenter de réprimer sa nervosité.

– Je n'ai jamais bu ce genre de vin. Il est vraiment bon ?

– Aucune idée.

– Alors c'est une grande première pour nous deux, j'imagine.

Il remplit un verre et le lui tendit, tout en essayant de deviner ses pensées.

– J'ignorais ce qui te ferait plaisir, reprit-elle, en revanche je savais que tu aimais le poulet. Mais je te préviens... je n'ai jamais eu une réputation de cordon-bleu.

– On va se régaler, ne t'inquiète pas. Et puis je ne suis pas si difficile.

– À condition que le plat ne soit pas trop chichiteux, pas vrai ?

– Ça va de soi.

– Tu as faim ? s'enquit-elle en souriant. Ça peut se réchauffer en deux minutes...

Il hésita un instant.

– En fait, est-ce qu'on pourrait attendre un peu ? J'aime bien siroter un verre de vin avant d'attaquer le repas.

Elle acquiesça et, dans le silence qui suivit, se demanda ce qu'elle était censée faire. Puis elle suggéra :

– Si on allait s'asseoir sur la véranda ?

– Excellente idée.

Ils prirent place dans les rocking-chairs installés près de la porte. Gabby but une gorgée de vin, trop heureuse d'avoir un verre en main pour atténuer sa fébrilité.

– J'apprécie la vue, hasarda Travis en se balançant avec frénésie sur le fauteuil. Elle me rappelle la mienne.

Elle éclata de rire, vaguement soulagée.

– Malheureusement, je n'ai pas appris à en profiter comme toi.

– Peu de gens savent le faire. À croire que c'est un art de vivre en voie de disparition, même dans le Sud. Contempler la mer, c'est un peu comme respirer le parfum des roses.

– Un luxe réservé à la vie provinciale...

Travis lui lança un regard intrigué :

– Réponds-moi franchement. Est-ce que ça te plaît de vivre à Beaufort ?

– Ça comporte certains avantages, disons.

– Je me suis laissé dire que les voisins sont hyper sympas.

– Je n'en ai rencontré qu'un.

– Et ?

– Il a tendance à poser des questions pleines de sous-entendus.

Travis sourit à belles dents. Il adorait sa façon de plaisanter.

– Mais pour te répondre sans détour, poursuivit-elle, oui, cette ville me plaît. Parce que je peux aller à tel ou tel endroit en quelques minutes, et puis c'est joli... Et surtout, je crois que j'apprends à apprécier la vie au ralenti.

– À t'écouter, on dirait que Savannah est aussi cosmopolite que New York ou Paris.

– Non, bien sûr, dit-elle en l'observant par-dessus son verre. Mais je dirais que Savannah se rapproche sans doute plus de New York que de Beaufort. Tu y es déjà allé ?

– J'y ai passé une semaine en une seule nuit.

– Ah ah ! Très drôle... Dis donc, si tu dois faire de l'humour, autant trouver quelque chose d'original.

– Ça me demande trop d'efforts.

– Et tu es allergique à tout effort, pas vrai ?

– Ça ne se voit pas ? répliqua-t-il, adossé au rocking-chair, tout à fait détendu à présent. Dis-moi la vérité... Tu penses repartir un jour pour Savannah ?

Elle but une gorgée de vin puis répondit :

– Je ne crois pas. Mais ne te méprends pas, je trouve la ville absolument géniale, et c'est sans doute l'une des plus belles du Sud. J'adore la façon dont elle est agencée, avec ces merveilleux squares toutes les trois ou quatre rues... et certaines des maisons qui les bordent sont superbes. Quand j'étais petite, je m'imaginais vivre dans l'une d'elles. C'est resté longtemps un de mes rêves.

Travis l'écoutait en silence et attendait qu'elle continue.

– Toutefois, j'ai grandi, dit-elle avec un haussement d'épaules, et j'ai fini par comprendre que c'était davantage le rêve de ma mère que le mien. Elle a toujours voulu vivre dans une de ces demeures. Je la revois encore en train d'asticoter mon père pour qu'il fasse une offre quand l'une d'elles était en vente. Il gagnait très bien sa vie, figure-toi, mais je voyais que ça l'embêtait de ne pouvoir s'offrir ce genre de propriété somptueuse. Tout ça a fini par m'agacer.

Elle s'interrompit, avant d'ajouter :

– Je crois que j'avais tout bonnement envie d'autre chose. D'où, bien sûr, mon inscription à la fac, ma formation d'assistante médicale, puis Kevin... et mon installation ici.

Ils entendirent les aboiements frénétiques de Moby un peu plus loin, suivis par un léger bruissement dans les feuillages du grand chêne, près des haies. Travis entrevit un écureuil grimpant sur le tronc à toute vitesse. Même s'il ne le voyait pas, il se doutait que Moby devait rôder autour de l'arbre, espérant sans doute que la bestiole finirait par dégringoler. Comme Gabby s'était tournée, attirée par le bruit, il leva son verre dans cette direction.

– Mon chien devient fou quand il se met à pourchasser les écureuils. À croire que c'est vital chez lui.

– Comme la plupart des chiens.

– Molly aussi ?

– Non. Sa maîtresse a un peu plus d'ascendant sur elle, et elle a étouffé dans l'œuf ce petit élan avant qu'il devienne incontrôlable.

– Je vois, rétorqua Travis avec une gravité feinte.

Au-dessus de l'eau, le soleil entreprenait sa descente. D'ici une heure, le bras de mer prendrait une teinte dorée, mais pour l'instant sa couleur saumâtre semblait renfermer de sombres mystères. Par-delà les cyprès bordant la rive, Travis aperçut un balbuzard pêcheur[1] dans le ciel, et vit passer un petit bateau à moteur rempli de matériel de pêche. À son bord, un homme assez âgé pour être le grand-père de Travis lui fit un signe de la main. Travis le salua à son tour, puis reprit une gorgée de vin.

– Avec tout ce que tu as dit, je me demande si tu peux réellement t'imaginer rester à Beaufort.

Sentant que la question était lourde de sous-entendus, Gabby réfléchit avant de répondre.

– Ça dépend, je suppose, dit-elle, contournant l'obstacle. A priori, la perspective n'a rien d'exaltant, en revanche c'est une ville idéale pour y fonder une famille.

– Et c'est important ?

Elle se tourna vers lui en le défiant légèrement du regard :

– Il y a plus important encore ?

– Non, admit-il d'une voix posée. La famille, c'est capital, et j'en suis la preuve vivante. Parce que ici les gens se passionnent davantage pour le championnat de base-ball minimes et cadets que pour le Super Bowl. Et ça me plaît de savoir que je peux élever mes gosses là où leur petit monde reste le seul qu'ils connaissent. En grandissant, je pensais que c'était l'endroit le plus barbant de la terre... mais, avec le recul, je réalise que ça signifiait que tout ce qui pouvait me passionner avait bien plus d'importance à mes yeux. Par exemple, je me souviens que j'allais pêcher

1. Rapace diurne. *(N.d.T.)*

avec mon père tous les samedis matin, et même si papa est le pire des pêcheurs que je connaisse, j'adorais ça ! Aujourd'hui, j'ai compris que c'était surtout pour lui une occasion de passer de bons moments avec moi, et je ne peux pas te dire à quel point je lui en suis reconnaissant. J'aimerais pouvoir partager la même expérience avec mes gamins un jour.

– Ça fait plaisir à entendre, dit Gabby. Beaucoup de gens pensent différemment.

– J'adore cette ville.

– Je ne parlais pas de Beaufort, rectifia-t-elle en souriant. Mais de la manière dont tu souhaitais élever tes enfants. On dirait que tu y as pas mal réfléchi.

– En effet, concéda-t-il.

– Tu me surprendras toujours, je crois...

– Vraiment ?

– Ben oui... Plus je te connais, plus tu m'apparais comme incroyablement bien dans ta peau.

– Je pourrais te retourner le compliment. C'est peut-être pour ça qu'on s'entend si bien.

Elle le dévisagea, consciente de la tension quasi palpable qui crépitait dans l'atmosphère.

– Si on passait à table ?

– Ex... excellente idée, balbutia-t-il tout en espérant que Gabby ne devinerait pas ce qu'il éprouvait pour elle.

Ils prirent leur verre de vin et regagnèrent la cuisine. Gabby l'invita à s'attabler pendant qu'elle mettait la dernière main au repas. Et tandis qu'il la regardait se déplacer dans la pièce, Travis se sentit de plus en plus à l'aise.

Au cours du dîner, il prit deux parts de poulet, se délecta des haricots verts et des pâtes, et en fit des tonnes sur les prouesses culinaires de Gabby, jusqu'à ce qu'elle attrape le fou rire et le supplie de s'arrêter. Comme il ne cessait de l'interroger sur son passé à Savannah, elle lui raconta deux ou trois histoires de son adolescence qui les firent glousser tous les deux. Tandis qu'ils bavardaient gaiement, le ciel s'assombrit et le crépuscule fit bientôt place à la nuit. Les bougies s'étaient déjà bien consumées et, comme ils finissaient la bouteille en remplissant leur dernier verre, chacun d'eux savait désormais que l'autre risquait de changer à jamais le cours de son existence...

Le repas fini, après que Travis eut aidé Gabby à débarrasser, ils gagnèrent le canapé du salon et sirotèrent leur vin en se racontant des anecdotes sur leur passé. Gabby tenta d'imaginer Travis adolescent et se demanda ce qu'elle aurait pensé de lui s'ils s'étaient rencontrés au lycée ou à l'université.

Au fil de la soirée, Travis se rapprocha de Gabby et, d'un geste désinvolte, glissa un bras autour d'elle. Elle se lova au creux de son épaule, heureuse de contempler par la fenêtre la lune argentée qui jouait à cache-cache avec les nuages.

– À quoi tu penses ? demanda soudain Travis, brisant un long et agréable silence.

– Je me disais que tout ce week-end s'est déroulé le plus naturellement du monde, répondit Gabby en le regardant dans les yeux. Comme si on se connaissait depuis toujours.

– Alors certaines de mes histoires t'ont barbée, j'imagine ?

– Ne te sous-estime pas, répliqua-t-elle d'un air taquin. La plupart étaient d'un ennui mortel.

Il éclata de rire et la serra encore davantage contre lui.

– Plus j'apprends à te connaître, plus tu m'épates. Et j'aime ça !

– À quoi serviraient les voisins, sinon ?

– Je ne représente donc rien de plus... Un voisin ?

Gabby détourna le regard, tandis que Travis poursuivait :

– Je sais que ça te met mal à l'aise, mais je ne peux pas te quitter ce soir sans t'avoir répété qu'une relation entre voisins ne me suffit pas.

– Travis...

– Laisse-moi finir. Cet après-midi tu me disais que tu avais souffert de ne pas être entourée d'amis, et j'y ai réfléchi depuis, mais sans doute pas dans le sens que tu imagines. Ça m'a fait prendre conscience que même si j'avais des amis, ils possédaient quelque chose dont je me sentais privé. Laird et Allison, Joe et Megan, Matt et Liz... Le couple ne fait pas partie de ma vie, et jusqu'à ce que je te rencontre, je n'étais même pas certain de le souhaiter. Mais à présent...

Gabby tripotait les perles de son corsage, refusant d'entendre ces paroles qui en réalité l'enchantaient.

– Je ne veux pas te perdre, Gabby. Demain matin, je ne pourrai pas te regarder prendre ta voiture et faire comme si rien ne s'était jamais passé. Je ne peux pas m'imaginer ailleurs qu'auprès de toi sur ce canapé, comme en ce moment...

Il reprit son souffle, puis ajouta, fébrile :

– Et là, maintenant... je ne m'imagine pas tomber amoureux d'une autre femme.

Gabby n'était pas sûre d'avoir bien entendu, mais en voyant l'intensité du regard de Travis, elle sut qu'il ne plaisantait pas. Elle sentit alors ses dernières défenses s'effondrer et comprit qu'elle était tombée amoureuse de lui.

Derrière eux, l'horloge de parquet carillonna. La lumière vacillante des bougies projetait des ombres sur les murs. La poitrine de Gabby se soulevait et s'abaissait lentement au rythme de sa respiration, tandis qu'ils continuaient à se dévisager sans pouvoir dire un mot.

Brusquement le téléphone sonna, arrachant Gabby à ses pensées, et Travis se détourna. Elle se pencha et décrocha le combiné sans fil, puis répondit sans que sa voix la trahisse :

– Oh, salut... Comment vas-tu ?... Pas grand-chose... Oui, oui... j'étais sortie faire des courses... Qu'est-ce que tu as fait de beau ?

Tout en écoutant Kevin, un regain de culpabilité l'envahit. Pourtant, elle ne put s'empêcher de poser sa main sur la jambe de Travis. Il n'avait pas bougé ni prononcé le moindre mot, et elle sentait les muscles se tendre sous le jean, tandis que sa main glissait le long de la cuisse.

– Oh, c'est super ! Félicitations... Je suis contente que tu aies gagné... Tu as l'air de t'être bien amusé... Moi ? Oh, rien d'exaltant.

Avec la voix de Kevin dans le combiné, alors que Travis se trouvait tout près, Gabby était comme prise entre deux feux. Elle essaya de se concentrer et d'écouter l'un, tout en essayant de comprendre ce qui venait de se passer avec l'autre. Mais la situation lui échappait totalement.

– Oh, je suis désolée... Je sais, moi aussi j'ai souvent des coups de soleil... Oui, oui... Oui, oui... J'ai réfléchi au voyage à Miami, mais je n'aurai pas de congés avant la fin de l'année. Peut-être, je ne sais pas...

Elle retira sa main de la jambe de Travis, s'adossa au canapé et tenta de garder un ton posé. Elle regrettait d'avoir décroché, souhaitait même qu'il n'ait jamais appelé... tout en sachant que tout cela ne faisait que la perturber davantage.

– On verra... On en reparlera à ton retour... Non, tout

va bien... Je suis juste un peu fatiguée, j'imagine... Non, rien d'inquiétant. Le week-end a été long...

Gabby ne mentait pas, mais ne disait pas non plus la vérité, et le savait pertinemment... et cela ne faisait qu'accroître son malaise. Travis gardait la tête baissée, les yeux dans le vague, comme s'il n'écoutait pas, alors qu'il n'en perdait pas une miette.

– C'est ça, poursuivit-elle. Ouais, toi aussi... Oui, oui... je devrais être dans les parages... Moi aussi... Amuse-toi bien, demain. Bye !

Elle garda la main en l'air avant de reposer le combiné sur son socle. Travis en savait trop pour qu'elle reste là sans rien dire.

– C'était Kevin, annonça-t-elle enfin.

– C'est ce que j'avais cru comprendre, déclara Travis sans pouvoir lire dans ses pensées.

– Il a remporté un tournoi de golf.

– Bravo.

Nouveau silence dans le salon.

– Je crois que j'ai besoin de prendre l'air, reprit-elle en se levant.

Elle gagna la porte vitrée coulissante et sortit sur la véranda.

Travis la regarda s'éloigner, sans trop savoir s'il devait la suivre ou la laisser seule. Depuis le canapé, il discernait à peine la silhouette de Gabby se profilant dans l'ombre contre la balustrade. Il s'imagina la rejoindre, au risque de l'entendre lui suggérer qu'il devrait peut-être s'en aller... Et même si l'idée l'effrayait, il lui fallait être auprès d'elle, maintenant plus que jamais.

Il franchit la porte vitrée et s'approcha d'elle. Au clair de lune, la peau de Gabby prenait une nuance nacrée, ses yeux scintillaient comme de la braise.

– Je suis désolé, dit-il.

– Tu n'as aucune raison de l'être, dit-elle avec un sourire forcé. C'est moi la fautive. Je savais très bien où je mettais les pieds.

Gabby sentait qu'il avait envie de la toucher, mais elle hésitait encore... Elle savait qu'elle devait mettre un terme à tout cela, que la soirée ne devait pas se prolonger davantage, mais elle ne pouvait rompre le charme de la déclaration que Travis venait de lui faire. Ça n'était pas logique, selon elle. Il fallait du temps pour tomber amoureux, plus qu'un simple week-end... Et cependant, malgré ses sentiments envers Kevin, le miracle s'était produit. Elle devinait la nervosité de Travis qui se tenait tout près, et le vit s'armer de courage en avalant sa dernière gorgée de vin.

– Tu pensais vraiment ce que tu me disais tout à l'heure ? demanda-t-elle. À propos du souhait de fonder une famille ?

– Oui.

– Tant mieux, parce que je crois que tu seras un père formidable. Je ne te l'ai pas dit auparavant, mais c'est ce qui m'a traversé l'esprit quand je t'observais hier avec les gamins. Tu t'occupes d'eux comme si c'était une seconde nature chez toi.

– J'ai eu beaucoup d'expérience avec les chiots.

Malgré la tension ambiante, Gabby éclata de rire. Elle fit un tout petit pas dans sa direction et, lorsqu'il se tourna pour la regarder, passa les bras autour de son cou. La petite voix de sa conscience lui dit qu'elle pouvait encore reculer... Mais son désir était plus fort que tout. Alors, à quoi bon nier l'évidence ?

– Peut-être, dit-elle. Mais moi, ça m'a fait craquer, murmura-t-elle.

Travis la serra tout contre lui et découvrit que le corps de Gabby semblait à merveille épouser le sien. Il décela un léger parfum de jasmin sur sa peau et, à son contact, céda à l'éveil de ses sens. Il avait l'impression d'être arrivé au bout d'un long voyage, dont il ignorait que Gabby représentait depuis toujours la destination finale.

– Je t'aime, Gabby Holland, chuchota-t-il à son oreille, plus sûr que jamais de ce qu'il affirmait.

Gabby s'abandonna à son étreinte.

– Je t'aime aussi, Travis Parker, dit-elle dans un souffle, balayant dans la foulée tous ses regrets, toutes ses réserves, pour vivre pleinement le moment présent.

Il l'embrassa, puis l'embrassa encore et encore, sa bouche s'aventurant au creux de son cou, avant de revenir sur ses lèvres. Elle laissa vagabonder ses mains sur le torse et les épaules de Travis, sentit toute la robustesse des bras qui la serraient... Et lorsqu'il enfouit les doigts dans ses cheveux, elle frissonna de plaisir, sachant que le week-end ne pouvait trouver meilleure conclusion.

Ils restèrent longtemps enlacés sur la véranda. Puis Gabby s'écarta enfin et prit Travis par la main pour l'entraîner dans la maison ; ils traversèrent le salon et gagnèrent la chambre à coucher. Tandis que Travis s'asseyait sur le lit, Gabby sortit un briquet de la table de nuit et alluma les bougies qu'elle avait disposées plus tôt. La pièce, jusque-là sombre, baigna dans une vacillante lueur mordorée.

Avec le jeu des ombres soulignant chacun des gestes de Gabby, Travis regarda croiser les bras et saisir son corsage par le bas. D'un seul mouvement, elle le fit passer pardessus sa tête, révélant son soutien-gorge dont les contours satinés galbaient sa poitrine, puis ses mains glissèrent lentement vers la ceinture de son jean... Quelques instants plus tard, elle s'écartait des vêtements laissés pêle-mêle sur le plancher.

Travis la regarda, subjugué, s'avancer vers le lit pour le pousser sur le dos. Il se laissa faire et elle entreprit de défaire chacun des boutons de sa chemise, avant de la lui ôter... L'instant d'après, il sentit la chaleur du ventre de Gabby contre le sien.

Leurs lèvres se retrouvèrent avec une passion mesurée, pour mieux en profiter. Leurs deux corps semblaient se fondre en un seul, telles deux pièces d'un puzzle enfin réunies.

Plus tard, étendu auprès d'elle, il lui redit les mots qui avaient résonné en lui toute la soirée :

– Je t'aime, Gabby... Tu es ce qui m'est arrivé de plus merveilleux.

Elle lui prit la main et murmura :

– Je t'aime aussi, Travis...

En entendant ces paroles, il sut que sa longue marche en solitaire, entreprise des années auparavant, s'achevait enfin.

Dans la pièce encore éclairée par un rayon de lune, Travis se retourna sur le lit et sut aussitôt que Gabby avait disparu. Le réveil indiquait 4 heures du matin, et, comme elle ne se trouvait pas dans la salle de bains, il se leva et enfila son jean. Il traversa le couloir, jeta un œil dans la chambre d'amis, avant de passer la tête dans la cuisine. Toutes les lumières étaient éteintes, et il hésita un instant, avant de voir la porte vitrée entrouverte.

Il sortit sur la terrasse et aperçut une silhouette dans la pénombre, appuyée contre la balustrade. Il s'avança prudemment.

– Salut, lui dit Gabby, enveloppée dans le peignoir qu'il avait aperçu dans la salle de bains.

– Salut... Tu vas bien ?

– Très bien. Je n'arrivais plus à dormir, et je n'arrêtais pas de me tourner et de me retourner... Mais je ne voulais pas te réveiller.

Il s'arrêta tout près d'elle, s'appuya lui aussi à la rambarde, et tous deux se turent. Ils préféraient contempler le ciel. Le monde alentour paraissait plongé dans le silence, même les grenouilles et les criquets semblaient assoupis.

– C'est tellement beau ! reprit-elle enfin.

– Oui...

– J'adore les nuits comme celle-ci.

Comme elle ne disait plus rien, il s'approcha encore et lui prit la main :

– Tu es perturbée par ce qui s'est passé ?

– Pas du tout, répondit-elle d'une voix claire. Je ne regrette rien.

Il sourit.

– Qu'est-ce qui te trotte dans la tête, alors ?

– Figure-toi que je songeais à mon père, dit-elle, rêveuse, en se pelotonnant contre lui. Par certains côtés, il me fait penser à toi. Tu t'entendrais bien avec lui.

– J'en suis sûr, dit-il sans trop savoir où leur conversation allait les mener.

– J'imaginais ce qu'il avait dû éprouver en rencontrant ma mère pour la première fois. Ce qui devait lui traverser l'esprit en la voyant... s'il se sentait nerveux... comment il l'avait abordée...

Travis la dévisagea, intrigué :

– Et ?

– Ben... je n'en ai aucune idée...

Comme il s'esclaffait, elle entrelaça son bras avec le sien.

– L'eau de ton bain à remous est encore tiède ?

– Sans doute. Je n'ai pas vérifié, mais ça devrait aller.

– On va faire trempette ?

– Faut d'abord que j'aille chercher mon maillot, mais ça me tente, oui.

Elle le serra plus fort et lui susurra à l'oreille :

– Qui a dit que tu avais besoin d'un maillot ?

Travis se tut et ils traversèrent tous deux le jardin pour gagner son Jacuzzi. En soulevant la bâche de protection, il vit Gabby dénouer son peignoir pour le laisser glisser le long de son corps nu. Il comprit alors qu'il était plus que jamais fou d'elle et que ces deux derniers jours resteraient à jamais gravés dans sa mémoire.

– 14 –

Même si chacun reprit son travail le lendemain, Travis et Gabby passèrent ensemble tout leur temps libre dans les deux jours qui suivirent. Ils firent l'amour le lundi matin avant d'aller travailler, déjeunèrent en tête à tête dans un bistrot familial de Morehead City, et le soir, comme Molly allait mieux, ils promenèrent leurs chiens sur la plage aux environs de Fort Macon. Tandis que Travis et Gabby marchaient main dans la main, Moby et Molly trottinaient en tête comme de vieux copains. Quand Moby pourchassait les mouettes, Molly maintenait le cap sans broncher. Puis Moby se rendait compte qu'il courait tout seul, alors il rebroussait chemin pour la rejoindre, et les deux chiens marchaient de nouveau côte à côte jusqu'à ce que Moby recommence son petit manège.

– Ils sont un peu comme nous, pas vrai ? observa Gabby en serrant plus fort la main de Travis. Il y en a toujours un qui cavale à droite et à gauche, et l'autre qui reste en retrait, non ?

– Je suis lequel des deux, moi ?

Elle rit puis posa la tête sur son épaule. Ils s'arrêtèrent, et Travis la prit dans ses bras, à la fois étonné et effrayé par la force de ses sentiments. Mais lorsqu'elle leva la tête pour l'embrasser, les craintes de Travis cédèrent la place à une agréable sensation de plénitude. Il se demanda si l'amour produisait le même effet chez ses semblables.

Ils firent ensuite quelques courses. Comme ni l'un ni l'autre n'avait grand faim, Travis acheta les ingrédients nécessaires à la préparation d'une salade César. Après le dîner, pelotonnée sur le canapé, Gabby parla encore de sa famille, et Travis comprit qu'elle n'avait pas toujours eu la vie facile, tout en éprouvant de la colère envers cette mère qui n'avait pas su reconnaître en elle la fabuleuse jeune femme qu'elle était devenue. Ce soir-là, ils restèrent enlacés bien après minuit.

Le mardi matin, Travis sentit Gabby qui commençait à remuer à ses côtés dans le lit.

– Il est temps de se lever, non ? dit-elle en ouvrant un œil.

– Mouais... j'imagine, marmonna-t-il.

Allongés face à face, ils restèrent immobiles sans parler, jusqu'à ce que Travis suggère :

– Tu sais ce qui serait sympa ? Un café bien chaud et une brioche à la cannelle.

– Hum... Dommage qu'on soit pressés. Je dois être au cabinet médical à 8 heures. Tu n'aurais pas dû me faire veiller si tard hier soir.

– Ferme les yeux et, si tu y penses très fort, peut-être que ton souhait se réalisera.

Trop fatiguée pour le contredire, elle obtempéra car elle avait envie de se prélasser ne serait-ce que deux ou trois minutes de plus.

– Et voilà ! s'écria-t-il.

– Quoi donc ? murmura-t-elle.

– Ton café. Et une brioche à la cannelle.

– C'est pas le moment de me taquiner. Je meurs de faim.

– C'est prêt, je te dis ! Retourne-toi et tu verras.

Elle se redressa avec peine et découvrit deux tasses de café fumant et la brioche dans une assiette, le tout posé sur la table de nuit.

– Quand as-tu... Enfin, je veux dire... pourquoi tu... ?

– Il y a quelques minutes, répondit-il, sourire aux lèvres. J'étais réveillé, de toute façon, alors j'ai filé en ville.

Elle prit une tasse et lui tendit la sienne en souriant à son tour.

– Je t'embrasserais volontiers pour la peine, mais tout ça sent bon, et j'en ai l'eau à la bouche. Le bisou sera pour plus tard, alors...

– Sous la douche, peut-être ?

– Avec toi, il y a toujours un piège, pas vrai ?

– N'exagère pas. Je t'ai seulement apporté le petit déjeuner au lit.

– Je sais, répliqua-t-elle en lui glissant une œillade, tandis qu'elle s'emparait de la brioche. Et je vais me régaler !

Le mardi soir, Travis emmena Gabby faire une balade en bateau, et ils admirèrent le coucher du soleil au large de Beaufort. Comme Gabby ne disait pas grand-chose depuis son retour du travail, Travis avait suggéré cette sortie en mer ; c'était sa manière à lui de repousser encore un peu la conversation qu'ils allaient forcément avoir.

Une heure plus tard, assis sur la terrasse de Travis, avec Molly et Moby à leurs pieds, il finit par céder à l'inévitable.

– Qu'est-ce qu'on va faire, maintenant ? demanda-t-il.

Gabby fit tourner son verre d'eau entre ses mains.

– Je ne sais pas au juste, avoua-t-elle d'une voix éteinte.

– Tu veux que je lui parle ?

– C'est pas aussi simple, dit-elle en secouant la tête. Toute la journée, j'ai essayé de trouver une solution, et j'ignore toujours ce que je vais faire, ou même ce que je vais lui dire.

– Tu vas lui parler de ce qui s'est passé entre nous, non ?

– Franchement... j'en sais rien.

Les larmes aux yeux, elle se tourna vers Travis.

– Ne m'en veux pas, s'il te plaît. Crois-moi si je te dis que je sais ce que tu ressens, car j'éprouve la même chose. Ces derniers jours, grâce à toi, je me suis sentie... pleine de vie. Tu m'as rendue belle, intelligente, désirable... à tel point que je ne peux pas trouver les mots pour te dire tout ce que ça signifie pour moi. Mais bien qu'on ait vécu ces moments forts ensemble, et que je tienne énormément à toi, on n'est pas les mêmes... Tu ne dois pas faire face au même type de décision que moi. Pour toi, c'est facile... On s'aime, alors on devrait vivre ensemble. Mais Kevin compte aussi à mes yeux.

– Et tout ce que tu m'as dit, ça ne compte pas ? s'enquit Travis en tentant de dissimuler ses craintes.

– Il n'est pas parfait, Travis. Je le sais. Et en ce moment, ça ne va pas fort entre lui et moi. Mais je ne peux m'empêcher de penser que c'est en partie ma faute. Tu ne comprends donc pas ? Avec lui, j'ai tous ces projets en attente, mais avec toi... aucun. Et si tu inversais les rôles, est-ce que tout ça serait arrivé un jour ? Si j'attendais que tu me demandes en mariage, alors qu'avec lui je profitais simplement du moment présent ? Tu m'aurais ignorée, et je n'aurais sans doute pas demandé mieux.

– Ne dis pas des choses pareilles.

– Enfin, c'est la vérité, non ? reprit-elle avec un sourire attristé. Ça m'a trotté dans la tête toute la journée, même si ça me fait de la peine de l'avouer. Je t'aime, Travis. Sincèrement. Si je considérais tout ça comme une petite aventure de week-end, je la reléguerais dans le passé, pour me remettre à imaginer un avenir avec Kevin. Pourtant ce n'est pas aussi facile. Je dois faire un choix entre vous deux. Avec Kevin, je sais de quoi mon futur sera fait. Ou du moins je le croyais jusqu'à ce que tu entres dans ma vie. Mais à présent...

Elle s'interrompit, et Travis regardait ses cheveux flotter légèrement dans la brise. Elle referma les bras sur elle-même.

– On se connaît depuis quelques jours à peine, et quand on était à bord du bateau, je m'interrogeais sur le nombre de femmes que tu avais dû emmener comme ça en balade. Pas par jalousie, mais parce que je n'arrêtais pas de me demander pour quelle raison toutes ces relations s'étaient terminées... et si la nôtre s'achèverait de la même manière, ou si tu éprouverais toujours les mêmes sentiments pour moi. On croit se connaître, mais c'est faux en réalité. Moi, en tout cas, je ne peux pas l'affirmer. Tout ce que je sais, c'est que je suis tombée amoureuse de toi et que je n'ai jamais eu aussi peur de toute ma vie.

Travis prit le temps de digérer ses paroles, puis déclara :

– Tu as raison. Ton choix est différent du mien. Mais tu te trompes en pensant que c'est juste une amourette de week-end pour moi. Au début, j'aurais pu le penser, bien sûr, mais...

Il lui prit la main et enchaîna :

– ... c'est devenu autre chose. En passant du temps avec toi, j'ai découvert tout ce qui manquait à ma vie. Plus on passait du temps ensemble, plus je me projetais dans l'avenir avec toi. Ça ne m'est jamais arrivé jusqu'ici, et je ne suis pas certain que ça se reproduise un jour. Je n'ai jamais été amoureux de qui que ce soit avant de te rencontrer... pas réellement amoureux, je veux dire. Pas comme ça... Et je serais fou de te laisser échapper, sans même me battre pour te garder.

Travis se passa une main dans les cheveux. Il se sentait vidé.

– J'ignore quoi te dire d'autre, poursuivit-il, sauf que je me sens tout à fait capable de passer le reste de ma vie avec toi. Je sais que ça paraît complètement dingue et qu'on se connaît à peine, mais je n'ai jamais été aussi sûr de moi. Et si tu me laisses une chance – si tu nous laisses une chance –, je passerai ma vie à te prouver que tu as pris la bonne décision. Je t'aime, Gabby. Et pas seulement pour la femme que tu es, mais parce que tu m'as montré ce que ça signifiait d'être deux.

Ils se turent l'un et l'autre un long moment. Dans la pénombre, Gabby entendait les criquets dans les feuillages. Une multitude de pensées tourbillonnaient dans sa tête : elle voulait fuir, et rester auprès de lui pour toujours, ses contradictions reflétant l'imbroglio de sa relation avec lui.

– Je t'apprécie, Travis, reprit-elle d'un ton grave.

Puis, se rendant compte que ses mots sonnaient creux, elle s'empressa d'ajouter :

– Et je t'aime aussi, bien sûr, mais j'espère que tu l'as déjà compris. J'essayais juste de te dire que j'apprécie ta façon de me parler. J'apprécie de pouvoir deviner quand tu me taquines, quand tu es sérieux et quand tu ne l'es pas. C'est l'une de tes qualités qui me font craquer... Et maintenant, tu veux bien faire un truc pour moi ? dit-elle en lui tapotant le genou.

– Bien sûr.

– Peu importe ce que je demande ?

– Euh... ouais. Enfin, j'imagine...

– Tu veux bien me faire l'amour ? Et éviter de penser que ce serait peut-être la dernière fois ?

– Ça fait deux choses au lieu d'une.

Plutôt que de répliquer, elle préféra lui tendre la main. Tandis qu'ils marchaient vers la chambre, l'ombre d'un sourire se dessina sur les lèvres de Gabby. Elle savait enfin quelle décision prendre.

– DEUXIÈME PARTIE –

– 15 –

Février 2007

Travis tenta de chasser ces souvenirs qui le replongeaient onze ans en arrière, et se demanda pourquoi ils refaisaient surface avec une telle acuité. Parce qu'il était assez vieux pour se rendre compte qu'on tombait rarement amoureux aussi vite ? Ou simplement parce que ces moments de bonheur lui manquaient ? Il n'en savait rien, au juste.

D'ailleurs, il ne savait plus grand-chose, ces derniers temps. Certaines personnes affirmaient détenir toutes les réponses aux grandes questions de l'existence. Travis ne les avait jamais crues. Leur assurance trahissait à coup sûr une forme d'autojustification. Toutefois, il aurait aimé trouver une personne capable de répondre à son interrogation actuelle : jusqu'où devait-on aller au nom de l'amour ?

Il pouvait interroger une centaine de personnes et obtenir autant de réponses différentes. La plupart étaient évidentes. On devait se sacrifier, ou bien accepter, ou pardonner, voire se battre au besoin... La liste continuait à l'infini. Cependant, même s'il jugeait toutes ces réponses valables, aucune ne pouvait l'aider à présent. Car certaines situations dépassaient l'entendement. Avec le recul, il pensa à des événements qu'il aurait volontiers changés, aux larmes qui n'auraient jamais dû couler, aux périodes qu'il aurait pu mieux utiliser et aux contrariétés qu'il aurait dû ignorer. La vie était jalonnée de regrets, semblait-il, et Travis désirait ardemment remonter le temps pour revivre certaines époques. Mais il avait une certitude : il aurait dû être un meilleur époux. Quant à savoir jusqu'où aller au nom de l'amour, il savait désormais quelle serait sa réponse. Parfois, on pouvait aller jusqu'au mensonge.

Et bientôt, il devrait décider s'il allait mentir ou non.

Les néons et le carrelage blanc soulignaient l'ambiance stérile de l'hôpital. Travis marchait lentement dans le couloir, certain que Gabby ne l'avait pas vu tout à l'heure, quand lui l'avait aperçue. Il hésita, s'armant de courage pour aller lui parler. C'était la raison de sa visite, après tout, mais le défilé des souvenirs dans sa tête l'avait épuisé. Il s'arrêta, tout en sachant que quelques minutes de plus pour rassembler ses idées ne changeraient pas grand-chose.

Il se glissa ensuite dans une petite salle de réunion et prit un siège. Il observa les allées et venues dans le couloir et se dit qu'en dépit des urgences continuelles le personnel suivait une routine, comme lui à la maison. Les gens cherchaient fatalement à créer une sorte de normalité dans un endroit où rien n'était normal. Ajouter du prévisible à une vie par nature imprévisible permettait à chacun de supporter sa journée. Ses matinées à lui en étaient l'exemple type, car toutes se ressemblaient. Réveil à 6 h 15 ; une minute pour sortir du lit, neuf autres sous la douche ; quatre pour se raser et se brosser les dents, et sept pour s'habiller. Quiconque passait dans la rue pouvait régler sa montre en observant les mouvements de Travis derrière les fenêtres. Après quoi il se précipitait au rez-de-chaussée pour remplir les bols de céréales, vérifier les sacs à dos pour l'école et préparer les sandwichs pour le repas de midi, tandis que ses filles encore somnolentes entamaient leur petit déjeuner. À 7 h 15 pile, tous les trois franchissaient la porte et attendaient ensemble l'arrivée du bus scolaire, conduit par un chauffeur dont l'accent écossais lui rappelait *Shrek*. Une fois ses filles installées dans le bus, Travis souriait en leur faisant signe, comme chaque parent se doit de le faire. Lisa et Christine avaient six et huit ans, et son cœur se serrait souvent quand il les regardait partir pour une nouvelle journée d'école. Une réaction sans doute assez courante – on disait toujours que l'éducation des enfants était synonyme de soucis –, mais ces derniers temps ses craintes n'avaient fait que croître. Travis s'attardait sur des détails jusqu'alors insignifiants. Lisa riait-elle autant qu'avant en regardant des dessins animés ? Christine n'était-elle pas plus renfermée qu'à l'ordinaire ? Hier, il avait passé la moitié de sa journée à se demander si Lisa le testait en lui faisant lacer ses chaussures ou si c'était seulement par paresse. Dans la soirée, en allant voir si elles dormaient bien, il avait dû rajuster leurs couettes qui se retrouvaient en boule, et, même s'il savait que son angoisse frisait l'obsession, il se demanda malgré lui si elles avaient toujours eu un sommeil agité ou s'il s'agissait d'un phénomène récent.

La vie n'aurait pas dû se dérouler ainsi. Gabby aurait dû se trouver à ses côtés ; c'est elle qui aurait dû lacer les chaussures et remettre les couettes en place. Elle excellait dans ce domaine, il l'avait su dès le début. Dans les jours qui avaient suivi leur premier week-end ensemble, il s'était surpris à observer Gabby, tout en sachant au fond de lui que, même s'il devait passer sa vie à chercher, il ne trouverait jamais ni meilleure mère ni meilleure partenaire qu'elle. Bizarrement, cette prise de conscience survenait n'importe où : en poussant le Caddie au supermarché, en faisant la queue au cinéma... Mais chaque fois que l'idée lui traversait l'esprit, le geste le plus banal, comme de prendre sa main, se transformait en un plaisir merveilleux, un acte à la fois essentiel et valorisant.

À l'époque, ce ne fut pas aussi simple pour Gabby. Elle était alors tiraillée entre deux hommes rivaux. « Un léger inconvénient », disait-elle ensuite lors de soirées entre amis, mais Travis s'était souvent demandé à quel moment précis ses sentiments pour lui avaient finalement triomphé de ceux pour Kevin. La fameuse nuit où ils avaient observé les étoiles, tandis qu'elle désignait les constellations ? Ou le lendemain, cramponnée à lui sur la moto, avant d'aller pique-niquer ? Ou bien plus tard dans la soirée, quand il l'avait prise dans ses bras ?

Quoi qu'il en soit, elle avait bel et bien dû expliquer la situation à Kevin. Travis revoyait encore l'expression attristée de Gabby le matin où son petit ami était censé rentrer. La certitude des derniers jours passés en tête à tête cédait désormais la place à la réalité que Gabby allait devoir affronter. Elle toucha à peine à son petit déjeuner et, lorsqu'il lui dit au revoir en l'embrassant, elle lui adressa un sourire timide. Les heures s'écoulèrent en silence. Travis s'affaira à la clinique vétérinaire et passa des coups de fil afin de trouver un foyer pour chaque chiot, sachant que c'était important pour Gabby. Après le travail, il était venu voir si Molly allait bien. Comme si elle sentait qu'on aurait besoin d'elle plus tard, la chienne n'avait pas regagné le garage après qu'il l'eut laissée sortir. Elle préféra rester allongée dans les hautes herbes qui bordaient la propriété de Gabby, les yeux tournés vers la rue, tandis que le soleil déclinait.

Gabby arriva bien après la tombée de la nuit. Elle le regarda droit dans les yeux en sortant de sa voiture. Sans un mot, elle vint s'asseoir près de lui sur les marches de son perron. Molly s'approcha puis frotta son museau contre les genoux de sa maîtresse, et Gabby la caressa.

– Salut, hasarda-t-il comme pour briser le silence.

– Salut, dit-elle, la voix apparemment dépourvue de toute émotion.

– Je crois que j'ai réussi à caser tous les chiots.

– Vraiment ?

Il acquiesça, et tous deux restèrent là sans rien dire, comme s'ils avaient épuisé leurs sujets de conversation.

Ne trouvant pas les mots pour la réconforter, il déclara enfin :

– Je t'aimerai toujours, tu sais...

– Je te crois, murmura Gabby, qui posa la tête sur son épaule en lui prenant la main. C'est pour cette raison que je suis là.

Travis n'avait jamais aimé les hôpitaux. Contrairement à la clinique vétérinaire qui fermait le soir, l'hôpital général du comté de Carteret évoquait à ses yeux une sorte de grande roue sans cesse en mouvement, où patients et personnel médical montaient et descendaient à chaque instant. Depuis la salle où il était assis, il voyait les infirmières entrer et sortir entre une chambre et l'autre, ou filer dans le couloir pour rejoindre le poste de garde à l'autre bout. Dans les étages, des bébés venaient au monde, tandis que des vieillards s'éteignaient... un microcosme de la vie quotidienne. Si Travis trouvait l'endroit oppressant, Gabby s'était épanouie en y travaillant, galvanisée par l'activité qui y régnait en permanence.

Quelques mois plus tôt, elle avait reçu une lettre de la direction de l'hôpital lui annonçant qu'on allait honorer ses dix ans de bons et loyaux services ; il s'agissait visiblement d'une lettre type envoyée à tous les employés ayant la même ancienneté qu'elle. À l'instar des autres récipiendaires, Gabby aurait sa propre plaque commémorative accrochée dans un couloir – encore que rien n'ait été fait jusqu'ici.

Il doutait qu'elle y attache la moindre importance. Si Gabby avait pris cet emploi, c'était parce qu'elle n'avait guère d'autre choix. Même si elle fit plus ou moins allusion à ses problèmes au cabinet de pédiatrie lors de leur premier week-end ensemble, elle n'était pas entrée dans les détails.

Toutefois, elle finit par aborder le sujet un beau jour. La veille au soir, le centre équestre avait appelé Travis pour soigner un cheval anglo-arabe et il avait dû y passer la nuit ainsi que la majeure partie de la journée, si bien qu'il était rentré épuisé.

Il arriva crasseux et en sueur à la maison pour découvrir Gabby en pleurs dans sa cuisine. Elle mit quelques minutes avant de trouver la force de lui raconter son histoire : elle avait dû rester tard au cabinet en compagnie d'un patient qui attendait l'ambulance censée l'emmener se faire opérer de l'appendicite ; lorsqu'elle avait pu s'en aller, les autres employés étaient rentrés chez eux, à l'exception d'Adrian Melton, le médecin traitant. Ils avaient donc quitté le cabinet au même moment, mais Gabby s'aperçut trop tard que Melton l'avait suivie jusqu'à sa voiture. Arrivé à sa hauteur, il avait posé une main sur son épaule, en lui disant qu'il se rendait à l'hôpital et la tiendrait au courant de l'état du patient. Comme elle acquiesçait avec un sourire forcé, il en avait profité pour se pencher et l'embrasser.

Son geste maladroit évoquait les premiers flirts au lycée,

mais elle recula avant qu'il puisse parvenir à ses fins. Il la dévisagea, l'air contrarié, en disant :

– C'est pourtant ce que vous vouliez, non ?

Attablée dans sa cuisine, Gabby frissonna :

– À l'entendre, on aurait dit que c'était ma faute.

– Ça s'était déjà produit ? s'enquit Travis.

– Non, pas comme ça. Mais...

Comme elle hésitait, Travis lui prit la main :

– C'est moi, voyons... Allez, parle-moi.

Le regard rivé à la table, Gabby lui décrivit le comportement de Melton au cabinet médical. Lorsqu'elle eut terminé, Travis contrôlait avec peine sa fureur.

– Je vais lui régler son compte, décida-t-il avant même qu'elle puisse réagir.

Deux coups de téléphone lui suffirent pour connaître l'adresse d'Adrian Melton. Quelques minutes plus tard, son pick-up s'arrêtait dans un crissement de pneus devant le domicile du médecin. Travis garda le doigt appuyé sur la sonnette jusqu'à ce qu'on vienne lui ouvrir. Melton n'eut pas le temps d'être surpris que Travis lui assénait un direct à la mâchoire. Une femme, dont il supposa qu'elle était son épouse, apparut au moment même où le médecin se retrouvait à terre, et ses cris alertèrent les voisins.

Quand la police arriva sur les lieux, Travis fut arrêté pour la première et seule fois de sa vie. On le conduisit au poste, où la plupart des officiers le traitèrent avec un respect amusé. Chacun d'eux avait un jour amené son animal à la clinique vétérinaire et doutait fort de la version de Mme Melton, selon laquelle « un psychopathe avait agressé son mari ! ».

Travis appela sa sœur, et Stephanie arriva, bien plus narquoise qu'inquiète. Elle le trouva en pleine discussion avec le shérif et comprit qu'ils discutaient du chat de ce dernier, lequel avait attrapé une irritation et n'arrêtait pas de se gratter.

– Quelle poisse ! lâcha-t-elle.

– Quoi ?

– Moi qui croyais te voir en combinaison orange de prisonnier.

– Navré de te décevoir.

– Peut-être que ça peut s'arranger. Qu'est-ce que vous en pensez, shérif ?

Il n'en pensait rien et les laissa seuls l'instant d'après.

– Merci pour ta suggestion, dit Travis, le shérif parti. Comme si tu avais besoin de lui mettre ce genre d'idée en tête.

– Dis donc, c'est pas moi qui vais agresser les médecins sur leur perron.

– Il le méritait.

– Oh, j'en doute pas.

Travis esquissa un sourire :

– Merci d'être venue.

– Pas question de manquer ça, Rocky Balboa ! À moins que tu préfères Mohamed Ali ?

– Si tu t'occupais de me sortir de là, au lieu de me donner des surnoms ?

– C'est plus marrant de te donner des surnoms, je trouve.

– J'aurais dû appeler papa.

– Mais tu ne l'as pas fait. Alors c'est moi qui suis là. Crois-moi, t'as fait le bon choix. Maintenant tu me laisses parler au shérif...

Plus tard, pendant que Stephanie discutait avec l'officier, Adrian Melton rendit visite à Travis et exigea de connaître la raison de son agression. Même s'il ne confia jamais à Gabby ce qu'il avait répondu au médecin, celui-ci retira sa plainte à l'encontre de Travis, en dépit des protestations de

Mme Melton. Dans les deux ou trois jours qui suivirent, Travis apprit par le bouche à oreille que le Dr et Mme Melton suivaient une thérapie conjugale. Toutefois, l'ambiance au cabinet restait tendue, et quelques semaines plus tard le Dr Furman convoqua Gabby pour lui suggérer de chercher un emploi ailleurs.

– Je sais que ce n'est pas juste, admit-il. Et si vous restez, nous nous débrouillerons toujours pour que tout se passe bien. Mais j'ai soixante-quatre ans et je prévois de partir en retraite l'année prochaine. Le Dr Melton est d'accord pour racheter mes parts dans le cabinet, et je doute qu'il souhaite vous garder... ou que vous ayez envie de travailler pour lui. Bref, le mieux pour vous serait de trouver une place où vous vous sentirez à l'aise, et d'oublier ce pénible épisode.

Il haussa les épaules et ajouta :

– Je ne cautionne pas son attitude, tout à fait répréhensible. Mais même si c'est un pauvre type, il n'en demeure pas moins le meilleur pédiatre que j'aie reçu en entretien professionnel et le seul à accepter de pratiquer dans une petite ville comme la nôtre. Si vous quittez le cabinet de votre plein gré, je vous rédigerai une excellente lettre de recommandation. Vous pourrez décrocher un job où vous voulez. J'y veillerai personnellement.

Gabby ne fut pas dupe de la manipulation dont elle était victime, mais, alors qu'elle aurait préféré venger son honneur et celui de toutes les femmes harcelées au travail, son côté pragmatique eut le dernier mot... Elle finit par accepter un poste aux urgences de l'hôpital.

Toutefois en apprenant ce que Travis avait fait, elle était devenue folle de rage. Ce fut leur première dispute de couple. Travis revoyait encore son air scandalisé lorsqu'elle exigea qu'il lui explique pourquoi il ne la jugeait pas « assez adulte pour régler elle-même ses propres problèmes » ; il avait agi « comme si elle était une pauvre idiote en détresse ». Travis ne prit même pas la peine de se défendre. Au fond de lui, il savait qu'il recommencerait si l'occasion se représentait, mais il eut la sagesse de ne rien en dire.

En dépit de l'attitude outragée de Gabby, Travis la soupçonnait d'avoir admiré en secret son comportement chevaleresque. La simple logique de son geste – *Il t'a harcelée ? Laisse-moi faire !* – l'avait forcément touchée, car ce soir-là ils firent l'amour avec une fougue décuplée.

Ou du moins était-ce le souvenir que Travis en gardait. La soirée s'était-elle exactement déroulée ainsi ? Il ne savait plus... Ces jours-ci, Travis n'avait plus qu'une certitude : il n'échangerait pour rien au monde ces années passées auprès de Gabby. Sans elle, sa vie n'avait guère d'importance. C'était un mari provincial avec un métier provincial, avec des préoccupations semblables à celles de M. Tout-le-Monde. Ni meneur d'hommes ni suiveur, il ne laisserait pas une trace indélébile dans l'histoire de l'humanité. En d'autres termes, le plus ordinaire des hommes... à une exception près : il était tombé amoureux d'une femme appelée Gabby, et son amour n'avait fait que grandir au fil des années de leur mariage. Pourtant le destin avait concouru à tout faire voler en éclats, et Travis passait désormais le plus clair de son temps à se demander comment il était humainement possible de retrouver ce bonheur perdu.

– 16 –

– Salut, Travis ! lança une voix dans le couloir. J'étais sûr de te trouver là.

Âgé d'une trentaine d'années, le Dr Stallings faisait sa tournée chaque matin. Avec le temps, sa femme et lui étaient devenus de bons amis de Gabby et Travis, et l'été précédent tous les quatre avaient visité Orlando avec leurs enfants.

– Encore des fleurs ?

Travis hocha la tête et sentit une raideur dans son dos.

Stallings hésita à l'entrée de la pièce :

– J'imagine que tu ne l'as pas encore vue.

– En fait, je suis passé tout à l'heure, mais...

Stallings finit la phrase à sa place.

– Tu avais besoin de t'isoler un peu ? dit-il en venant s'asseoir auprès de lui. C'est tout ce qu'il y a de normal.

– Je ne me sens pas normal. Rien n'est normal dans cette histoire.

– Non, en effet.

Travis reprit le bouquet en main comme pour éviter de réfléchir, sachant qu'il ne pouvait pas aborder certains sujets.

– Franchement, je ne sais pas quoi faire, admit-il enfin.

Stallings posa la main sur son épaule :

– J'aimerais pouvoir te conseiller.

Travis se tourna vers lui.

– Qu'est-ce que tu ferais, toi ?

– Si j'étais à ta place ? dit Stallings, qui se mordillait les lèvres et paraissait soudain plus vieux. En toute honnêteté, j'en sais rien.

Travis hocha la tête. Il ne s'attendait pas vraiment à une réponse.

– Je veux juste être sûr de bien agir.

– C'est ce que nous voulons tous, non ?

Après le départ du médecin, Travis s'agita sur son siège, conscient des papiers présents dans sa poche. Alors qu'il les gardait auparavant dans son bureau, il les conservait désormais toujours à portée de main, même s'ils laissaient présager la fin de tout ce qui lui était cher.

L'avocat d'un certain âge qui les avait rédigés ne trouva rien d'inhabituel dans la requête stipulée par ces documents. Son petit cabinet familial était installé à Morehead City, assez près de l'hôpital où travaillait Gabby pour qu'on puisse l'apercevoir depuis les fenêtres de la salle de conférence. L'entrevue n'avait pas duré longtemps ; l'avocat expliqua les clauses importantes et glissa quelques précisions en rapport. Plus tard, Travis se souvint uniquement de sa poignée de main peu énergique, presque faible, lorsqu'il l'avait raccompagné à la porte.

Cela paraissait étrange que ces fameux papiers puissent mettre un terme officiel à son mariage. On y lisait des mots codifiés, rien de plus, mais la puissance qui leur était accordée prenait à présent une tournure malveillante. Où se trouvait donc la part d'humanité dans ces phrases ? se demandait-il. Où se trouvaient les sentiments régis par ces lois ? Où reconnaissait-on la vie qu'ils avaient vécue ensemble, jusqu'à ce drame ? Et pour commencer, pourquoi Gabby avait-elle souhaité faire établir ces documents, bon sang ?

Ça ne devrait pas se terminer ainsi, et ce n'était certes pas l'aboutissement qu'il escomptait en demandant à Gabby de l'épouser. Il se rappela leur voyage à New York en automne ; pendant que Gabby se prélassait au spa de l'hôtel, il avait filé dans la 47e Rue Ouest pour y acheter la bague de fiançailles. Après un dîner aux chandelles, il l'emmena faire un tour en calèche dans Central Park. Puis il la demanda en mariage au clair de lune, et Gabby accepta aussitôt en le serrant fort dans ses bras, sans cesser de murmurer : « Oui... Oui... Oui... » avec passion.

Et ensuite ? La vie reprit son cours, supposa-t-il. Entre ses gardes à l'hôpital, Gabby organisa le mariage. Alors que ses amis lui conseillaient de la laisser s'en charger, Travis prit plaisir à s'investir dans les préparatifs. Il l'aida à choisir les faire-part, les fleurs et le gâteau ; à feuilleter les albums des studios photo du centre-ville, pour dénicher le meilleur photographe qui immortaliserait l'événement. Finalement, ils invitèrent quatre-vingts personnes dans une petite chapelle au charme suranné de l'île de Cumberland, au printemps 1997. Ils partirent en lune de miel à Cancún, ce qui se révéla un choix idéal pour tous les deux. Gabby désirait un endroit pour se détendre, et ils passèrent des heures allongés au soleil et à savourer d'excellents repas ; Travis souhaitait un peu plus d'aventure, alors Gabby apprit la plongée sous-marine et se joignit à lui pour une expédition d'une journée dans les ruines aztèques voisines.

Les concessions de la lune de miel donnèrent le ton à leur vie de couple. La maison de leurs rêves fut construite sans trop de stress et achevée pour leur premier anniversaire de mariage ; quand Gabby passa un doigt rêveur sur le bord de sa coupe de champagne en se demandant à voix haute s'ils devaient fonder une famille, Travis jugea l'idée non seulement sensée mais tout à fait en accord avec ses propres désirs. Gabby tomba enceinte deux mois plus tard, sa grossesse se déroulant sans complication. Après la naissance de Christine, elle réduisit ses heures de garde, et ils établirent un emploi du temps permettant que l'un ou l'autre soit toujours présent à la maison avec la petite. À la venue au monde de Lisa, deux ans plus tard, cela ne changea pas grand-chose, hormis davantage de joie et de gaieté au foyer.

Noëls et anniversaires se succédèrent, tandis que les filles grandissaient. Ils partaient tous les quatre en vacances, mais Travis et Gabby se réservaient du temps en tête à tête comme aux premiers jours de leur amour. Max s'en alla en retraite, et Travis reprit la direction de la clinique ; Gabby réduisit encore ses horaires à l'hôpital et put se consacrer au bénévolat en milieu scolaire. Pour leur quatrième anniversaire de mariage, ils visitèrent l'Italie et la Grèce ; pour leur sixième, ils participèrent à un safari d'une semaine en Afrique. À l'occasion du septième, Travis construisit pour Gabby un petit pavillon dans le jardin, où elle pouvait lire tranquillement en regardant la lumière miroiter sur l'eau. Au cinquième anniversaire de chacune de ses filles, Travis leur apprit à faire du ski nautique et du *wakeboard* ; à l'automne, il entraînait leurs équipes de foot. Les rares fois où il prenait le temps de réfléchir à sa vie, il songeait qu'il devait être le plus heureux des hommes.

Certes, tout n'était pas parfait. Quelques années plus tôt, Gabby et lui avaient traversé une période difficile. Aujourd'hui, les raisons lui semblaient floues, comme noyées aux confins du passé ; mais, même à l'époque, il n'avait jamais cru son couple en péril. Gabby non plus, à l'évidence. Elle et lui avaient compris que le mariage n'était qu'une question de compromis et de pardon. Il suffisait de trouver un équilibre à travers la complémentarité mutuelle. Gabby et lui vivaient cela depuis des années, et il espérait que cela continuerait. Mais à l'heure actuelle, cette osmose n'existait plus, et il aurait aimé trouvé un moyen, n'importe lequel, pour la recréer.

Sachant qu'il ne pouvait davantage différer le moment où il verrait Gabby, Travis se leva. Le bouquet à la main, il lança un regard dans le couloir et vit certaines infirmières l'observer à la dérobée. Mais plutôt que de s'arrêter pour discuter avec elles, il rassembla son courage et continua à marcher. Il tenait à peine sur ses jambes et sentait poindre un mal de crâne, une douleur sourde derrière la tête. S'il s'autorisait à fermer les yeux, il dormirait sans doute plusieurs heures d'affilée. Il s'imaginait dépérir à vue d'œil... Pourtant il était encore jeune, quarante-trois ans à peine, et même s'il ne mangeait pas beaucoup ces temps-ci, il s'obligeait à fréquenter régulièrement le club de gym. « Tu dois continuer à faire de l'exercice, lui disait son père. Ne serait-ce que pour garder le moral. » Ces trois derniers mois, il avait perdu huit kilos, et lorsqu'il croisait son reflet dans le miroir, il voyait bien que ses joues s'étaient creusées. Il parvint enfin à la porte et la poussa, s'efforçant de sourire en voyant Gabby.

– Salut, mon cœur...

Il attendit qu'elle remue un peu... qu'elle réagisse d'une manière ou d'une autre et lui laisse espérer que la situation redeviendrait plus ou moins normale. En vain. Et dans le long silence qui suivit, Travis éprouva un horrible pincement au cœur. C'était toujours le même scénario. En entrant dans la pièce, il regardait Gabby fixement, comme pour tenter de mémoriser chacun des traits de son visage, même si cela ne servait à rien, car il la connaissait mieux que quiconque.

Il s'avança vers la fenêtre et remonta les stores afin de laisser le soleil inonder la pièce. La vue n'avait rien de folichon ; la chambre donnait sur une petite autoroute qui coupait la ville en deux. Les véhicules roulaient lentement et passaient devant les fast-foods en bordure, et il imaginait les automobilistes en train d'écouter de la musique ou de bavarder sur leur mobile tandis qu'ils se rendaient au travail ou au supermarché. Autant de gens menant leur vie de tous les jours, avec leurs propres préoccupations, inconscients des drames qui se déroulaient à l'hôpital. Autrefois, Travis était comme eux, et la perte de son ancienne existence lui pesait.

Il posa les fleurs dans le lavabo et regretta de ne pas avoir apporté de vase. Il avait choisi un bouquet hivernal, et les tons orangé sombre et violet évoquaient presque le deuil. Le fleuriste se considérait plus ou moins comme un artiste, et depuis toutes ces années que Travis se servait chez lui, il ne l'avait jamais déçu. C'était un homme bienveillant, attentionné. Travis se demandait ce qu'il savait au sujet de son couple. Au fil des ans, Travis lui avait acheté des tas de bouquets pour les fêtes et les anniversaires de mariage, tantôt pour se faire pardonner, tantôt sur un coup de tête, en guise de surprise. Et chaque fois, il indiquait au fleuriste ce qu'il souhaitait voir inscrit sur la carte. Il lui arrivait de réciter un poème trouvé dans un ouvrage ou qu'il avait lui-même composé ; à d'autres moments, il allait droit au but et lui indiquait simplement ce qui lui venait à l'esprit. Gabby conservait précieusement toutes ces cartes en les reliant avec un élastique, telles des bribes de leur histoire commune.

Il s'installa dans le fauteuil près du lit et prit la main de Gabby. Sa peau était pâle, son teint presque cireux, son corps paraissait plus menu, et il remarqua les minuscules sillons qui commençaient à se creuser au coin de ses yeux. Néanmoins, il la trouvait aussi magnifique qu'à leur première rencontre. Il n'en revenait pas de la connaître depuis onze ans. Non pas que la durée fût extraordinaire, mais parce que ces années renfermaient plus de... vie que les trente-deux précédentes qu'il avait vécues sans elle. C'était la raison de sa venue à l'hôpital aujourd'hui, celle-là même pour laquelle il venait chaque jour. Travis n'avait pas d'autre choix. Non pas parce qu'on l'attendait – encore que ce fût le cas –, mais parce qu'il n'imaginait pas d'autre endroit où aller. Tous deux passaient plusieurs heures ensemble, mais ils se séparaient pour la nuit. Travis n'avait guère d'autre possibilité, car il ne pouvait laisser ses filles seules à la maison. Ces derniers temps, le destin prenait toutes les décisions à sa place.

À l'exception d'une seule.

Quatre-vingt-quatre jours s'étaient écoulés depuis l'accident, et Travis devait à présent faire un choix. Il ignorait encore ce qu'il déciderait. Récemment, il avait cherché des réponses dans la *Bible*, les écrits de saint Thomas d'Aquin et de saint Augustin. De temps à autre, un passage retenait son attention, mais rien de plus ; il refermait l'ouvrage, puis se surprenait à regarder par la fenêtre, l'esprit vide de toute pensée, comme dans l'espoir de trouver la solution quelque part dans le ciel.

En quittant l'hôpital, il rentrait rarement d'une seule traite chez lui. En général, il passait le pont, puis allait se promener du côté d'Atlantic Beach. Il retirait ses chaussures et marchait sur la plage en écoutant les vagues se briser sur la grève. Il savait que ses filles étaient aussi bouleversées que lui. Après chaque visite à Gabby, il lui fallait un peu de temps pour se ressaisir... et il préférait épargner ses angoisses aux petites. Il avait en revanche besoin d'elles pour s'évader. S'occuper de Lisa et de Christine lui évitait de s'apitoyer sur son sort, et leur entrain lui permettait d'aller de l'avant. Elles possédaient toujours cette faculté d'oublier quand elles jouaient, et leurs éclats de rire le réjouissaient autant qu'ils l'attristaient. Par moments, lorsqu'il les observait, il était frappé par leur ressemblance avec leur mère.

Elles demandaient toujours de ses nouvelles, mais il ne savait jamais vraiment quoi leur répondre. Elles étaient certes en âge de comprendre que leur maman n'allait pas bien et devait rester à l'hôpital ; quand les petites lui rendaient visite, il leur disait que c'était comme si elle se reposait. Cependant, il ne pouvait se résoudre à leur avouer la vérité sur son état. Il préférait se pelotonner avec Lisa et Christine sur le canapé et leur parler du bonheur que leur mère avait eu de les mettre au monde, ou des étés où toute la famille passait des après-midi entiers à jouer au jardin avec le tuyau d'arrosage. Mais la plupart du temps, tous les trois feuilletaient les albums de famille que Gabby avait constitués avec soin. C'était son côté un peu démodé, et les images les faisaient invariablement sourire. Travis avait toujours une anecdote pour chacun des clichés, et, quand il contemplait le visage radieux de Gabby sur les photos, sa gorge se serrait à l'idée qu'il n'avait jamais connu de femme plus belle.

Pour échapper à la tristesse qui le gagnait dans ces moments-là, il détournait parfois les yeux de l'album pour se concentrer sur la grande photo encadrée qu'ils avaient prise à la plage l'été précédent. Assis tous les quatre parmi les hautes herbes de la dune, chacun portait un pantalon de toile beige et une chemise blanche en coton. Le genre de portrait de groupe courant à Beaufort, mais celui-ci se révélait tout à fait unique. Car les personnages reflétaient l'image parfaite d'une famille heureuse, et Travis était persuadé que même un étranger pouvait y puiser espoir et optimisme en la voyant.

Plus tard, Lisa et Christine couchées, il rangeait les albums. Si les feuilleter en racontant des histoires lui permettait d'égayer ses filles, cela lui était trop pénible en solitaire. Alors il restait assis là sur le canapé, accablé de tristesse. Stephanie appelait certains soirs, et ils retrouvaient leur joyeuse complicité, mais tout cela manquait un peu de naturel. Malgré son ton désinvolte et ses taquineries, sa sœur tenait surtout à lui faire comprendre que personne ne lui en voulait, qu'il n'était pas responsable, qu'elle et les autres se faisaient du souci pour lui. Afin d'éviter les longues phrases censées le réconforter, il disait toujours qu'il allait bien, même quand ce n'était pas le cas, parce qu'il savait qu'elle n'avait pas envie d'entendre la vérité... à savoir que non seulement il doutait de recouvrer un jour la joie de vivre, mais qu'il n'était même pas certain de le vouloir.

– 17 –

Les rais de lumière s'étiraient dans la chambre en répandant une chaleur douce. Travis pressa la main de Gabby et tressaillit sous la douleur qui l'élança dans le poignet. Le mois précédent, il portait encore un plâtre, et le médecin avait prescrit des antalgiques. Les os du bras étaient fracturés et les ligaments déchirés ; mais après sa première dose de calmants il avait refusé de continuer à en prendre, car il détestait se sentir vaseux.

La main de Gabby était toujours aussi douce. Chaque jour ou presque, il la lui tenait pendant des heures, en imaginant ce qu'il ferait si elle réagissait enfin. Il restait assis là à la regarder, en se demandant à quoi elle pouvait bien penser... ou même si elle pouvait encore penser. Gabby était plongée dans un monde qui restait un mystère.

– Les filles vont bien, commença-t-il. Christine a mangé toutes ses céréales ce matin, et Lisa a presque fini son bol. Je sais que tu t'inquiètes pour leur alimentation, car elles sont encore menues, mais elles grignotent toujours le casse-croûte que je leur prépare après l'école.

De l'autre côté de la fenêtre, un pigeon se posa sur le rebord. Il fit quelques pas dans un sens, puis rebroussa chemin avant de s'installer dans son coin comme presque chaque jour. Il semblait connaître les heures de visite de

Travis. À tel point que Travis y voyait parfois une sorte de présage... bon ou mauvais, il n'en avait aucune idée.

– On fait les devoirs après dîner. Je sais que tu préfères qu'elles les fassent sitôt rentrées de l'école, mais ça se déroule bien comme ça. Tu n'en reviendrais pas des progrès de Christine en maths. Tu te rappelles qu'en début d'année elle n'y comprenait rien ? Eh bien, elle a renversé la vapeur. Tous les soirs, on utilise les fiches de révision que tu as achetées, et elle n'a raté aucune question lors de son dernier contrôle. Elle fait même ses exercices sans mon aide. Tu serais fière d'elle.

Le roucoulement du pigeon s'entendait à peine à travers la vitre.

– Lisa se porte comme un charme. On regarde *Dora l'exploratrice* ou *Barbie* chaque soir. C'est dingue le nombre de fois qu'elle peut visionner les mêmes DVD, mais elle les adore. Pour son anniversaire, elle souhaite un goûter sur le thème « Princesse ». Je pensais commander un gâteau glacé, mais elle veut organiser ça au parc... et comme ça risque d'être coton, je vais sans doute choisir un autre genre de dessert.

Il s'éclaircit la voix.

– Au fait... est-ce que je t'ai dit que Joe et Megan envisageaient d'avoir un autre bébé ? Je sais, je sais... c'est de la folie quand on réfléchit à tous ses problèmes pendant sa dernière grossesse, d'autant qu'elle a déjà la quarantaine ; mais d'après Joe, elle a vraiment envie d'avoir un petit garçon. Ce que j'en pense ? Je crois que c'est Joe qui souhaite avoir un fils, et que Megan suit le mouvement... encore qu'avec ces deux-là on ne sache jamais, pas vrai ?

Depuis que Gabby était hospitalisée, il essayait de se comporter le plus naturellement du monde en sa présence. Comme ils discutaient sans cesse de leurs filles avant l'accident, ainsi que de leurs amis, il essayait toujours de parler d'eux quand il lui rendait visite. Il ignorait si elle l'entendait ; les médecins semblaient divisés à ce sujet. Certains juraient que les patients dans le coma pouvaient entendre – et éventuellement se rappeler – les conversations, d'autres affirmaient le contraire. Ne sachant trop lesquels croire, Travis choisissait néanmoins le camp des optimistes.

Pour cette même raison, après avoir jeté un coup d'œil à sa montre, il s'empara de la télécommande. Dans ses moments de liberté, quand elle ne travaillait pas, Gabby s'adonnait au plaisir coupable de regarder *Le Juge Judy*[1] à la télévision. Travis la taquinait toujours en la voyant se délecter de la bouffonnerie des malheureux qui se retrouvaient dans la salle d'audience du fameux magistrat.

– Je vais allumer la télé, d'accord ? Ton émission est presque finie, mais on doit pouvoir choper les dernières minutes.

L'instant d'après, le juge Judy braillait plus fort que le plaignant et l'accusé pour qu'ils ferment leur clapet... Une scène récurrente et prévisible à chaque diffusion.

– Elle tient la forme comme jamais, pas vrai ?

Quand l'émission s'acheva, Travis éteignit le téléviseur. Il envisagea d'approcher les fleurs, dans l'espoir de les faire sentir à Gabby. Il tenait à ce que ses sens soient toujours stimulés. La veille, il avait passé un petit moment à lui brosser les cheveux ; l'avant-veille, il lui avait apporté son parfum puis versé une goutte sur chaque poignet. Mais aujourd'hui, tout cela semblait au-dessus de ses forces.

---

1. Célèbre émission de télé-réalité américaine dans laquelle des citoyens demandent au juge Judith Sheindlin de trancher dans leurs conflits. *(N.d.T.)*

– Sinon, il n'y a pas grand-chose de nouveau, soupira-t-il.

Les mots lui paraissaient aussi dénués de sens qu'ils devaient l'être pour Gabby.

– Mon père continue de me remplacer à la clinique. Tu serais épatée de le voir se débrouiller avec les animaux, étant donné qu'il a pris sa retraite depuis pas mal de temps. C'est comme s'il n'avait jamais arrêté de travailler. Les gens l'adorent toujours autant, et je crois qu'il est ravi d'aller bosser. Pour ne rien te cacher, je pense qu'il n'aurait jamais dû partir en retraite.

Il entendit frapper à la porte et vit Gretchen entrer. Ce dernier mois, il avait fini par lui faire totalement confiance. Au contraire des autres infirmières, elle demeurait persuadée que Gabby referait surface ; elle la traitait donc comme si elle était consciente.

– 'Jour, Travis ! lança-t-elle gaiement. Désolée pour le dérangement, mais je dois poser une nouvelle perf.

Travis acquiesça, et elle s'approcha de Gabby :

– Je parie que vous mourez de faim, ma belle. Une petite seconde... Ensuite, je vous laisserai en tête à tête avec Travis. Vous savez que je n'aime pas interrompre mes deux tourtereaux.

Tout en s'affairant avec les poches de goutte-à-goutte, elle ne cessa de bavarder :

– Je sais que vous devez avoir mal partout après la séance d'exercices de ce matin. On a mis le paquet, pas vrai ? Comme dans ces pubs pour les clubs de gym. J'étais vraiment fière de vous, ma belle.

Chaque matin et chaque soir, une infirmière venait faire travailler les membres de Gabby, en procédant à des flexions et à des étirements. Elle lui pliait le genou, puis tendait sa jambe, fléchissait son pied, et ainsi de suite pour chaque articulation et chaque muscle du corps.

Après avoir remplacé la perfusion, Gretchen contrôla le débit, rajusta les draps et les oreillers, puis se tourna vers Travis.

– Et vous, vous tenez le coup ?

– J'en sais trop rien...

Gretchen parut regretter sa question.

– C'est gentil d'avoir apporté des fleurs, enchaîna-t-elle en désignant le lavabo d'un hochement de tête. Je suis sûre que Gabby apprécie.

– J'espère.

– Vous allez amener les filles ?

Travis ravala la boule qui lui obstruait la gorge.

– Pas aujourd'hui.

Gretchen se pinça les lèvres et acquiesça. L'instant d'après, elle avait disparu.

Douze semaines plus tôt, Gabby était arrivée sur une civière aux urgences, inconsciente, l'épaule déchiquetée et saignant en abondance. Les médecins se concentrèrent d'abord sur l'entaille, en raison de l'hémorragie, mais avec le recul Travis se demandait si une approche différente des premiers soins aurait changé la donne.

Il n'en savait rien et ne le saurait jamais. Tout comme Gabby, on l'avait transporté aux urgences ; comme elle, il avait passé la nuit totalement inconscient. Mais les similitudes s'arrêtaient là. Le lendemain, il se réveilla perclus de douleur, avec un bras abîmé, tandis que Gabby demeurait dans le coma.

Les médecins firent preuve de bienveillance, sans pour autant masquer leur inquiétude. On ne badinait pas avec les lésions cérébrales, affirmaient-ils, tout en ayant bon espoir que la blessure guérirait et que tout rentrerait dans l'ordre... avec le temps.

Travis s'interrogeait parfois sur l'aptitude des médecins à évaluer les effets du temps sur le plan affectif. Avaient-ils seulement conscience que le temps avait une certaine limite ? Il en doutait. Nul ne savait ce qu'il traversait et nul ne comprenait vraiment le choix qui se présentait à lui. A priori, c'était simple. Il allait exécuter à la lettre les volontés de Gabby, comme elle le lui avait fait promettre.

Mais si...

C'était là tout le problème. Il avait longuement réfléchi à la réalité de la situation, passé des nuits blanches à considérer la question. Il se demandait encore ce que l'amour signifiait réellement. Et dans le noir, il se tournait et se retournait entre les draps, espérant que quelqu'un pourrait décider à sa place. Toutefois, c'était une bataille qu'il livrait en solitaire, et la plupart du temps il s'éveillait le matin sur l'oreiller de Gabby, humide des larmes de son absence. Et les premières paroles qui s'échappaient de ses lèvres étaient toujours les mêmes.

« Je suis désolé, mon amour. »

La décision à laquelle Travis était désormais confronté trouvait son origine dans deux événements distincts. Le premier était lié à un couple : Kenneth et Eleanor Baker. Le second, à l'accident lui-même, survenu voilà trois mois, par une nuit où la pluie tombait à seaux et où le vent soufflait fort.

Facile à expliquer, l'accident ressemblait à de nombreux autres résultant de la convergence de plusieurs erreurs isolées et sans conséquences apparentes. À la mi-novembre, Travis et Gabby s'étaient rendus en voiture au complexe omnisport RBC de Raleigh pour assister au spectacle de

David Copperfield. Ils allaient voir le prestidigitateur une ou deux fois par an, ne serait-ce que pour profiter d'une soirée en amoureux. D'ordinaire, ils dînaient avant la représentation, mais ce soir-là fit exception à la règle. Travis était resté longtemps à la clinique, et ils quittèrent Beaufort sur le tard, si bien qu'ils arrivèrent juste avant le début du spectacle. Dans sa hâte, Travis avait oublié son parapluie, malgré les nuages menaçants et le vent qui se levait. *Première erreur...*

Ils apprécièrent le show du magicien, mais dans l'intervalle le temps avait empiré, et il pleuvait des cordes lorsqu'ils sortirent de la salle. Travis se revoyait en train d'attendre à l'entrée du complexe avec Gabby, tout en cherchant le meilleur moyen de rejoindre leur voiture. Ils tombèrent alors sur des amis qui avaient eux aussi assisté à la représentation, et Jeff proposa d'accompagner Travis jusqu'à son véhicule en l'abritant avec son parapluie. Mais Travis ne voulut pas le déranger et déclina l'offre. Il préféra filer sous les trombes d'eau, en pataugeant au passage dans d'énormes flaques, pour récupérer sa voiture. Lorsqu'il se mit au volant, il était trempé des pieds à la tête, surtout les pieds. *Deuxième erreur...*

Comme il se faisait tard et que tous deux travaillaient le lendemain, Travis roula vite, malgré le vent et la pluie, en essayant de gagner quelques minutes sur un trajet qui habituellement prenait deux heures et demie. Alors que la visibilité était mauvaise, il dépassa la vitesse autorisée et doubla des automobilistes plus prudents en raison des mauvaises conditions météo. *Troisième erreur...*

Gabby ne cessa de lui dire de ralentir ; il obtempéra à plusieurs reprises, pour accélérer ensuite de plus belle dès qu'il le put. Quand ils atteignirent Goldsboro, encore à une heure et demie de leur domicile, elle était si en colère qu'elle ne lui adressait plus la parole. La tête en arrière, elle ferma les yeux et se mura dans son mutisme, contrariée par la manière dont il la traitait. *Quatrième erreur...*

L'accident survint ensuite, mais Travis aurait pu l'éviter s'il n'avait pas cumulé les erreurs. S'il avait pris son parapluie ou accepté de se faire accompagner par son ami, Travis aurait gardé les pieds au sec. S'il n'avait pas roulé à toute vitesse, il aurait pu garder le contrôle de son véhicule. S'il avait écouté Gabby, ils ne se seraient pas disputés, et elle aurait pu l'empêcher de faire une fausse manœuvre en réagissant à temps.

Aux abords de Newport, la nationale décrivait une grande courbe et croisait une route secondaire signalée par un feu rouge. À ce stade du trajet – à moins de vingt minutes de la maison –, Travis avait des démangeaisons dans les pieds, qui le rendaient fou. Il portait des chaussures à lacets dont les nœuds s'étaient resserrés avec l'humidité, et il avait beau essayer de les retirer, le bout de l'une glissait toujours sur le talon de l'autre. N'en pouvant plus, Travis se pencha en avant, les yeux à peine au-dessus du tableau de bord, et tendit la main pour défaire le nœud d'un des souliers... mais il dut batailler et ne vit pas le feu passer à l'orange.

Impossible de défaire le nœud. Lorsqu'il y parvint enfin, il releva la tête mais... trop tard. Le feu venait de passer au rouge, et un camion s'engageait dans le carrefour. D'instinct, Travis écrasa la pédale de frein et la voiture fit un tête-à-queue sur la route glissante. Impossible de contrôler son véhicule. Au dernier moment, les pneus adhérèrent quand même au bitume et la voiture évita le camion, mais elle quitta la route et fonça dans les pins.

En dérapant dans la boue, Travis donna un coup de volant, mais cela ne servit à rien. L'espace de quelques secondes, la scène parut se dérouler au ralenti. Avant de perdre connaissance, il entendit l'horrible fracas du verre pulvérisé et de la tôle froissée.

Gabby n'eut même pas le temps de crier.

Travis écarta une mèche rebelle du front de Gabby et la lui ramena derrière l'oreille. Il entendit son ventre gronder, tenaillé par la faim, mais il ne pouvait supporter l'idée de s'alimenter. Il avait l'estomac noué en permanence, et les rares fois où il allait bien l'image de Gabby revenait le hanter.

L'ironie du sort voulait que Gabby ait un beau jour décidé de lui apprendre à manger de manière plus raffinée. C'était au cours de leur deuxième année de mariage, et elle commençait sans doute à se lasser de la nourriture fade qu'il privilégiait depuis longtemps. Travis aurait dû deviner que des changements s'opéraient quand elle commença à faire remarquer que les gaufres du samedi matin étaient délicieuses, ou que rien n'égalait un savoureux pot-au-feu maison par une froide journée d'hiver.

Jusque-là, Travis s'occupait des repas, mais petit à petit Gabby s'insinua dans la cuisine. Elle acheta deux ou trois livres de recettes, qu'elle se mit à feuilleter le soir, allongée sur le canapé, et Travis la voyait corner ici ou là un coin de page. De temps à autre, elle lui demandait si tel ou tel plat lui paraissait appétissant. Elle lui lisait alors la liste des ingrédients pour un jambalaya cajun [1] ou un émincé de veau au marsala, et si Travis affirmait toujours que cela avait l'air délicieux, le son de sa voix laissait supposer qu'il n'y tou-

1. Sorte de paëlla épicée, typique de la Louisiane, à base de riz, de crevettes, de chorizo, de jambon, de poivrons, d'oignons, de piment de Cayenne. *(N.d.T.)*

cherait sans doute pas si Gabby se hasardait à préparer le plat.

Néanmoins, Gabby n'était pas du genre à s'avouer vaincue, et elle commença par introduire de petites modifications. Elle concoctait des sauces au beurre, à la crème ou au vin, dont elle nappait sa part de poulet qu'il cuisinait presque tous les soirs. Gabby lui demandait simplement de humer l'arôme, et en général Travis devait bien admettre que c'était plutôt alléchant. Plus tard, elle commença à verser un peu de sauce dans son assiette à lui, qu'il souhaite ou non y goûter... Et peu à peu, à la grande surprise de Travis, il goûta et apprécia !

Pour leur troisième anniversaire de mariage, elle se lança dans un pain de viande à l'italienne, fourré à la mozzarella ; en guise de cadeau, Gabby lui demanda de le partager avec elle. Un an plus tard, il leur arrivait parfois de cuisiner à deux. Même si les petits déjeuners et les déjeuners façon Travis restaient toujours aussi peu novateurs, de même que la plupart de ses dîners, il dut reconnaître qu'il y avait quelque chose de romantique dans la préparation d'un repas en duo... et au fil des années ils s'y attelaient au moins deux fois par semaine. Souvent, Gabby prenait un verre de vin, et pendant qu'ils faisaient la cuisine, les filles devaient rester jouer sur la véranda, où trônait un magnifique tapis berbère couleur émeraude. Elles appelaient ça leur « séance de tapis vert ». Tout en émincant et en mélangeant les ingrédients, leurs parents discutaient tranquillement de leur journée, et Travis était ravi de prendre plaisir à une activité que Gabby lui avait fait découvrir.

Il se demandait à présent s'il aurait un jour l'occasion de cuisiner de nouveau en sa compagnie. Dans les premières semaines qui suivirent l'accident, la nervosité de Travis atteignait son comble, et il insistait pour que l'infirmière de nuit ait son numéro de mobile sous la main. Un mois plus tard, comme Gabby pouvait respirer sans l'aide d'un appareil, on lui fit quitter les soins intensifs pour l'installer dans une chambre privée, et Travis était persuadé que le changement l'arracherait à son coma. Mais à mesure que les journées s'écoulaient sans la moindre amélioration, sa frénésie maniaque du début céda bientôt la place à une angoisse sourde et lancinante qui se révéla pire. Gabby lui avait confié un jour que six semaines correspondaient à la date fatidique... à savoir qu'au-delà de cette limite les chances de sortir d'un coma accusaient une chute vertigineuse. Cependant, il gardait espoir. Il se disait que Gabby était une mère, une battante, et qu'elle se distinguait du lot. Six semaines s'écoulèrent encore... deux autres suivirent. Après trois mois, il savait que la plupart des patients dans le coma étaient placés en maison de santé pour des soins palliatifs à long terme. La date tombait aujourd'hui, et Travis était censé informer de sa décision l'administrateur de l'hôpital. Mais le choix qu'il devait affronter se révélait tout autre ; il était lié à Kenneth et Eleanor Baker, et même s'il ne pouvait en vouloir à Gabby d'avoir introduit ces deux personnes dans leur vie, Travis ne se sentait pas encore prêt à les évoquer.

– 18 –

Travis s'imaginait passer le reste de sa vie dans la maison qu'ils avaient fait construire. Malgré son aspect flambant neuf, dès le premier jour de leur emménagement elle donnait déjà l'impression d'être habitée. Sans doute parce que Gabby avait su créer un foyer où chacun se sentait à l'aise sitôt la porte d'entrée franchie.

Ce fut elle qui supervisa tous les petits détails ayant concouru à insuffler la vie à cette demeure. Pendant que Travis s'occupait du gros œuvre, de la répartition des pièces, des matériaux susceptibles de supporter l'humidité estivale et l'air marin, Gabby introduisit des éléments décoratifs éclectiques auxquels il n'aurait jamais songé. Alors que la maison était encore en construction, ils passèrent un jour en voiture devant une ferme en ruine, abandonnée de longue date, et Gabby insista pour qu'il s'y arrête. À l'époque, Travis avait déjà l'habitude des petites lubies de son épouse. Il accepta donc de se garer, et quelques instants plus tard ils franchissaient l'entrée délabrée de la demeure. Ils foulèrent des sols jonchés de saletés et ignorèrent la vigne *kudzu*[1] qui serpentait au travers des fissures et des

---

1. Plante grimpante et envahissante, originaire d'Extrême-Orient, introduite dès le XIXe siècle en Europe et aux États-Unis. *(N.d.T.)*

fenêtres brisées. Sur le mur du fond se dressait une cheminée maculée de crasse, dont Gabby avait dû deviner la présence, se dit alors Travis. Elle s'accroupit et passa la main sur les flancs de l'âtre et sous le manteau.

– Tu vois ces motifs ? dit-elle. Je pense qu'il s'agit de carreaux de faïence peints à la main. Il doit y en avoir une centaine, peut-être plus. Tu imagines comme ça devait être joli autrefois ?

Elle lui prit la main en ajoutant :

– On devrait en construire une dans ce genre-là.

Et leur maison évolua ainsi par petites touches. Ils ne se contentèrent pas de copier le style de la cheminée ; Gabby dénicha les propriétaires, alla frapper à leur porte, et réussit à les convaincre de leur céder la totalité de la cheminée moyennant une somme bien inférieure au coût de son nettoyage et de sa restauration. Elle souhaita ensuite de grandes poutres en chêne et un plafond voûté en pin au salon, lequel rappelait le pignon de la toiture. Les murs furent construits en crépi ou en brique, et parfois recouverts de textures colorées évoquant tantôt le cuir, tantôt de véritables œuvres d'art. Gabby passait de longs week-ends à chiner chez les antiquaires et les brocanteurs ; elle adorait les tapis, surtout ceux dans les tons vifs, qu'elle répartit généreusement dans toute la demeure.

Gabby n'en perdait pas pour autant son sens pratique. La cuisine, les chambres et les salles de bains étaient spacieuses, lumineuses et contemporaines, dotées de grandes baies vitrées avec des vues splendides ; celle des parents disposait d'une baignoire à pattes de lion et d'une douche vitrée. Gabby voulut un grand garage, avec beaucoup de place pour Travis. Certaine qu'ils passeraient beaucoup de temps sous le porche qui bordait la maison sur les quatre côtés, elle insista pour y installer un hamac et des rocking-chairs assortis, de même qu'un barbecue et un coin repas placé de telle manière que, même sous la tempête, ils puissent rester à l'abri. L'ensemble était si réussi que personne n'aurait su dire si la demeure offrait un meilleur confort à l'intérieur ou à l'extérieur. La première nuit qu'ils y dormirent, tandis qu'ils étaient couchés dans leur lit à baldaquin, Gabby se tourna vers Travis et, le visage rayonnant de bonheur, lui glissa à l'oreille :

– Avec toi à mes côtés, je n'ai plus envie de quitter cette maison.

Les filles avaient eu des problèmes, même si Travis n'en parlait pas à Gabby.

Rien de surprenant, bien sûr, mais la plupart du temps il se retrouvait pris au dépourvu. Plus d'une fois, Christine lui avait demandé si « maman rentrerait un jour à la maison ». Si Travis répondait toujours par l'affirmative, Christine paraissait en douter, sans doute parce que son père n'était pas si sûr de ce qu'il avançait. Les enfants ne manquaient pas de perspicacité, et à huit ans elle savait que le monde n'était pas aussi idyllique qu'elle l'imaginait autrefois.

C'était une enfant adorable aux yeux bleus pétillants, qui soignait sa coiffure et arborait toujours un nœud dans les cheveux. Par ailleurs, elle tenait à ce que sa chambre soit toujours impeccablement rangée et refusait de porter des vêtements non assortis. Quand quelque chose la contrariait, elle ne piquait pas une crise... jusqu'à ce que l'accident survienne. Depuis lors, elle se fâchait facilement, et les colères devenaient monnaie courante. La famille de Travis, y compris Stephanie, avait recommandé un soutien psychologique, et Christine et Lisa consultaient deux fois par semaine. Mais les crises semblaient empirer. Et la veille au soir, quand Christine alla se coucher, une pagaille monstre régnait dans sa chambre.

Lisa, toujours un peu menue pour son âge, était aussi rousse que Gabby et craignait tout comme elle le soleil. Elle traînait partout un vieux plaid en guise de doudou et suivait Christine comme un petit chien. Elle mettait des autocollants sur tous ses cahiers et rentrait souvent de l'école avec des bons points. Pourtant, Travis l'entendait parfois pleurer avant de s'endormir et devait se retenir pour ne pas l'imiter. Ces soirs-là, il montait dans la chambre des filles – depuis l'accident, elles souhaitaient dormir dans la même pièce – et s'allongeait à côté de la cadette en lui caressant les cheveux, tandis qu'elle murmurait « maman me manque » entre deux sanglots, la phrase la plus triste qu'il ait jamais entendue. La gorge nouée, il lui disait simplement : « Je sais. À moi aussi elle me manque. »

Pas un instant il ne s'imagina prendre la place de Gabby, et il n'essaya même pas ; sa femme avait laissé un grand vide derrière elle, et Travis ignorait comment le combler. À l'instar de nombreux parents, chacun possédait son domaine réservé en matière d'éducation. Il comprenait à présent que Gabby avait pris une plus grande part de responsabilité que lui, et il le regrettait. Il existait tant de choses que Travis ne savait pas faire, des choses qui paraissaient toutes simples quand Gabby s'en chargeait ! Des petits détails de la vie courante. Par exemple, il savait brosser les cheveux des filles, mais s'il lui fallait faire des nattes, il était loin de maîtriser la technique. De même, il ignorait à quel genre de yaourts Lisa faisait allusion lorsqu'elle réclamait « ceux avec la banane bleue dessus ». Quand arriva la saison des rhumes, il arpenta le rayon parapharmacie avec son Caddie et parcourut des yeux les rangées de sirops contre la toux, sans pouvoir se décider entre celui parfumé au raisin et celui parfumé à la cerise. Christine n'enfilait jamais les vêtements qu'il lui préparait. De même, il ignorait que Lisa aimait porter ses ballerines à paillettes le vendredi. Par ailleurs, il réalisa qu'avant l'accident il ne connaissait même pas les noms de leurs institutrices respectives, ni l'emplacement de leurs salles de classe dans l'école.

La période de Noël se révéla pénible pour Travis, alors que c'était la préférée de Gabby. Elle adorait décorer le sapin et la maison, préparer des cookies et affronter la bousculade des centres commerciaux, sans jamais se départir de son humour. Le soir, les filles mises au lit, elle sortait les cadeaux, tout excitée, et ils faisaient ensemble les paquets. Plus tard, il allait les cacher dans le grenier.

La joie ne régna pas au moment des fêtes. Travis fit de son mieux pour sauver les apparences. Il essaya d'imiter Gabby, mais ses efforts pour maintenir un sourire de circonstance l'épuisaient, d'autant que Christine et Lisa ne lui facilitèrent pas la tâche. Ce n'était pas leur faute, mais comment réagir quand les filles avaient noté « la guérison de maman » en tête de leur liste au Père Noël ? Une console de jeu ou une maison de poupée ne pouvaient guère la remplacer.

Depuis une quinzaine de jours, les choses s'amélioraient un peu. Christine piquait toujours ses crises, et Lisa s'endormait encore en pleurant le soir, mais toutes les deux s'adaptaient bon an mal an à la vie de famille sans leur mère. En rentrant de l'école, elles avaient perdu l'habitude de crier « Maman ! » en franchissant la porte ; lorsqu'elles trébuchaient et s'écorchaient le coude ou le genou, elles venaient automatiquement vers Travis pour qu'il leur pose un pansement. Dans un portrait de famille que Lisa dessina en classe, Travis eut un pincement au cœur en découvrant uniquement trois personnages... avant d'en entrevoir un quatrième, allongé, dans le coin de la feuille, comme si la petite l'avait ajouté au dernier moment. Désormais, les filles posaient moins de questions au sujet de leur mère, mais elles lui rendaient rarement visite. C'était dur pour elles d'aller à l'hôpital, car elles ne savaient pas quoi dire ni comment réagir. Travis les comprenait et essayait de les aider. « Parlez-lui simplement », leur disait-il. Les filles hasardaient alors une phrase ou deux, puis se taisaient, car leur mère ne répondait pas.

Quand elles allaient la voir, Travis s'arrangeait souvent pour qu'elles apportent quelque chose : un joli galet ramassé dans le jardin, un herbier ou une carte de prompt rétablissement qu'elles avaient elles-mêmes confectionnés. Mais leur attitude se révélait tout aussi lourde d'hésitations. Lisa posait le cadeau sur le ventre de Gabby, puis reculait ; un peu plus tard, elle l'approchait de la main de sa mère... avant de le ranger sur la table de chevet. Christine, en revanche, n'arrêtait pas de remuer. Elle s'asseyait sur le lit ou restait debout près de la fenêtre ; et pendant tout ce temps, elle observait sa mère attentivement sans dire un mot.

– Qu'as-tu fait de beau à l'école ? lui avait demandé Travis la dernière fois où elle était venue. Je suis certain que ça ferait plaisir à maman si tu lui racontais ta journée.

– Pourquoi ? répliqua Christine en le défiant d'un regard empreint de tristesse. Tu sais bien qu'elle peut pas m'entendre...

L'hôpital disposait d'une cafétéria au rez-de-chaussée, et Travis s'y rendait quasiment chaque jour, ne serait-ce que pour y trouver un peu de compagnie. Il arrivait en général vers midi, et depuis quelques semaines commençait à reconnaître les habitués. La plupart étaient des employés, mais il y avait une femme d'un certain âge qui semblait se trouver là chaque fois qu'il entrait dans la salle. Bien qu'il ne lui eût jamais parlé, il savait de la bouche de Gretchen qu'au moment de l'admission de Gabby le mari de cette dame était déjà en soins intensifs pour des complications dues à son diabète. Si bien que lorsque Travis la croisait à la cafétéria, il pensait toujours à son époux à l'étage. On pouvait sans peine imaginer le pire : un patient relié à une dizaine de machines, une interminable série d'opérations chirurgicales, des risques d'amputation... et un homme dont la vie ne tenait plus qu'à un fil. Tout cela ne le regardait pas, et Travis n'était même pas certain de vouloir discuter avec cette femme pour connaître la vérité, ne serait-ce que parce qu'il doutait de pouvoir lui témoigner un semblant de compassion. Il avait l'impression que ce sentiment l'avait déserté.

Pourtant il l'observait, curieux de ce qu'elle pourrait lui apprendre. Alors que Travis avait toujours ce nœud à l'estomac qui l'empêchait d'avaler plus de quelques bouchées, quel que fût le contenu de son assiette, non seulement la vieille dame finissait son plateau, mais elle semblait se régaler. Alors que lui trouvait impossible de se concentrer longtemps sur autre chose que sur ses propres besoins et sur l'existence quotidienne de ses filles, la femme lisait un roman tout en déjeunant, et plus d'une fois il l'avait surprise riant sous cape lors d'un passage du livre qui devait l'amuser. À l'inverse de Travis, elle conservait la faculté de sourire et en faisait volontiers profiter quiconque passait devant sa table.

Il crut parfois déceler dans cette gaieté une trace de solitude, même s'il s'en voulait d'imaginer quelque chose qui n'existait sans doute pas. Il ne pouvait s'empêcher de songer au couple qu'elle formait avec son mari hospitalisé. En raison de l'âge de la femme, Travis supposait qu'ils avaient dû fêter leurs noces d'argent, voire leurs noces d'or. Ils avaient probablement des enfants, même s'il ne les avait jamais vus. Son intuition s'arrêtait là. Il se demandait s'ils avaient été heureux, car elle paraissait accepter la maladie de son mari sans sourciller, alors que Travis traversait les couloirs de l'hôpital en craignant de s'effondrer au moindre faux pas.

Des tas de questions lui traversaient l'esprit : par exemple, est-ce que l'époux de cette vieille dame avait planté des rosiers pour lui faire plaisir ? Ce qu'avait fait Travis pour Gabby quand elle était enceinte de Christine. Il la revoyait assise dans le rocking-chair, une main sur son gros ventre, tandis qu'elle faisait observer que le jardin manquait de fleurs. En croisant son regard, Travis ne pouvait guère faire la sourde oreille, et même s'il avait les mains écorchées et le bout des doigts en sang lorsqu'il termina de les planter, les rosiers avaient éclos le jour de la naissance de Christine. Il en apporta d'ailleurs un bouquet à la maternité.

Le mari de cette vieille dame l'avait-il observée du coin de l'œil, comme Travis le faisait avec Gabby quand leurs filles s'amusaient sur les balançoires au parc ? Il adorait voir le visage de Gabby rayonner de fierté. Souvent, il lui prenait la main et croyait pouvoir la garder dans la sienne à jamais.

Le mari de cette vieille dame l'avait-il trouvée belle dès le réveil, même tout ébouriffée, comme Travis le disait de Gabby ? Parfois, malgré le tohu-bohu qui régnait chaque matin à la maison, ils restaient allongés dans les bras l'un de l'autre quelques minutes de plus, comme pour s'armer de courage avant la journée qui les attendait.

Travis ignorait si son couple avait eu de la chance. Il savait en revanche que sans la présence de Gabby il était complètement perdu, alors que d'autres personnes, comme la vieille dame de la cafétéria, trouvaient plus ou moins la force d'aller de l'avant. Il ne savait pas trop s'il devait l'admirer ou la plaindre. Il détournait toujours le regard lorsqu'elle le surprenait en train de l'observer.

Derrière lui, une famille entra dans la salle en bavardant, des ballons à la main ; à la caisse, il vit un jeune homme farfouiller dans ses poches en quête de monnaie. Travis repoussa son plateau, sentant la nausée l'envahir. Il n'avait mangé que la moitié de son sandwich. Il hésita à l'emporter avec lui dans la chambre, tout en sachant qu'il ne le finirait pas, de toute manière. Il se tourna vers la fenêtre.

La cafétéria donnait sur un petit coin de verdure, et Travis constata que le printemps n'allait plus tarder, imaginant les minuscules bourgeons qui se formaient déjà sur les cornouillers. Ces trois derniers mois, il avait vu toutes sortes de temps par cette baie vitrée. Il avait regardé la pluie, le soleil, et les pins à distance se courber sous la violence du vent. Trois semaines plus tôt, il avait assisté à une averse de grêle, aussitôt suivie par un superbe arc-en-ciel encadrant les buissons d'azalées. Les couleurs se révélaient si vives qu'il crut que la nature lui envoyait un signe... Si après la pluie venait le beau temps, la joie pouvait toujours remplacer le désespoir. Cependant, l'arc-en-ciel disparut en quelques instants, la grêle retomba de plus belle... et Travis comprit que le bonheur n'était parfois qu'une illusion.

– 19 –

À la mi-journée, tandis que les nuages envahissaient le ciel, la séance de l'après-midi allait bientôt débuter pour Gabby. Elle avait accompli ses exercices du matin, et une infirmière viendrait plus tard pour ceux du soir, mais un jour Travis avait demandé à Gretchen s'il pouvait intercaler une autre séance.

– Ça lui plairait, je pense, avait répondu Gretchen.

Elle lui fit alors répéter tous les mouvements, en veillant à ce qu'il comprenne bien que chaque muscle et chaque articulation méritaient son attention. Si Gretchen et les autres infirmières attaquaient toujours par les doigts de Gabby, Travis soulevait le drap et commençait par ses orteils en les fléchissant l'un après l'autre.

À la longue, il finit par apprécier ces séances. Le contact de la peau de Gabby ravivait en lui une multitude de souvenirs : lorsqu'il lui frictionnait les pieds quand elle était enceinte, ou lui massait le dos aux huiles essentielles, à la lueur des bougies, et qu'elle semblait ronronner d'aise comme un chat. S'il regrettait de ne plus pouvoir discuter avec elle, le simple fait de la toucher lui manquait plus que tout au monde. Il avait mis plus d'un mois avant de demander à Gretchen la permission de participer aux exercices d'assouplissement, et à cette période, chaque fois qu'il caressait Gabby, il avait presque l'impression de profiter de son coma. Même s'ils étaient mariés, cela restait à ses yeux un geste sans réciprocité et un manque de respect envers la femme qu'il adorait.

Mais ces gestes-là...

Elle en avait besoin. Ils lui étaient indispensables. Sinon ses muscles s'atrophieraient, et même si elle se réveillait – quand elle se réveillerait, rectifia-t-il –, elle se retrouverait clouée au lit en permanence. Voilà en tout cas ce qu'il se disait. À vrai dire, Travis savait qu'il en avait lui aussi besoin, ne serait-ce que pour sentir la chaleur de la peau de Gabby ou son pouls battre doucement à son poignet. Dans ces moments-là, il était plus que jamais persuadé qu'elle referait surface, que son corps se rétablissait peu à peu.

Quand il en eut fini avec les orteils, il remonta vers les chevilles, puis il lui plia ses genoux en les ramenant vers sa poitrine, avant d'étirer ses jambes. Avant l'accident, lorsqu'elle était allongée sur le canapé et feuilletait un magazine, Gabby étirait parfois la jambe de la même façon. Un peu comme une danseuse, avec la même grâce.

– Est-ce que ça te fait du bien, mon amour ?

Un bien immense. Merci. Je me sentais engourdie.

Travis savait qu'il imaginait la réponse, que Gabby n'avait pas remué. Mais sa voix paraissait résonner de nulle part à chaque séance. Au point qu'il se demandait parfois s'il ne devenait pas fou.

– Comment tu te sens, ma chérie ?

Pour ne rien te cacher, je m'ennuie à mourir. Merci pour les fleurs, au fait. Elles sont magnifiques. Tu les as achetées chez Frick ?

– Où veux-tu que j'aille, sinon ?

Comment vont les filles ? Dis-moi la vérité, cette fois.

Travis passa à l'autre genou.

– Elles vont bien. Tu leur manques, évidemment, et c'est dur pour elles. Certains jours je ne sais pas quoi faire.

Tu fais de ton mieux, non ? Ce n'est pas ce qu'on se disait mutuellement ?

– Tu as raison.

Alors je n'en attends pas davantage. Et tout se passera bien pour elles. Elles sont plus solides qu'en apparence.

– Je sais. Elles tiennent de toi.

Travis imagina que Gabby le détaillait du regard, déconcertée.

Tu as maigri. Trop maigri.

– Je ne mange pas beaucoup, ces temps-ci.

Tu m'inquiètes. Tu dois prendre soin de toi. Pour les filles. Pour moi.

– Je serai toujours là à tes côtés.

Je sais. C'est ce qui m'inquiète aussi. Tu te souviens de Kenneth et Eleanor Baker ?

Travis interrompit son geste.

– Oui.

Alors tu vois où je veux en venir.

Il soupira et reprit son mouvement.

– Oui.

Dans son esprit, le ton de la voix de Gabby s'adoucit.

Tu te rappelles quand tu nous as tous emmenés camper dans la montagne, l'an dernier ? Comme tu nous avais promis, aux filles et à moi, qu'on adorerait ça ?

Il entreprit d'assouplir ses doigts et ses bras.

– Pourquoi tu y penses tout à coup ?

Ici, tu sais, j'ai le temps de réfléchir à des tas de trucs. Qu'est-ce que je peux faire d'autre ? Quoi qu'il en soit, tu te rappelles qu'en arrivant sur place on ne s'est même pas donné la peine de monter la tente ? On a plus ou moins déchargé la voiture, alors qu'on entendait gronder le tonnerre au loin... Tout ça parce que tu voulais nous montrer le lac. Et même que tu nous as fait crapahuter pendant huit cents mètres pour le voir... et juste au moment où on atteignait la rive, il s'est mis à tomber des cordes, tu te souviens ? On aurait dit qu'on se trouvait sous un tuyau d'arrosage géant. Et le temps de retourner au campement, toutes nos affaires étaient trempées. J'étais en rogne après toi et je t'ai obligé à nous payer l'hôtel.

– Je me souviens, en effet.

Je m'en veux, car je n'aurais pas dû me mettre dans une telle rage. Même si tu avais tort.

– Pourquoi c'est toujours ma faute ?

Il imagina qu'elle lui faisait un clin d'œil en secouant la tête.

Parce que tu ne le prends jamais mal quand je te le dis.

Il se pencha et l'embrassa sur le front.

– Tu me manques tellement...

Toi aussi, tu me manques.

Sa gorge se serra tandis qu'il achevait la série d'exercices, sachant que la voix de Gabby finirait comme toujours par se taire. Il approcha son visage :

– N'oublie pas que tu dois te réveiller, hein ? Les filles ont besoin de toi. Et moi aussi.

Je sais. J'essaye.

– Faut que tu te dépêches.

Elle ne dit rien, et Travis sut qu'il était allé trop loin.

– Je t'aime, Gabby.

Je t'aime aussi.

– Qu'est-ce qui te ferait plaisir ? Tu veux que je baisse les stores ? Que je t'apporte quelque chose de la maison ?

Tu veux rester un peu plus longtemps ? Je suis très fatiguée.

– Bien sûr.

Et me tenir la main ?

Il hocha la tête et remonta le drap pour la recouvrir. Il s'installa dans le fauteuil près du lit et lui prit la main, tout en la caressant légèrement de son pouce. À l'extérieur, le pigeon était réapparu, et derrière lui de gros nuages se déplaçaient dans le ciel et se métamorphosaient en images d'un autre monde. Travis adorait son épouse mais détestait la tournure prise par leur vie de couple, tout en se reprochant de penser une chose aussi horrible. Il lui embrassa les doigts un à un et porta la main de Gabby à sa joue. Il la tint ainsi contre lui et sentit sa chaleur, dans l'espoir d'un mouvement, même le plus infime. Comme rien ne se produisait, il éloigna la main, sans remarquer que le pigeon semblait l'observer.

Eleanor Baker était une femme au foyer de trente-huit ans et mère de deux garçons qu'elle aimait beaucoup. Huit ans plus tôt, on l'avait transportée aux urgences, car elle vomissait et se plaignait d'une douleur atroce à la nuque. Gabby, qui remplaçait alors une collègue, était par hasard de service ce jour-là, mais elle ne soigna pas Eleanor. La femme fut admise à l'hôpital, et Gabby n'en sut rien jusqu'au lundi suivant, quand elle découvrit qu'on avait placé Eleanor aux soins intensifs. « En gros, elle s'est endormie et ne s'est plus réveillée », lui confia une infirmière.

Son coma résultait d'un sérieux cas de méningite virale.

Kenneth, son mari, professeur d'histoire au lycée de Carteret Est, que tout le monde trouvait chaleureux et sympathique, passait ses journées à l'hôpital. Avec le temps, Gabby fit sa connaissance et discuta avec lui. Il adorait sa femme et ses enfants, et soignait toujours sa tenue quand il lui rendait visite. C'était un fervent catholique, et Gabby le surprenait souvent en train de réciter son chapelet au chevet de son épouse. Leurs garçons s'appelaient Matthew et Mark.

Travis apprit tout cela de la bouche de Gabby, qui lui en parlait après son travail. Pas au début, mais plus tard, quand Kenneth et elle devinrent plus ou moins amis. Gabby se demandait comment il pouvait continuer à venir chaque jour et ce qui pouvait bien lui traverser l'esprit lorsqu'il restait assis en silence auprès de sa femme.

– Il a l'air si triste, dit-elle à Travis.

– Parce qu'il l'est, pardi. À force de voir sa femme dans le coma.

– Mais il vient tout le temps. Et ses gamins, alors ?

Les semaines puis les mois passèrent... et l'on finit par transférer Eleanor Baker en maison de repos. De mois en mois, une année s'écoula, puis une autre. Gabby aurait pu oublier Eleanor Baker... si Kenneth Baker n'avait pas fréquenté le même supermarché qu'elle. Il leur arrivait de s'y croiser, et la conversation s'orientait toujours sur l'état de santé d'Eleanor. Toujours stationnaire.

D'année en année, alors qu'ils continuaient à se croiser, Gabby remarqua toutefois un changement dans le comportement de Kenneth. « Eleanor s'accroche », disait-il toujours d'un air désinvolte, en guise d'entrée en matière. Mais la lumière qui brillait autrefois dans son regard avait disparu, et l'amour semblait avoir cédé la place à une forme d'apathie. En deux ou trois ans, ses cheveux bruns étaient devenus poivre et sel, et lui avait tant maigri qu'il flottait dans ses vêtements.

Qu'elle pousse son Caddie au rayon des céréales ou des surgelés, c'était comme si Gabby ne pouvait l'éviter, et Kenneth avait besoin de se confier à elle. Chaque fois qu'il la rencontrait, il lui annonçait un événement atroce : la perte de son emploi, de sa maison, ses malheurs avec ses fils dont il était pressé de se débarrasser, l'aîné qui n'allait plus au lycée, le cadet encore arrêté pour trafic de drogue.

« Encore. » Gabby insista sur ce mot en rapportant la conversation à Travis. Elle ajouta qu'elle était quasi certaine que Kenneth avait bu lorsqu'elle l'avait croisé.

– Je le plains tellement, avoua-t-elle.

– Je m'en doute, dit Travis.

Elle réfléchit un instant, puis :

– Parfois, je me dis qu'il aurait peut-être mieux valu que sa femme ne survive pas.

Travis regardait par la fenêtre en songeant à Kenneth et Eleanor Baker. Il ignorait si elle séjournait encore en maison de repos, si elle était toujours en vie. Depuis l'accident, il repensait sans cesse à ces conversations et à ce que Gabby lui avait dit. Si bien qu'il se demandait si Eleanor et Kenneth Baker n'avaient pas fait irruption dans leur vie dans un but précis. Combien de gens connaissaient une personne dans le coma, après tout ? Cela semblait presque... invraisemblable, comme si ça relevait de la science-fiction.

Mais Gabby travaillait à l'hôpital, alors pour quelle raison les Baker étaient-ils entrés dans leur vie ? Pour prévenir Travis d'un malheur qui le guettait ? À savoir que ses filles risquaient aussi de s'éloigner du droit chemin ? Ces pensées le terrifiaient, et il s'assurait toujours d'être à la maison quand Christine et Lisa rentraient de l'école. De même qu'il les emmenait souvent aux Busch Gardens, le parc à thème, pendant les vacances, ou autorisait Christine à passer la nuit chez sa meilleure amie. Il se levait chaque matin en se disant que, même si elles rechignaient à obéir – et c'était normal –, elles devaient se comporter correctement en classe et à la maison, sinon, toutes les deux étaient consignées dans leur chambre toute la soirée. Parce que Gabby aurait agi ainsi.

Ses beaux-parents le trouvaient parfois un peu trop sévère. Comment s'en étonner ? Sa belle-mère, en particulier, s'érigeait toujours en juge. Alors que Gabby pouvait bavarder une bonne heure au téléphone avec son père, elle ne s'éternisait jamais avec sa mère. Au début, Travis et Gabby passaient les jours fériés à Savannah, et sa femme en revenait toujours stressée ; après la naissance des filles, Gabby annonça à ses parents qu'elle souhaitait lancer ses propres traditions familiales pour les fêtes et qu'ils étaient les bienvenus à Beaufort. Mais ils ne se déplacèrent jamais.

Après l'accident, néanmoins, ils s'installèrent dans un hôtel de Morehead City afin de se rapprocher de leur fille, et pendant le premier mois Travis et eux rendirent visite ensemble à Gabby. S'ils ne tenaient pas leur gendre pour fautif, Travis sentait qu'ils gardaient leurs distances. Lorsqu'ils passaient du temps en compagnie de leurs petites-filles, c'était toujours à l'extérieur – pour leur offrir une glace ou une pizza –, et ils restaient rarement plus de quelques minutes à la maison.

Avec le temps, ils retournèrent à Savannah, et à présent ils venaient parfois le week-end. Auquel cas Travis tâchait d'éviter l'hôpital. Selon lui, ils avaient besoin de se retrouver seuls avec leur fille, et c'était en partie vrai. En revanche, il refusait d'admettre que leur présence lui rappelait en permanence, même sans le vouloir, qu'il était responsable de l'état de Gabby.

Ses amies avaient réagi comme il s'y attendait. Pendant les six premières semaines, Allison, Megan et Liz lui préparaient à dîner à tour de rôle. Avec le temps elles étaient devenues si proches de Gabby que Travis songeait parfois que c'était à lui de leur remonter le moral. Un sourire timide sur les lèvres et les yeux rouges, elles arrivaient à la maison avec des Tupperware remplis à ras bord de lasagnes, de ragoût, de légumes ou de desserts de toutes sortes. Chaque fois elles précisaient qu'elles avaient remplacé la viande rouge par de la volaille, pour s'assurer que Travis en mangerait.

Elles se montraient très douées avec les petites. Au début, elles avaient coutume de les prendre dans les bras quand elles pleuraient, et Christine s'attacha en particulier à Liz, qui lui tressait ses nattes, l'aidait à confectionner ses bracelets en perles, et passait une bonne demi-heure avec elle à jouer au ballon. Dans la maison, elles se mettaient à chuchoter dès que Travis quittait la pièce. Il se demandait ce qu'elles pouvaient bien se raconter. Connaissant Liz, il se doutait qu'elle le lui dirait si c'était grave... mais elle affirmait en général que Christine avait simplement envie de discuter « entre filles ». À la longue, il se réjouit de sa présence, tout en étant un peu jaloux de sa relation privilégiée avec Christine.

Lisa, pour sa part, se rapprocha de Megan. Toutes les deux faisaient des coloriages dans la cuisine ou regardaient la télévision ; quelquefois, Travis voyait sa cadette se pelotonner contre Megan, comme si c'était Gabby. L'espace d'un instant, on aurait dit une mère et sa fille, et Travis avait l'impression de voir sa famille de nouveau réunie.

Quant à Allison, elle veillait à ce que les petites comprennent qu'en dépit de leur tristesse elles devaient assumer leurs responsabilités. Ainsi, elle les aidait pour les devoirs, mais leur rappelait toujours qu'elles devaient ranger leur chambre et déposer assiettes et couverts dans l'évier après le repas. Elle se montrait gentille mais ferme, et si ses filles évitaient parfois leurs petites corvées les soirs où Allison ne venait pas, cela se produisait moins fréquemment qu'il ne l'aurait cru. Inconsciemment, Christine et Lisa semblaient se rendre compte qu'elles avaient besoin d'être encadrées, et Allison remplissait à merveille cette fonction.

Entre ses amies et sa mère, qui venait à la maison chaque après-midi et la plupart des week-ends, Travis se retrouva rarement seul avec ses filles dans la période qui suivit l'accident, et ces femmes jouèrent avec lui le rôle de parents. Il en avait besoin, car il peinait pour s'extirper du lit chaque matin et était au bord des larmes la plupart du temps. Sa culpabilité lui pesait, et pas seulement à cause de l'accident. Il ne savait jamais comment agir pour le mieux. Quand il était à l'hôpital, il regrettait de ne pas être à la maison avec les petites, et lorsqu'il était en leur compagnie, il aurait aimé être au chevet de Gabby.

Après six semaines, à force de jeter le surplus de nourriture à la poubelle, Travis annonça enfin à ses amies que si elles restaient les bienvenues chez lui, il n'avait plus besoin de leurs plats préparés. Pas plus qu'il ne souhaitait leur présence quotidienne. À ce stade, conscient de la manière dont Kenneth Baker avait évolué, Travis savait qu'il devait reprendre le contrôle de sa vie. Redevenir le père qu'il était auparavant, à l'image de celui que Gabby souhaitait, et peu à peu il y parvint. Non pas du jour au lendemain, certes, mais si Christine et Lisa souffraient quelquefois de l'absence des amies de Travis ou de sa mère, il compensait largement ce manque par l'attention constante qu'il leur portait à nouveau. Tout n'était pas redevenu comme avant, mais, après trois mois, leur vie se déroulait aujourd'hui aussi normalement qu'il pouvait l'espérer. En reprenant ses responsabilités de père, Travis se disait parfois qu'il s'était lui-même sauvé d'un mauvais pas.

Depuis l'accident, en revanche, il lui restait peu de temps à consacrer à Joe, Matt et Laird. S'ils passaient boire une bière à l'occasion, les petites mises au lit, leur conversation se limitait plus ou moins à un échange de banalités, et tout ce qu'ils lui disaient donnait l'impression de... sonner faux. Lorsqu'ils lui demandaient des nouvelles de Gabby, Travis n'était pas d'humeur à leur répondre. Quand ils tentaient de parler d'autre chose, il se demandait pourquoi ils semblaient éviter le sujet. Il savait qu'il se montrait injuste envers eux, mais il était toujours frappé par les différences entre leur vie et la sienne. En dépit de leur sympathie et de leur gentillesse à son égard, Travis se disait chaque fois que Joe rejoindrait Megan dans une heure ou deux, et qu'ils discuteraient tranquillement l'un contre l'autre dans le même lit ; quand Matt posait la main sur son épaule, il se demandait si Liz appréciait qu'il soit passé le voir et si elle n'avait pas besoin de lui à la maison. Il en allait de même avec Laird, et malgré lui Travis se montrait désagréable en leur présence, sans vraiment pouvoir l'expliquer. Alors qu'il était contraint de vivre en permanence une situation insupportable, ses amis pouvaient facilement s'évader de leurs petits soucis quotidiens, et cette injustice le mettait en rage. Il les enviait et savait qu'avec la meilleure volonté du monde ils ne parviendraient jamais à se mettre à sa place. Travis s'en voulait de sa jalousie et essayait de masquer sa rage, tout en ayant le sentiment que ses amis se rendaient bien compte que les choses avaient changé, même s'ils ne pouvaient définir de quelle manière. À la longue, ils vinrent le voir moins souvent, et leurs visites ne s'éternisaient pas. Il se reprochait ce fossé qu'il avait creusé entre eux et lui, mais ne savait comment le combler.

Dans ses moments de tranquillité, il prit le temps de s'interroger sur sa colère envers ses amis, alors qu'il n'éprouvait que de la gratitude envers leurs épouses. Assis sur la véranda, il réfléchissait à tout cela... et la semaine précédente, un soir qu'il contemplait la lune, il accepta enfin ce qu'il savait depuis le début. À savoir que si Megan, Allison et Liz le soutenaient en s'occupant de ses filles, Joe, Matt et Laird concentraient tous leurs efforts sur lui. Ses filles méritaient qu'on s'occupe d'elles.

Lui, au contraire, méritait d'être puni.

– 20 –

Assis au chevet de Gabby, Travis jeta un coup d'œil à sa montre. Elle indiquerait bientôt 14 h 30, et il devrait se préparer à lui dire au revoir s'il voulait être rentré à la maison quand les petites sortiraient de l'école. Mais Christine allait chez une copine, et Lisa se rendait à un goûter d'anniversaire, si bien que l'une comme l'autre ne seraient pas de retour avant le dîner. Heureusement que ses filles avaient des projets, car il lui fallait rester plus longtemps aujourd'hui. Il devait rencontrer le neurologue et l'administrateur de l'hôpital.

Travis savait de quoi il serait question, et se doutait que ses deux interlocuteurs adopteraient à coup sûr un mode compassionnel à grand renfort de phrases rassurantes et posées. Le neurologue lui annoncerait que, l'établissement ne pouvant plus rien faire pour Gabby, elle allait être transférée dans une maison de repos. Il préciserait qu'en raison de son état stationnaire le risque demeurait minime, d'autant qu'un médecin viendrait l'ausculter chaque semaine. Par ailleurs, il dirait à Travis que le personnel de la maison de santé serait tout à fait capable de fournir à Gabby les soins quotidiens qui lui étaient nécessaires. S'il protestait, l'administrateur prendrait probablement la parole en observant qu'à moins d'être en réanimation leur assurance-santé ne couvrait qu'une hospitalisation de trois mois. Il risquait même d'ajouter que, dans la mesure où son établissement était destiné aux malades du comté, celui-ci manquait de place pour la garder à long terme, même si elle y avait autrefois travaillé. Bref, Travis ne pouvait guère s'opposer au transfert. Pour l'essentiel, le médecin et le directeur feraient donc front commun et veilleraient à obtenir gain de cause.

Toutefois, ni l'un ni l'autre n'avaient conscience que la décision n'était pas aussi simple. Tant que Gabby restait à l'hôpital, on pouvait toujours supposer qu'elle se réveillerait bientôt, car c'était l'endroit où l'on soignait en principe les patients en coma temporaire. Ils avaient besoin de médecins et d'infirmières à proximité, susceptibles de déceler toute amélioration éventuelle de son état. Alors qu'en la plaçant en maison de santé, on sous-entendait que Gabby ne se réveillerait jamais. Travis n'était pas prêt à l'accepter, mais tout portait à croire qu'on ne lui laissait guère le choix.

Gabby, en revanche, avait le choix, et en fin de compte sa décision à lui ne dépendrait pas des propos tenus par le neurologue ou par l'administrateur. Il se déciderait en fonction de que Gabby souhaitait, selon lui.

De l'autre côté de la fenêtre, le pigeon avait disparu. Rendait-il visite à d'autres patients, tel un médecin faisant sa tournée ? Auquel cas les malades le remarquaient-ils comme Travis ?

– Désolé d'avoir pleuré tout à l'heure, murmura Travis en regardant la poitrine de Gabby frémir au rythme de sa respiration. C'était plus fort que moi.

Il ne pensait pas entendre sa voix cette fois-ci. Cela n'arrivait qu'une fois par jour.

– Tu sais ce qui me plaît chez toi, en dehors de tout le reste ? dit-il en souriant malgré lui. J'aime ton comportement avec Molly. Elle va bien, à propos. Elle a toujours les hanches solides et aime bien s'allonger dans les hautes herbes chaque fois que l'occasion se présente. Lorsque je la vois faire ça, je repense à nos premières années de vie de couple. Tu te souviens quand on promenait les chiens sur la plage ? Quand on partait de bonne heure pour pouvoir leur ôter la laisse et les laisser galoper en toute liberté ? C'étaient toujours des matins tellement... reposants. J'adorais te voir rire quand tu pourchassais Molly pour lui taper sur l'arrière-train et qu'elle te faisait tourner en rond. Ça la rendait folle et elle guettait ta prochaine attaque, langue pendante, avec cette lueur dans les yeux...

Il s'interrompit et constata avec surprise que le pigeon était revenu. *Il doit aimer m'écouter parler*, décida Travis.

– D'ailleurs, c'est comme ça que j'ai compris que tu serais géniale avec les gosses. Vu ta façon de jouer avec Molly. Même la toute première fois où on s'est rencontrés...

Il secoua la tête tandis que les souvenirs refaisaient surface.

– Crois-le ou non, je n'ai jamais regretté de te voir débouler comme une furie ce soir-là, et pas seulement parce que ça s'est terminé par un mariage. On aurait dit une mère louve, toutes griffes dehors, protégeant son louveteau. On ne peut pas se mettre dans une telle colère si on n'est pas capable d'aimer de toute son âme, et après t'avoir observée avec Molly – l'attention que tu lui portais, ton inquiétude, et le fait que tu sois sa meilleure camarade de jeux –, j'ai su que tu te comporterais de la même manière avec tes gamins.

Il promena son doigt le long du bras de Gabby.

– Tu sais combien ça compte à mes yeux ? De savoir à quel point tu aimes nos filles ? Tu n'imagines pas tout le réconfort que ça m'a procuré au fil des années.

Il se pencha pour lui glisser à l'oreille :

– Je t'aime, Gabby, plus que tu ne le sauras jamais. Tu représentes tout ce que j'ai souhaité chez une femme. Mes espoirs et mes rêves les plus fous... et tu m'as rendu plus heureux que n'importe quel homme. Je ne veux pas abandonner ce bonheur-là. Je ne peux pas. Tu comprends ?

Il attendit une réaction, mais aucune ne se produisit. Il ne se passait jamais rien, comme si Dieu lui disait que son amour ne suffisait pas. Tandis qu'il contemplait Gabby, il se sentit soudain très vieux et très fatigué... Très seul aussi, comme séparé de sa femme, sachant qu'il était un époux dont l'amour l'avait plus ou moins trahi.

– Je t'en prie, chuchota-t-il. Tu dois te réveiller, mon cœur. S'il te plaît... Le temps presse, tu sais.

– Salut ! lança Stephanie.

Son look décontracté, jean et tee-shirt, ne pouvait laisser deviner la grande professionnelle qu'elle était devenue. Chef de projet senior d'une société de biotechnologie en plein essor, elle vivait à Chapel Hill, mais, ces trois derniers mois, elle passait trois ou quatre jours par semaine à Beaufort. Depuis l'accident, c'était l'unique personne avec laquelle Travis pouvait vraiment parler. Elle seule connaissait tous ses secrets.

– Salut, dit-il.

Elle traversa la chambre et se pencha au-dessus du lit pour embrasser sa belle-sœur sur la joue.

– 'Jour, Gabby. Ça roule ?

Travis adorait sa manière de se comporter avec elle. À part lui, c'était aussi la seule personne toujours à l'aise en présence de Gabby.

Stephanie rapprocha un fauteuil pour s'installer auprès de lui.

– Et toi, frérot, comment ça va ?

– On fait aller.

Elle le regarda des pieds à la tête :

– T'as une gueule de déterré.

– Merci, trop aimable.

– Tu manges pas assez, répliqua-t-elle en sortant de son sac un paquet de cacahuètes qu'elle lui tendit. Tiens, régale-toi !

– J'ai pas faim. Je viens de déjeuner.

– Beaucoup ?

– Suffisamment.

– Fais-moi plaisir, d'accord ?

Elle déchira le sachet avec ses dents, avant d'ajouter :

– Mange ça et je te promets de la boucler et de ne plus t'embêter.

– Tu dis ça à chaque fois.

– Parce que t'as toujours cette mine atroce. Et je parie qu'elle t'a fait la même remarque, non ? dit-elle en désignant Gabby d'un hochement de tête.

Stephanie n'avait jamais remis en question le fait qu'il prétendait entendre la voix de Gabby ; en tout cas, ça ne semblait pas la déranger.

– Ouais, en effet.

Elle lui flanqua le paquet sous le nez.

– Alors mange ces cacahuètes.

Travis l'accepta et le posa sur ses genoux.

– Maintenant, mets-en quelques-unes dans la bouche. Ensuite, mâche et avale.

Il croyait entendre leur mère.

– On ne t'a jamais dit que tu insistais parfois un peu trop lourdement ?

– Tous les jours. Et crois-moi, t'as besoin de quelqu'un

qui te bouscule. T'as vraiment de la veine que je sois ta sœur. En fait, je suis un don du ciel pour toi.

Pour la première fois de la journée, il éclata d'un rire franc.

– On peut voir ça sous cet angle, oui.

Il glissa une petite poignée de cacahuètes dans sa bouche et commença à mastiquer.

– Comment ça se passe entre Brett et toi ?

Stephanie sortait avec Brett Whitney depuis deux ans. C'était l'un des meilleurs gestionnaires de fonds spéculatifs du pays. Séduisant, immensément riche et considéré comme le plus beau parti de la région.

– Ça suit son cours.

– Il y a de l'eau dans le gaz ?

– Il m'a encore demandée en mariage.

– Et tu as répondu quoi ?

– La même chose que la dernière fois.

– Il l'a pris comment ?

– Bien. Oh, bien sûr, il m'a encore fait le numéro du type blessé dans son amour-propre, mais il est redevenu normal deux ou trois jours après. On a passé le week-end dernier à New York.

– Pourquoi tu ne l'épouses pas tout simplement ?

– J'y viendrai sans doute, dit-elle avec un haussement d'épaules.

– Tiens, c'est nouveau. Tu pourrais peut-être avoir envie de dire oui quand il te posera la question.

– Pourquoi ? Il remettra ça plus tard, de toute façon.

– Tu as l'air bien sûre de toi.

– Exact. Et je répondrai oui quand je serai vraiment certaine qu'il veut m'épouser.

– Il te l'a déjà proposé trois fois. Ça ne te suffit pas ?

– C'est ce qu'il croit vouloir. Brett est le genre de gars

qui aime bien se lancer des défis, et en ce moment je suis son défi. Tant que je le reste, il continuera à me poser la question. Et quand je saurai qu'il est réellement prêt, je dirai oui.

– Je ne sais pas trop si...

– Crois-moi, je connais les hommes et je sais que je ne les laisse pas indifférents, dit-elle, le regard espiègle. Il a bien compris que j'ai pas besoin de lui, et ça le rend dingue.

– Exact, admit-il. Tu es parfaitement indépendante, ça ne fait aucun doute.

– Sinon, histoire de changer de sujet, quand est-ce que tu reprends le boulot ?

– Bientôt, marmonna Travis.

Elle plongea la main dans le sachet de cacahuètes et en grignota quelques-unes

– À toutes fins utiles, je te rappelle que papa n'est plus tout jeune.

– Je sais.

– Alors... tu t'y remets la semaine prochaine ?

Comme son frère ne répondait pas, Stephanie croisa les bras et reprit :

– Bon, voilà ce qui va se passer, puisque à l'évidence tu ne t'es pas décidé. Tu vas commencer par te montrer à la clinique vétérinaire, en tâchant d'y rester chaque jour au moins jusqu'à 13 heures. Ce sont tes nouveaux horaires. Et puis tu peux fermer le vendredi à midi. Comme ça, papa assure la permanence quatre après-midi d'affilée.

Il lui décocha un regard oblique.

– Je vois que tu as pris le temps de réfléchir à la question.

– Faut bien que quelqu'un s'en charge. Et puis tu sais que c'est pas seulement pour papa. T'as aussi besoin de retourner bosser.

– Et si je ne me sens pas prêt ?

– C'est dommage, mais tu dois le faire. Ne serait-ce que pour Christine et Lisa.

– De quoi tu parles ?

– De tes filles. Tu te souviens d'elles, quand même ?

– Bien sûr, mais...

– Et tu les aimes, pas vrai ?

– Franchement, c'est quoi cette question ?

– Alors si tu les aimes, tu dois de nouveau te comporter comme un père de famille. Ça signifie que tu dois reprendre le travail.

– Pourquoi ?

– Pour leur montrer que tu vas de l'avant, malgré toutes les choses horribles qui peuvent survenir dans la vie. C'est à toi de le faire, sinon qui d'autre va le leur enseigner ?

– Steph...

– Je ne dis pas que ce sera facile, mais tu n'as pas trop le choix. Après tout, tu ne leur as jamais dit de lâcher prise, pas vrai ? Elles vont toujours à l'école, que je sache ? Tu veilles toujours à ce qu'elles fassent leurs devoirs, j'imagine ?

Travis restait muet.

– Alors si tu espères les voir assumer leurs responsabilités – et elles n'ont que six et huit ans –, tu dois prendre les tiennes. Elles ont besoin de te voir reprendre le cours normal de ton existence, et le boulot en fait partie. Désolée, mais c'est la vie.

Travis secoua la tête, sentant la colère le gagner.

– Tu ne comprends pas.

– Je comprends très bien, au contraire.

– Gabby est... hésita-t-il en baissant la tête, un sanglot dans la voix.

Consciente de son désarroi, elle posa la main sur son genou.

– Passionnée ? Intelligente ? Adorable ? Drôle ? Dotée

d'un sens moral inné et d'une patience d'ange ? Bref, tout ce que tu as toujours imaginé chez une femme et une mère ? Autrement dit, quasi parfaite ?

Il releva la tête, ébahi.

– Je sais, dit-elle posément. Moi aussi, je l'adore. Depuis le début. C'est non seulement la sœur que je n'ai jamais eue, mais aussi ma meilleure amie. Peut-être même ma seule véritable amie. Et tu as raison... elle a été merveilleuse avec toi et les petites. Tu n'aurais pas pu mieux tomber. Pourquoi tu crois que je continue à venir la voir ? C'est pas juste pour elle ou pour toi. C'est pour moi, pardi. Elle me manque aussi, figure-toi...

Travis ne savait pas trop quoi répondre. Stephanie poussa un soupir qui brisa le silence.

– T'as décidé de ce que tu allais faire ?

– Non, admit-il, la gorge nouée. Pas encore.

– Ça fait trois mois.

– Je sais.

– C'est quand ton rendez-vous ?

– Je suis censé les rencontrer d'ici une demi-heure.

– D'accord, dit-elle en regardant son frère droit dans les yeux. Tu sais quoi ? Je vais te laisser encore un peu de temps pour réfléchir. Je pars chez toi voir les filles.

– Elles n'y sont pas, elles devraient rentrer plus tard.

– Ça t'ennuie si j'attends à la maison ?

– Pas de problème. Il y a une clé...

Elle ne le laissa pas finir :

– ... sous la grenouille en plâtre du perron ? Ouais, je sais. Et je parie que la plupart des cambrioleurs pourraient le deviner.

– Je t'adore, Steph, dit-il en souriant.

– Moi aussi, Travis. Et tu sais que tu peux compter sur moi ?

– Je sais.
– Quelle que soit l'heure du jour ou de la nuit.
– Je sais.
Elle le dévisagea longuement puis hocha la tête.
– Bon, eh bien je vais t'attendre chez toi... Je veux savoir ce qui va se passer.
– Entendu.
Elle se leva, remit son sac en bandoulière, puis embrassa son frère sur le front.
– On se voit plus tard, Gabby, d'accord ? ajouta-t-elle.
Elle était à mi-chemin de la porte quand Travis l'interpella :
– Jusqu'où doit-on aller au nom de l'amour ?
Stephanie se tourna à moitié.
– Tu m'as déjà posé la question.
– Exact... Mais je te demande maintenant ce que je devrais faire, d'après toi.
– Alors comme d'habitude je vais te répondre que c'est à toi de gérer la situation.
– Ça signifie quoi au juste ?
L'impuissance se lisait sur le visage de Stephanie.
– J'en sais rien, Trav... Ça veut dire quoi, d'après toi ?

– 21 –

Cela faisait un peu plus de deux ans que Gabby avait revu par hasard Kenneth Baker, par un de ces beaux soirs d'été dont Beaufort avait le secret. Des orchestres jouaient au bord de l'eau, et Travis avait décidé de sortir manger une glace avec Gabby et les filles. Tandis qu'ils attendaient d'être servis, Gabby fit vaguement allusion à une jolie gravure aperçue dans une boutique devant laquelle ils étaient passés. Il esquissa un sourire, car il savait qu'elle adorait chiner.

– Pourquoi ne pas aller y jeter un œil ? suggéra-t-il. Je reste avec les petites, ne t'en fais pas.

Gabby s'absenta plus longtemps que prévu, et à son retour elle avait l'air troublée. Plus tard, une fois à la maison et les filles couchées, elle s'installa sur le canapé, préoccupée.

– Ça va ? lui demanda Travis.

Elle remua nerveusement.

– Je suis tombée sur Kenneth Baker tout à l'heure, pendant que tu faisais la queue pour les glaces.

– Ah bon ? Et comment il va ?

Elle soupira.

– Tu te rends compte que sa femme est dans le coma depuis six ans ? Six ans... Tu imagines ce qu'il doit endurer ?

– Non, avoua Travis. J'ai du mal...

– On dirait un vieillard.

– Nul doute qu'à sa place je prendrais un coup de vieux. Il vit une épreuve atroce.

Elle acquiesça, toujours aussi perturbée.

– Sans parler de la colère qu'il a en lui. C'est comme s'il lui en voulait. Il m'a dit qu'il ne lui rendait visite que de temps à autre, maintenant. Et ses gosses...

Perdue dans ses pensées, elle parut oublier ce qu'elle allait dire.

Travis l'interrogea du regard.

– C'est quoi, le problème ?

– Tu viendrais me voir, toi ? S'il devait m'arriver un truc pareil ?

Pour la première fois, il éprouva une sorte de frayeur fugace, sans trop en connaître la raison.

– Bien sûr que je viendrais.

L'expression de Gabby confinait soudain à la tristesse.

– Mais au bout d'un moment, tu espacerais tes visites.

– Je te rendrais visite tous les jours.

– Et à la longue, tu m'en voudrais.

– Jamais de la vie.

– Kenneth en veut à Eleanor.

– Je ne suis pas Kenneth, dit-il en secouant la tête. Mais qu'est-ce qui nous prend de parler de ça ?

– Parce que je t'aime.

Il allait réagir quand elle leva la main pour l'interrompre :

– Laisse-moi finir, d'accord ?

Elle rassembla ses idées, puis :

– Quand Eleanor a été admise à l'hôpital, c'était évident que Kenneth l'aimait de tout son cœur. C'est ce qui me frappait chaque fois qu'on discutait, lui et moi, et avec le temps je crois bien qu'il m'a raconté toute leur histoire...

Comment ils s'étaient rencontrés sur la plage en été, après les examens ; la première fois où il lui a proposé un rendez-vous, elle a refusé, mais il s'est débrouillé pour dénicher son numéro de téléphone ; plus tard, il lui a avoué son amour le jour de l'anniversaire de mariage de ses parents à elle. À vrai dire, il ne se contentait pas de me confier ces anecdotes ; c'était comme s'il revivait les scènes encore et toujours. En un sens, il me faisait penser à toi.

Gabby prit alors la main de Travis, tandis qu'il la rejoignait sur le canapé.

– Tu fais la même chose, figure-toi. Tu sais le nombre de fois que je t'ai entendu raconter à quelqu'un notre toute première rencontre ? Ne te méprends pas... j'adore cet aspect de ton caractère. Ça me plaît de savoir que tu gardes tous ces souvenirs vivants en toi et qu'ils ont autant d'importance à tes yeux qu'aux miens. Et j'avoue que... lorsque tu les évoques, je sens que tu retombes amoureux de moi comme au premier jour. C'est sans doute le cadeau le plus émouvant que tu puisses me faire.

Elle marqua une pause, avant d'ajouter :

– Et aussi le fait que tu nettoies la cuisine à ma place quand je suis trop crevée !

Travis ne put s'empêcher de glousser. Gabby ne sembla pas le remarquer.

– Ce soir, tu vois, Kenneth avait l'air si... amer, et quand je lui ai demandé des nouvelles d'Eleanor, j'ai eu l'impression qu'il souhaitait la savoir morte. Si je compare son comportement actuel à celui qu'il manifestait au début envers sa femme... sans parler de ce qui est arrivé à ses gosses... c'est terrible.

Comme elle prononçait ces mots d'une voix sourde, Travis lui pressa la main.

– Ça ne risque pas de nous arriver...

– Là n'est pas la question. Le fait est que je ne peux pas vivre en sachant que je n'ai pas fait ce que j'aurais dû faire.

– Mais de quoi tu parles ?

De son pouce, elle lui caressa la main.

– Je t'aime si fort, Travis ! Tu es le mari idéal, l'être le plus doux dont on puisse rêver. Et je veux que tu me fasses une promesse.

– Je t'écoute...

Elle le regarda droit dans les yeux.

– Promets-moi que s'il devait m'arriver quoi que ce soit, tu me laisseras mourir.

– On a déjà stipulé par écrit qu'on refusait tout acharnement thérapeutique, contra-t-il. Le jour où on a fait établir nos testaments et les procurations mutuelles.

– Exact. Mais notre avocat a pris sa retraite en Floride, et à ma connaissance, en dehors de nous trois, personne ne sait que je ne veux pas que ma vie soit prolongée si je me trouve dans l'incapacité de prendre une décision. Ce ne serait pas juste pour toi ou les filles de mettre votre vie en attente, parce que avec le temps vous finiriez à coup sûr par m'en vouloir. Tu souffrirais, et les petites aussi. J'en suis convaincue depuis que j'ai vu Kenneth ce soir, et je ne veux pas que vous finissiez par devenir amers en songeant à tout ce qu'on a pu partager. Je vous aime beaucoup trop pour ça. La mort, c'est toujours triste, mais on ne peut pas l'éviter, et c'est pourquoi j'ai signé mon testament de vie. Parce que je vous adore tous les trois.

Son ton s'adoucit, mais elle restait plus déterminée que jamais :

– En outre, je ne veux pas me sentir obligée de parler à mes parents ou à mes sœurs de la décision que j'ai prise... que nous avons prise. Je n'ai pas envie de chercher un autre avocat pour faire remanier les documents. Je souhaite donc que tu me promettes de respecter ma volonté.

Aux yeux de Travis, la conversation prenait une tournure irréaliste.

– Oui... bien sûr, dit-il.

– Non, pas comme ça. Je veux que tu me le promettes. Tu dois me le jurer.

Travis prit une profonde inspiration, puis :

– Je te promets de respecter entièrement ta volonté. Je te le jure.

– Même si c'est très dur ?

– Même si c'est très dur.

– Par amour pour moi ?

– Par amour pour toi.

– Oui... et parce que je t'aime aussi.

Travis avait apporté à l'hôpital le testament de vie que Gabby avait signé chez l'avocat. Le document spécifiait entre autres qu'on devait retirer toute perfusion alimentaire au bout de douze semaines. Aujourd'hui, Travis devait donc prendre sa décision.

Assis auprès d'elle dans cette chambre, il se remémorait la conversation qu'ils avaient eue ce soir-là, la promesse qu'il lui avait faite. Ces dernières semaines, il avait ressassé ses paroles des centaines de fois, et à mesure qu'approchait la date fatidique des trois mois, la crainte de ne pas la voir se réveiller le rongeait un peu plus chaque jour. Tout comme Stephanie, qui pour cette raison l'attendait chez lui. Six semaines plus tôt, son besoin de se confier était devenu tellement insupportable que Travis avait révélé à sa sœur la promesse faite à Gabby.

Depuis lors, le temps s'était écoulé sans apporter le moindre soulagement à Travis. Non seulement Gabby restait inerte, mais les médecins ne constataient aucune amélioration dans ses fonctions cérébrales. Il avait beau s'escrimer à nier l'évidence, les aiguilles de l'horloge continuaient à tourner, et l'heure était venue pour lui de prendre sa décision.

Parfois, lors de ses conversations imaginaires avec Gabby, il tentait de l'amener à changer d'avis. Selon lui, la promesse se révélait injuste, et il s'était engagé uniquement parce que l'éventualité d'un tel drame lui paraissait peu probable... Mais il reconnaissait maintenant que, s'il avait pu prédire l'avenir, il aurait déchiré les papiers signés chez l'avocat, parce que, même si Gabby était incapable de réagir, Travis ne pouvait imaginer de vivre sans elle.

Il ne ressemblerait jamais à Kenneth Baker. Il n'éprouvait aucune amertume envers Gabby et n'en éprouverait jamais. Il avait besoin d'elle, de l'espoir qu'il éprouvait chaque fois en sa présence. Il puisait sa force dans les visites qu'il lui rendait à l'hôpital. En début de journée, Travis était épuisé, apathique, mais au fil des heures son sentiment de responsabilité se renforçait, et il était persuadé de pouvoir rire avec ses filles, de devenir le père que Gabby souhaitait qu'il soit. Cela fonctionnait ainsi depuis des mois, et il savait qu'il pourrait continuer *ad vitam æternam*. Il ignorait en revanche comment il s'en sortirait si Gabby disparaissait. Aussi étrange que cela puisse paraître, le côté prévisible et routinier de sa nouvelle vie le réconfortait.

De l'autre côté de la fenêtre, le pigeon semblait faire les cent pas sur le rebord, comme s'il méditait avec lui sur la décision à prendre. Par moments, Travis se sentait une étrange affinité avec l'oiseau, comme si celui-ci essayait de lui dire quelque chose... mais Travis n'aurait su dire quoi. Un jour, il avait apporté du pain, avant de se rendre compte que la moustiquaire l'empêcherait de jeter des miettes de l'autre côté. Juché derrière la vitre, le pigeon avait lorgné le bout de pain dans la main de Travis en roucoulant doucement. Un peu plus tard, il s'en alla à tire-d'aile, puis revint s'installer sur le rebord pour le reste de l'après-midi. Par la suite, il n'eut plus peur de lui. Travis pouvait tapoter la vitre, le pigeon ne bronchait pas. Une situation assez bizarre qui détournait Travis de ses pensées habituelles lorsqu'il était assis dans la chambre silencieuse. En fait, une question lui brûlait les lèvres, qu'il aurait souhaité poser à ce mystérieux pigeon... *Suis-je censé devenir un assassin ?*

Car ses pensées le conduisaient inévitablement à cette interrogation, laquelle le distinguait de ceux qui espéraient exécuter les dernières volontés d'un testament de vie. Ils faisaient ce qu'il y avait de mieux à faire, et leur choix s'enracinait dans la compassion. Pour lui, en revanche, le choix se révélait tout autre, ne serait-ce qu'en vertu de la sinistre suite logique des événements. Si Travis n'avait pas enchaîné les erreurs ce fameux soir, l'accident n'aurait pas eu lieu, et par conséquent Gabby ne serait pas dans le coma. Il était le premier responsable de ses blessures, mais elle n'y avait pas succombé. Et à présent il lui suffisait de sortir certains documents légaux de sa poche... pour se rendre définitivement coupable de sa mort. Cette différence de taille lui nouait l'estomac, et à mesure que la date de la décision approchait, il s'alimentait de moins en moins. Parfois, Dieu semblait non seulement souhaiter la mort de Gabby mais aussi signaler à Travis que tout était entièrement sa faute.

Gabby – il n'en doutait pas un instant – rejetterait l'idée. L'accident n'était que le fruit du hasard... comme tous les accidents. Par ailleurs, c'était elle, et non Travis, qui avait décidé de la durée de son éventuel maintien en vie par perfusion. Cependant, il ne pouvait se débarrasser du poids écrasant de sa responsabilité, pour la simple raison que personne, hormis Stephanie, n'était au courant des volontés de sa femme. En définitive, le choix lui incombait, et à lui seul.

Dans la lumière grisâtre de l'après-midi, les murs de la chambre se teintaient de mélancolie. Pour gagner du temps, il retira les fleurs du lavabo et revint vers le lit. Tandis qu'il posait le bouquet sur la poitrine de Gabby puis se rasseyait, Gretchen apparut à l'entrée de la pièce. Elle la traversa lentement et vérifia les fonctions vitales de sa patiente sans dire un mot. Elle nota ensuite quelque chose sur la fiche au pied du lit et sourit à Travis. Un mois plus tôt, quand il lui faisait faire ses exercices d'assouplissement, il avait entendu Gabby lui dire que Gretchen craquait pour lui.

– Elle va nous quitter ? s'enquit l'infirmière.

Travis savait qu'elle voulait parler d'un transfert en maison de repos ; dans les couloirs, on murmurait que ce serait pour bientôt. Mais la question de Gretchen en sous-entendait d'autres qui devaient forcément lui échapper, et il ne voulait pas entrer dans les détails.

– Elle va me manquer, avoua-t-elle avec une sincérité non feinte. Et vous aussi. Vraiment. Je travaille ici depuis plus longtemps que Gabby, et vous auriez dû l'entendre parler de vous. Et des gamines aussi, bien sûr. On sentait bien que, même si elle adorait son travail, Gabby était toujours heureuse quand arrivait l'heure de rentrer chez elle en fin de journée. Pas comme nous toutes, simplement ravies d'avoir terminé notre service. Elle ne tenait plus en place à l'idée de regagner son foyer, de retrouver sa famille. C'est ce que j'admirais chez elle, le fait qu'elle ait cette vie-là.

Travis ne savait trop quoi dire.

Elle soupira, et il crut voir des larmes briller dans les yeux de l'infirmière.

– Ça me fend le cœur de la savoir dans cet état. Et vous aussi. Figurez-vous que toutes mes collègues sont au courant que vous lui envoyiez des roses à chaque anniversaire de mariage. N'importe quelle femme aimerait avoir un mari ou un petit ami aussi attentionné. Sans parler de la manière dont vous vous êtes comporté avec elle... après l'accident. Je sais que vous êtes triste et que vous en voulez au monde entier, mais je vous ai observé pendant les séances d'assouplissement avec elle. Je vous ai entendu lui parler et... c'est comme si une sorte de lien indestructible vous réunissait. C'est à la fois déchirant et magnifique. Je prie pour vous deux tous les soirs.

Travis sentit sa gorge se serrer.

– En fait, ce que j'essaye de vous dire, c'est qu'en vous voyant tous les deux, j'arrive à croire que le véritable amour existe. Et même les moments les plus sombres de l'existence ne peuvent vous en priver.

Elle s'interrompit, son expression révélant qu'elle pensait en avoir trop dit, puis se détourna. L'instant d'après, comme elle allait quitter la chambre, il sentit sa main se poser sur son épaule. Douce et légère, elle s'attarda quelques secondes, puis s'envola... et Travis se retrouva de nouveau seul face à son choix.

L'heure était venue. En regardant la pendule, il sut qu'il ne pouvait s'attarder davantage. On l'attendait dans le bureau du directeur. Il traversa la chambre pour aller baisser les stores. Par habitude, il alluma la télévision. Même s'il savait que les infirmières l'éteindraient plus tard, il ne souhaitait pas laisser Gabby dans cette pièce aussi silencieuse qu'un tombeau.

Travis s'imaginait souvent en train de tenter d'expliquer le miracle qu'il espérait tant. Il se voyait secouant la tête d'un air incrédule, attablé dans la cuisine avec ses parents. « Je ne comprends pas pourquoi elle s'est réveillée, s'entendait-il déclarer. Ça n'a pourtant rien de magique, que je sache. C'était comme les autres fois où je suis allée la voir... sauf qu'elle a ouvert les yeux. » Sa mère versait des larmes de joie, et il appelait ses beaux-parents pour leur annoncer la bonne nouvelle. Quelquefois, il y croyait si fort qu'il retenait son souffle, émerveillé, comme s'il vivait réellement un tel bonheur.

Mais en regardant sa femme à l'autre bout de la chambre, il doutait que cela se produise un jour. Qu'étaient-ils donc devenus, Gabby et lui ? Pourquoi les événements avaient-ils pris cette tournure ? À une certaine époque, il aurait trouvé des réponses logiques à ces questions, mais c'était voilà bien longtemps. Ces jours-ci, il ne comprenait plus rien. Au-dessus de Gabby, l'éclairage au néon bourdonnait doucement, et Travis se demandait ce qu'il allait faire. Il l'ignorait encore. Il savait en revanche une chose : Gabby était toujours en vie... et la vie restait synonyme d'espoir. Il ne la quittait pas des yeux, sans comprendre comment quelqu'un d'aussi proche et d'aussi présent pouvait lui paraître aussi inaccessible.

Il devait prendre sa décision aujourd'hui. Dire la vérité signifiait que sa femme allait mourir ; mentir équivalait à nier la volonté de Gabby. Il aurait souhaité qu'elle le guide dans son choix... et la réponse lui parvint du tréfonds de son imagination.

Je te l'ai déjà dit, mon amour. Tu sais ce que tu dois faire.

Mais il voulait rétorquer que ce choix-là se fondait sur des suppositions erronées. S'il pouvait remonter le temps, Travis n'aurait jamais fait cette promesse... D'ailleurs l'aurait-elle même exigée de lui ? Aurait-elle pris cette décision si elle avait pu deviner qu'il serait responsable de son coma ? Ou si elle avait su que retirer la perfusion pour la regarder s'éteindre lentement ne ferait que tuer une partie de lui-même ? Ou encore s'il lui avait confié qu'il croyait pouvoir être un meilleur père si elle restait en vie, même sans jamais se réveiller ?

Travis ne pouvait plus en supporter davantage, tandis qu'un cri désespéré résonnait dans sa tête.

Réveille-toi, je t'en supplie ! L'écho parut ébranler le moindre atome de son corps.

Je t'en prie, mon amour. Fais-le pour moi. Pour nos filles. Elles ont besoin de toi. J'ai besoin de toi. Ouvre les yeux avant que je quitte cette pièce, pendant qu'il est encore temps...

L'espace d'un instant, il crut percevoir une sorte de spasme... Il aurait juré qu'elle avait remué. Il resta bouche bée, mais comme toujours la réalité reprit bientôt ses droits, et il comprit que ce n'était qu'une illusion. Gabby gisait immobile dans le lit, et Travis, au comble du désespoir, la regardait à travers ses larmes.

Il lui restait une dernière chose à faire. Comme tout le monde, il connaissait l'histoire de Blanche-Neige et du baiser du prince qui brisait la malédiction. Il y songeait chaque fois qu'il quittait Gabby jusqu'au lendemain, et aujourd'hui plus que jamais cette idée, aussi fantasque qu'elle fût, prenait tout son sens. C'était sa toute dernière chance. Malgré lui, il sentit naître l'espoir infime que cette fois-ci serait différente des précédentes. Il se ressaisit et s'avança vers le lit, tout en tâchant de se convaincre que ce baiser, contrairement aux autres, insufflerait de nouveau la vie en Gabby. Elle gémirait, un peu confuse au début, puis comprendrait le geste de Travis. Elle se sentirait renaître, envahie par toute la puissance de l'amour de Travis, et avec une passion dont elle serait la première surprise Gabby lui rendrait son baiser.

Il se pencha au-dessus d'elle, leurs visages se rapprochant peu à peu, tandis qu'il sentait la chaleur de son souffle se mêler au sien. Il ferma les yeux et oublia un millier d'autres baisers, comme ses lèvres se posaient sur celles de Gabby. Il sentit une sorte d'étincelle, et elle revint lentement vers lui. Il retrouvait l'épaule qui le soutenait dans les moments difficiles, le murmure sur l'oreiller le soir, à ses côtés. *Ça marche*, se dit-il, *ça marche vraiment...* et tandis que son cœur battait à se rompre dans sa poitrine, Travis réalisa en définitive que rien n'avait changé.

En se redressant, il put à peine lui caresser la joue de son doigt. Et d'une voix rauque, à peine audible, il murmura :

– Au revoir, mon amour.

– 22 –

Jusqu'où doit-on aller au nom de l'amour ?

Tandis qu'il se garait dans l'allée, la question hantait toujours Travis, alors même qu'il avait pris sa décision. La voiture de Stephanie stationnait devant chez lui, mais seul le salon était allumé à l'intérieur. Il n'aurait pas supporté d'arriver dans une maison vide.

En sortant de son véhicule, il sentit l'air frais le saisir et il remonta le col de sa veste. La lune ne s'était pas encore levée, mais les étoiles étincelaient déjà ; avec un petit effort il retrouverait sans doute le nom des constellations que Gabby lui avait apprises. Il esquissa un sourire en songeant à cette nuit-là. Il en conservait un souvenir vivace, aussi clair que le ciel au-dessus de lui. Mais il s'efforça de l'oublier, sachant qu'il n'aurait pas la force de l'évoquer trop longtemps. Pas ce soir.

La pelouse brillait d'humidité, promesse d'une forte gelée nocturne. Il pensa à préparer les moufles et les écharpes pour les petites, afin d'éviter de les chercher partout le lendemain matin. Elles n'allaient pas tarder à rentrer. Malgré sa grande fatigue, elles lui manquaient. Les mains enfouies dans ses poches, il s'approcha du perron.

Stephanie se tourna vers lui dès qu'elle l'entendit entrer. Il vit dans son regard qu'elle tentait de décrypter son visage.

Elle s'avança vers lui.

– Travis...

– Salut, Steph.

Il retira sa veste en pensant qu'il ne se rappelait même plus le trajet jusqu'à la maison.

– Ça va ?

Il mit quelques instants avant de répondre.

– J'en sais trop rien.

Elle posa la main sur son bras et proposa d'une voix douce :

– Je t'apporte un truc à boire ?

– Un verre d'eau, ça ira très bien.

Sa sœur paraissait ravie de pouvoir se rendre utile.

– Je reviens tout de suite.

Il s'assit sur le canapé, renversa la tête en arrière et se sentit aussi épuisé que s'il avait passé la journée en mer, à lutter contre les vagues. Stephanie revint et lui tendit son verre.

– Christine a appelé. Elle aura un peu de retard. Lisa est en chemin.

– D'accord, dit-il en hochant la tête, avant de se tourner vers le portrait de famille.

– Tu veux qu'on en parle ?

Il but une gorgée d'eau et constata qu'il avait vraiment la gorge sèche.

– Tu penses à la question que je t'ai posée toute à l'heure ? Jusqu'où doit-on aller au nom de l'amour ?

Elle réfléchit un petit moment, puis :

– Je crois que je t'ai répondu...

– Oui. À ta manière.

– Ben quoi ? T'as l'air de me dire que j'ai répondu à côté de la plaque ?

Il sourit, trop heureux de voir que Stephanie n'avait rien perdu de sa fougue habituelle.

– Je voulais avant tout savoir ce que tu aurais fait à ma place...

– C'est bien ce que j'avais pigé, dit-elle, hésitante, mais... j'en sais rien, Trav. J'en sais franchement rien. J'arrive pas à m'imaginer prendre ce genre de décision, et pour être honnête je pense pas que quiconque puisse le faire.

Elle soupira, avant d'ajouter :

– Par moments, je regrette même que tu m'aies mise au courant.

– Je n'aurais sans doute pas dû. Je n'avais aucun droit de te faire porter ça.

Elle secoua la tête.

– C'est pas ce que je voulais dire. Je sais bien que t'avais besoin d'en parler à quelqu'un, et j'apprécie ta confiance. Mais je m'en suis voulu à mort à cause de tout ce que tu avais dû endurer. L'accident, tes propres blessures, tes soucis à propos des petites, ta femme... et par-dessus le marché, il fallait que tu choisisses ou non de respecter les volontés de Gabby. C'est trop lourd pour une seule personne.

Travis ne dit rien.

– Je me suis inquiétée pour toi, reprit-elle. C'est tout juste si j'ai fermé l'œil depuis que tu m'en as parlé.

– Désolé, Steph.

– Ne t'excuse pas. Ce serait plutôt à moi de le faire. J'aurais dû m'installer ici dès le début. Rendre visite plus souvent à Gabby. Être là chaque fois que tu avais besoin de te confier.

– Ne t'en fais pas. Je suis ravi que tu n'aies pas abandonné ton job. Tu as bossé dur pour y arriver, et Gabby le savait elle aussi. En outre, tu es venue plus souvent que je ne l'aurais cru.

– J'ai quand même de la peine pour tout ce que tu as traversé.

Il passa un bras autour de ses épaules.

– Je sais, Steph.

Ils restèrent assis là en silence. Derrière lui, Travis entendit la chaudière se mettre en route, et Stephanie soupirer.

– Quelle que soit ta décision, dit-elle, sache que je la soutiens... Je suis la mieux placée, je crois, pour savoir combien tu aimes Gabby.

Travis se tourna vers la fenêtre. À l'extérieur, il apercevait les lumières des maisons voisines.

– Je n'ai pas pu le faire, avoua-t-il enfin.

Il tenta de rassembler ses pensées, puis enchaîna :

– Je pensais pouvoir, et j'ai même répété dans ma tête les paroles que j'allais prononcer en annonçant aux médecins qu'ils pouvaient retirer la perf. Je sais que c'était la volonté de Gabby, mais... en fin de compte je n'ai pas pu. Même si je dois passer le restant de mes jours à lui rendre visite dans une maison de santé, c'est toujours une vie meilleure que celle que je pourrais connaître avec quelqu'un d'autre. Je l'aime trop pour la laisser s'en aller.

Stephanie lui adressa un sourire timide.

– Je sais, dit-elle. Je l'ai vu à ta tête dès que t'as franchi la porte.

– Tu crois que j'ai bien agi ?

– Oui, répondit-elle sans hésiter.

– Pour moi ou pour Gabby ?

– Les deux.

– Tu penses qu'elle va se réveiller ?

Stephanie le regarda droit dans les yeux.

– Oui. Je l'ai toujours pensé. Entre vous deux... il y a une alchimie incroyable. Ça se retrouve dans le moindre geste... les regards que vous échangez, Gabby qui se détend dès que tu la prends par la taille, et cette faculté de pouvoir chacun deviner ce que l'autre pense... Ça m'a toujours épatée. C'est pour cette raison, entre autres, que je repousse mon mariage. Je sais que je veux une relation comme la vôtre, et je ne suis pas encore sûre de l'avoir trouvée. Ni de la trouver un jour, d'ailleurs. Car avec un amour aussi fort... on dit que tout est possible, non ? Tu aimes Gabby, et Gabby t'aime, et je ne peux même pas imaginer un monde où vous ne seriez pas réunis. Puisque vous êtes faits l'un pour l'autre.

Travis prit le temps de s'imprégner des paroles de sa sœur.

– Maintenant, on fait quoi ? demanda-t-elle. T'as besoin d'un coup de main pour brûler le testament de vie ?

Malgré la tension ambiante, il éclata de rire.

– Plus tard, peut-être.

– Et l'avocat ? Il ne risque pas de revenir te harceler, dis-moi ?

– Je n'en ai pas entendu parler depuis des années.

– Tu vois ? Encore un signe que t'as fait ce qu'il fallait.

– J'imagine...

– Et la maison de santé, alors ?

– Elle y sera transférée la semaine prochaine. Il faut juste que je prenne des dispositions.

– Je peux t'aider ?

Il se massa les tempes, gagné par l'épuisement.

– Ouais, j'aimerais bien.

– Hé ! s'écria-t-elle en le secouant un peu. T'as pris la bonne décision, je te dis ! T'as pas à te sentir coupable.

Gabby veut vivre. Elle souhaite avoir la possibilité de revenir vers toi et les filles.

– Je sais. Mais...

Il ne put achever sa phrase. Il avait tourné la page sur le passé et, si l'avenir restait à écrire, Travis savait qu'il devait se concentrer sur le présent... Pourtant, il doutait soudain de pouvoir supporter à l'infini ce qu'il vivait au jour le jour.

– J'ai peur, finit-il par admettre.

– Je sais, dit sa sœur en le serrant dans ses bras. Moi aussi.

– ÉPILOGUE –

Juin 2007

La grisaille de l'hiver avait cédé la place à la débauche de couleurs printanières, et Travis, assis sur la véranda côté jardin, entendait les oiseaux. Des dizaines, voire des centaines, gazouillaient ici et là, et de temps à autre un vol d'étourneaux surgissait des feuillages pour rejoindre le ciel en une parfaite chorégraphie.

C'était samedi après-midi, et Christine et Lisa jouaient encore avec le pneu qu'il avait suspendu une semaine plus tôt. Comme il souhaitait une balançoire susceptible de décrire un long arc de cercle, il avait élagué les branches basses pour nouer la corde le plus haut possible dans l'arbre. Ce matin-là, il avait passé plus d'une heure à pousser le pneu, sous les cris de joie des petites. Il avait fini en sueur. Et elles en réclamaient encore.

– Laissez papa souffler, dit-il, pantelant. Je suis crevé. Pourquoi ne pas vous pousser à tour de rôle ?

Elles firent grise mine au début, mais cela ne dura pas longtemps. Bientôt elles hurlèrent de plus belle en s'amusant comme des folles. Travis les regardait en souriant. Il adorait leurs éclats de rire, et ça lui mettait du baume au cœur de voir qu'elles s'entendaient si bien. Il espérait qu'elles resteraient aussi proches en grandissant. S'il devait se fier à sa relation avec Stephanie, la leur ne ferait que se renforcer au fil du temps. En tout cas, il gardait bon espoir. Il savait que c'était parfois tout ce qu'il restait aux gens, et ces quatre derniers mois il s'y accrochait.

Depuis sa prise de décision, sa vie retrouvait une certaine normalité. Ne serait-ce qu'en apparence. Stephanie et lui avaient fait le tour d'une demi-douzaine de maisons de santé. Avant de s'y rendre, ses préjugés le poussaient à les imaginer comme des établissements sales, mal éclairés, où des patients confus erraient dans les couloirs en gémissant au beau milieu de la nuit, surveillés par des infirmiers qui relevaient eux-mêmes de la psychiatrie. Mais rien de tout cela ne se vérifia. Du moins dans les institutions que Stephanie et lui visitèrent.

Au contraire, la plupart se révélaient vastes et lumineuses, dirigées par des hommes et des femmes dans la cinquantaine, se donnant un mal fou pour prouver que leurs installations offraient une plus grande hygiène que celles de la concurrence, et que leur personnel était courtois, attentionné et d'un professionnalisme irréprochable. Pendant que Travis occupait le temps de la visite à se demander si ce genre d'établissement conviendrait à Gabby et si elle serait la plus jeune pensionnaire, Stephanie se chargeait de poser les questions les plus insidieuses, qu'il s'agisse des antécédents médicaux et judiciaires du personnel, ou des procédures d'évacuation en cas d'urgence, ou encore de la rapidité à résoudre les éventuels litiges. Tout en parcourant les couloirs, elle signifiait clairement qu'elle connaissait sur le bout des doigts les codes et règlements imposés par la loi. Elle allait jusqu'à suggérer telle ou telle situation bien précise et souhaitait savoir si celle-ci serait réglée par le personnel ou la direction ; elle demandait aussi combien de fois par jour Gabby serait changée de position dans son lit pour éviter les escarres. Par moments, Travis croyait voir en elle un procureur en plein interrogatoire ; et même si elle froissa quelques administrateurs au passage, il ne pouvait qu'apprécier sa vigilance. Dans son état d'esprit, il assumait déjà péniblement ses responsabilités, mais restait malgré tout conscient qu'elle posait les bonnes questions.

Finalement, Gabby fut transférée en ambulance dans une maison de repos tenue par un certain Elliot Harris, à deux ou trois rues de l'hôpital. Harris avait plu non seulement à Travis mais aussi à Stephanie, laquelle avait d'ailleurs rempli la majeure partie du dossier d'admission dans son bureau. Elle laissa entendre – à juste titre ou non – qu'elle connaissait des gens haut placés dans l'administration de l'État et s'assura que Gabby se verrait attribuer une chambre privée, décorée avec goût et donnant sur un jardin. Lorsque Travis rendit visite à sa femme, il fit rouler le lit vers la fenêtre et tapota ses oreillers, se disant qu'elle apprécierait le soleil et l'animation du parc. Elle le lui avait confié un jour qu'il lui faisait faire ses exercices. Elle lui avait aussi dit qu'elle comprenait son choix et l'en félicitait. Du moins l'avait-il imaginé...

Après l'installation dans l'établissement, une autre semaine s'écoula, durant laquelle Travis passa souvent lui rendre visite, le temps que tous deux s'acclimatent au nouvel environnement, puis il reprit son travail. Il suivit les conseils de Stephanie et commença par y retourner le matin jusqu'en début d'après-midi, quatre jours par semaine, son père assurant le reste. Travis n'avait pas réalisé à quel point le contact avec les autres lui manquait, et, lorsqu'il déjeuna avec son père, il constata qu'il avait presque pu finir son repas. Bien sûr, le fait de travailler régulièrement l'obligeait à jongler avec son planning pour voir sa femme. Le matin, les petites parties pour l'école, il se rendait à la maison de santé et y passait une heure ; après le travail, il en passait une autre avant le retour des enfants. Le vendredi, il y allait presque toute la journée, et le week-end plusieurs heures. Cela dépendait de l'emploi du temps des filles, condition sur laquelle Gabby aurait sans doute insisté. Parfois, elles souhaitaient l'accompagner en fin de semaine, mais elles étaient fréquemment occupées par les matchs de foot, les copines ou le roller-skate. Désormais, Travis s'en inquiétait moins que par le passé. Ses filles allaient de l'avant, tout comme lui, et faisaient de leur mieux pour se guérir de l'absence de leur mère. Il avait suffisamment vécu pour savoir que chacun vivait son chagrin à sa façon, et, à la longue, tout le monde semblait accepter sa nouvelle vie. Et un beau jour, neuf semaines après l'admission de Gabby à la maison de repos, voilà que le pigeon réapparut à la fenêtre de sa chambre...

Au début, Travis n'en croyait pas ses yeux. À vrai dire, il ne pouvait affirmer qu'il s'agissait du même oiseau. Qui l'aurait pu, d'ailleurs ? Avec leur plumage gris, blanc et noir, et leurs petits yeux sombres – sans parler de leur caractère souvent nuisible –, ils se ressemblaient tous. Pourtant, en l'observant attentivement... Travis sut que c'était le même. Impossible que ce soit un autre. Il se promenait sur le rebord de la fenêtre, sans avoir peur quand Travis s'approcha de la vitre, et son roucoulement lui parut en quelque sorte... familier. N'importe qui l'aurait traité de cinglé, et au fond de lui Travis partageait cet avis. Malgré tout...

C'était le même pigeon, aussi fou que cela puisse paraître.

Il l'observa, médusé, et le lendemain apporta du pain qu'il déposa en miettes sur le rebord de la fenêtre. Ensuite, il surveilla celle-ci régulièrement en guettant le retour du pigeon, mais en vain. Les jours suivants, il regretta malgré lui son absence. Parfois, dans ses moments les plus fantasques, il pensait que le pigeon était simplement venu voir s'ils allaient bien, et s'assurer que Travis veillait toujours sur Gabby. Ou encore pour lui dire de ne pas perdre espoir, et qu'en définitive son choix avait été le bon.

Aujourd'hui, sur la véranda, tout en se remémorant cet épisode, Travis s'étonnait de pouvoir regarder ses filles s'amuser en riant et de partager leur joie. Il reconnaissait à peine cette sensation de bien-être, cette impression que tout était rentré dans l'ordre. La réapparition du pigeon avait-elle annoncé les changements survenus dans leur vie ? Après tout, n'importe quel être humain ne pouvait que s'en émerveiller... et Travis allait sans doute raconter le reste de son histoire jusqu'à la fin de sa vie.

Les événements se déroulèrent ainsi... C'était le milieu de la matinée, six jours après la réapparition du pigeon, et Travis travaillait à la clinique vétérinaire. Il posait des points de suture à un chien qui s'était écorché en rampant sous une clôture en fil de fer barbelé. Il finissait de recoudre la plaie et s'apprêtait à expliquer au propriétaire comment éviter l'infection, lorsqu'une assistante entra dans la pièce sans frapper. Travis se retourna, surpris d'être interrompu.

– C'est Elliot Harris, annonça-t-elle. Il doit vous parler.

– Vous ne pouvez pas prendre un message ? répliqua Travis en jetant un regard sur l'animal et sur son maître.

– Il a dit que ça ne pouvait pas attendre. C'est urgent.

Travis s'excusa auprès du client et demanda à son assistante de prendre le relais. Il regagna son bureau et ferma la porte. Sur le téléphone, un bouton lumineux clignotait, signalant que Harris était en attente.

Avec le recul, Travis ne savait plus trop ce qu'il espérait alors entendre dans le combiné. En le portant à son oreille, il sentait cependant que ce coup de fil ne présageait rien de bon. C'était la première fois– et ce fut la seule – qu'Elliot Harris l'appela au bureau. Il s'arma de courage, puis pressa le bouton.

– Travis Parker à l'appareil...

– Docteur Parker, c'est Elliot Harris, dit le directeur d'un ton posé qui ne trahissait aucune émotion. Je crois que vous devriez passer à notre établissement aussi rapidement que possible.

Dans le bref silence qui suivit, les idées se bousculèrent dans l'esprit de Travis : Gabby avait cessé de respirer... Son état avait empiré... anéantissant le moindre espoir de guérison. Il se cramponna au combiné comme pour parer à toute éventualité.

– Gabby va bien ? demanda-t-il enfin d'une voix étranglée.

Nouveau silence... l'espace d'une seconde ou deux. Un battement de cils qui dura une éternité, tel qu'il le décrivait maintenant, mais les paroles qu'il entendit alors lui firent lâcher le combiné.

Il affichait un calme étrange en sortant de son bureau. Du moins ce fut ce que lui dirent ses assistants plus tard, à savoir qu'en le voyant nul ne pouvait deviner ce qui s'était produit. Ils le regardèrent passer dans l'entrée, perdu dans ses pensées. Tout le monde, qu'il s'agisse du personnel ou des maîtres venus avec leur animal en consultation, savait que la femme de Travis se trouvait en maison de santé. Madeline, qui avait dix-huit ans et s'occupait de l'accueil, le dévisagea en écarquillant les yeux lorsqu'il s'approcha d'elle.

À ce stade, la nouvelle s'était répandue qu'Elliot Harris avait téléphoné. Avantage ou inconvénient des petites villes...

– Tu veux bien appeler mon père et lui demander de venir ? lui demanda Travis. Je dois filer à la maison de repos.

– Oui, bien sûr, répondit-elle.

Elle hésita avant d'ajouter :

– Vous allez bien ?

– Tu penses pouvoir m'y conduire ? Je ne crois pas que je devrais prendre le volant...

– Pas de problème, assura-t-elle, effrayée. Le temps de passer le coup de fil, d'accord ?

Tandis qu'elle composait le numéro, Travis se tenait devant elle, paralysé. Le silence régnait dans la salle d'attente, on aurait dit que même les animaux sentaient qu'un événement s'était produit. Travis entendit la voix lointaine de Madeline parler à son père ; en réalité, il savait à peine où il se trouvait. Ce fut seulement quand elle raccrocha et lui annonça que son père ne tarderait pas que Travis parut plus ou moins retrouver ses esprits. Il vit l'expression craintive de la réceptionniste. Sans doute à cause de sa jeunesse et de son manque d'expérience, elle lui posa la question que tout le monde avait sur les lèvres :

– Qu'est-ce qui s'est passé ?

Travis vit alors se peindre la sympathie et l'inquiétude sur les visages qui l'entouraient. La plupart d'entre eux le connaissaient depuis des années, pour certains depuis l'enfance. Quelques-uns, notamment les employés, connaissaient bien Gabby, et avaient traversé une période proche du deuil après l'accident. Même si cela ne les touchait pas personnellement, ils se sentaient concernés, car Travis avait ses racines dans cette ville. Ils vivaient tous à Beaufort, et en balayant la salle du regard il reconnut dans leur curiosité un sentiment voisin de l'amour filial. Néanmoins il ne savait pas quoi leur dire. Travis avait imaginé ce jour un millier de fois, mais à présent son esprit semblait vide. Il s'entendait respirer. En se concentrant suffisamment, il se dit qu'il pourrait même entendre son cœur battre dans sa poitrine... mais ses pensées lui échappaient, aussi ne risquait-il pas de les exprimer par des mots. En fait, il se demandait s'il avait bien compris Harris au téléphone ou s'il n'était pas en plein rêve. Il se remémora la conversation, en quête de sens cachés qu'il n'aurait pas saisis... Mais impossible de se concentrer assez longtemps, ne serait-ce que pour éprouver l'émotion censée être la sienne. La terreur l'empêchait de ressentir quoi que ce soit. Plus tard, il dirait qu'il avait eu la sensation de danser sur une corde raide : d'un côté, il basculait dans le bonheur ; de l'autre, il perdait tout...

Il posa une main sur le comptoir pour garder l'équilibre. Madeline fit le tour du bureau, les clés de voiture tintant dans sa main. Travis regarda à la ronde les clients de la salle d'attente, revint vers Madeline, puis baissa les yeux. Lorsqu'il releva la tête, il ne put que répéter la phrase entendue auparavant au téléphone :

– Elle est réveillée...

Douze minutes plus tard, après avoir changé de file une trentaine de fois et grillé trois feux à l'orange... au moment où ils allaient passer au rouge, Madeline déposa Travis à l'entrée de la maison de santé. Il n'avait pas desserré les dents de tout le parcours, mais la remercia d'un sourire en ouvrant la portière.

Le trajet ne lui avait pas éclairci les idées. Il espérait au-delà de tout espoir, et sa surexcitation atteignait son comble... sans qu'il puisse s'empêcher de craindre avoir compris de travers. Gabby avait peut-être refait surface un court instant avant de replonger dans le coma ; dès le départ, quelqu'un avait peut-être mal saisi l'information... Et peut-être que Harris faisait juste allusion à un symptôme un peu vague qui améliorait les fonctions cérébrales. Tandis qu'il s'apprêtait à franchir la porte, à force d'échafauder des scénarios allant du plus optimiste au plus désespéré, Travis se sentit pris de vertige.

Elliot Harris l'attendait sur le perron et paraissait bien plus décontracté que Travis ne pensait l'être de nouveau un jour.

– J'ai déjà prévenu le médecin et le neurologue, déclara-t-il, et ils seront là d'ici quelques minutes. Pourquoi ne pas aller la voir ?

– Elle va bien, n'est-ce pas ?

Harris le prit par l'épaule et l'invita à s'avancer.

– Allez donc la voir, dit-il. Elle a demandé après vous.

Quelqu'un lui tint la porte. Travis ne remarqua même pas s'il s'agissait d'un homme ou d'une femme, et il entra dans l'établissement. Il obliqua ensuite sur la droite, puis grimpa l'escalier à toute vitesse, les jambes de plus en plus flageolantes. Arrivé au premier étage, il ouvrit la porte du couloir, et entrevit un infirmier et une infirmière qui semblaient l'attendre. À leur expression enjouée, Travis devina qu'ils l'avaient vu pénétrer dans l'institution et souhaitaient lui parler ; mais il ne s'arrêta pas, et tous deux le laissèrent passer. Il crut alors qu'il allait s'effondrer et s'appuya un instant contre le mur pour récupérer... puis reprit son chemin.

C'était la deuxième chambre sur la gauche, et la porte était ouverte. Il entendit des murmures. Sur le seuil, il hésita, regrettant de ne pas s'être donné un coup de peigne, tout en sachant que cela n'avait aucune importance. Il entra enfin et vit le visage de Gretchen s'illuminer.

– J'étais à l'hôpital près du médecin quand il a été bipé... Il fallait que je vienne...

Travis l'entendit à peine. Il n'avait d'yeux que pour Gabby, sa femme, assise dans le lit, le dos calé contre ses oreillers. Elle paraissait confuse, mais son sourire à la vue de Travis répondait à toutes ses interrogations.

– Je crois que vous avez plein de choses à vous dire... reprit Gretchen.

– Gabby ? chuchota-t-il.

– Travis...

Sa voix était rauque, éraillée, pour n'avoir pas servi pendant de longs mois, il la reconnut malgré tout. Il s'approcha lentement du lit, sans jamais la quitter des yeux, et sans remarquer que Gretchen s'en allait en fermant doucement la porte.

– Gabby ? répéta-t-il, encore incrédule.

Dans son rêve, ou ce qu'il prit pour tel, il la vit déplacer la main pour la poser sur son ventre, et le geste parut l'épuiser.

Il s'assit au bord du lit.

– Où étais-tu ? s'enquit-elle, la voix toujours un peu hésitante, néanmoins pleine de vie et d'amour. J'ignorais où tu étais passé.

– Je suis là maintenant...

Travis éclata en sanglots. Il se pencha vers elle, qui le prit péniblement dans ses bras, et lorsqu'il sentit la main de Gabby sur son dos ses larmes redoublèrent. Il ne rêvait pas. Gabby l'étreignait, elle l'avait reconnu et savait tout ce qu'elle représentait pour lui. *C'est bel et bien réel, cette fois*, se dit-il. Et ce fut sa seule pensée...

Comme Travis refusait de quitter le chevet de Gabby, son père le remplaça à la clinique les jours suivants. Voilà peu de temps qu'il avait repris des horaires plus ou moins normaux, et les week-ends comme celui-ci, avec les filles s'amusant au jardin et Gabby occupée à la cuisine, il repensait parfois malgré lui à l'année écoulée. Il ne gardait qu'un souvenir flou de ses journées passées à l'hôpital, comme s'il était à peine plus conscient que Gabby à l'époque.

Bien sûr, sa femme n'était pas sortie indemne de son coma. Elle avait beaucoup maigri, ses muscles s'étaient atrophiés, et elle gardait une certain engourdissement au côté droit. Il lui fallut plusieurs jours pour se tenir debout sans l'aide d'une canne. La rééducation exigeait un travail de longue haleine ; elle passait deux heures par jour avec un kinésithérapeute, et au début le fait de ne pouvoir exécuter des gestes simples la rendait folle. Elle détestait se voir aussi maigrichonne dans le miroir et se plaignait souvent d'avoir vieilli de quinze ans. Dans ces moments-là, Travis lui disait qu'elle était belle, ce dont il n'avait jamais été aussi certain.

Christine et Lisa mirent un peu de temps à s'adapter. L'après-midi où Gabby se réveilla, Travis demanda à Elliot Harris d'appeler sa mère afin qu'elle passe prendre les petites à l'école. Une heure plus tard, la famille était réunie ; mais en entrant dans la chambre, ni Christine ni Lisa ne parurent vouloir s'approcher de leur mère. Accrochées à Travis, elles répondaient par monosyllabes aux questions de Gabby. Il fallut à Lisa une bonne heure avant de grimper sur le lit pour rejoindre enfin sa maman. Christine ne communiqua vraiment avec elle que le lendemain, tout en gardant une certaine distance, comme si elle rencontrait sa mère pour la première fois. Ce soir-là, après qu'on eut transféré de nouveau Gabby à l'hôpital et que Travis eut ramené les petites à la maison, Christine demanda si « maman était réveillée pour de bon, ou si elle allait se rendormir ». Même si les médecins affirmaient avec une quasi-certitude que ce ne serait pas le cas, ils n'excluaient pas une récidive, du moins pour l'instant. Les craintes de Christine faisaient écho à celles de Travis, et chaque fois qu'il trouvait sa femme assoupie ou simplement en train de se reposer après une séance de kiné assez éprouvante il avait un nœud à l'estomac. Paniqué à l'idée qu'elle n'ouvre plus les yeux, il la regardait, pantelant, et la poussait doucement du coude pour la faire réagir. Et lorsqu'elle remuait enfin, il ne pouvait dissimuler son soulagement et sa gratitude. Si Gabby acceptait au début les angoisses de son mari – en admettant être elle-même effrayée à l'idée de sombrer de nouveau dans le coma –, l'attitude de Travis finit par l'énerver. Une fois, en pleine nuit, Travis lui caressa le bras alors qu'elle était allongée à ses côtés. Gabby ouvrit les yeux et regarda la pendule : 3 heures du matin passées. Elle se redressa dans le lit et lui décocha un regard noir.

– Maintenant, tu arrêtes ! J'ai besoin de dormir. De façon régulière, sans qu'on me réveille pour un oui pour un non... comme tout le monde ! Je suis épuisée, tu comprends ? Je refuse de passer le restant de mes jours en sachant que tu risques de me donner un coup de coude toutes les heures !

Puis elle se tut. On ne pouvait guère classer l'incident dans la rubrique Disputes, puisque Travis n'eut pas le temps de réagir que Gabby lui tournait déjà le dos en marmonnant... Mais il trouvait l'attitude tellement... « gabbyesque » qu'il poussa un soupir de soulagement. Si désormais elle ne s'inquiétait plus de sombrer dans le coma, alors lui non plus n'avait aucun souci à se faire. En tout cas, il pouvait au moins la laisser dormir. À vrai dire, Travis ignorait s'il se débarrasserait un jour totalement de cette crainte. Pour l'instant, au beau milieu de la nuit, il l'écouta simplement respirer... et finit par se détendre pour s'endormir à son tour.

Tout le monde s'adaptait à la nouvelle situation, et Travis savait que cela prendrait du temps. Beaucoup de temps. Gabby et lui devaient encore discuter du fait qu'il n'avait pas tenu compte du testament de vie... et il se demandait s'ils allaient en parler un jour. Il devait aussi l'informer de leurs conversations imaginaires quand elle était hospitalisée... Cependant, Gabby avait peu de choses à révéler au sujet du coma proprement dit. Elle ne se souvenait de rien : aucune odeur, aucun bruit, pas même la télévision ou le contact de la peau de Travis.

– C'est comme si le temps s'était... arrêté, affirma-t-elle.

Mais peu importait. Tout était rentré dans l'ordre. Derrière Travis, la porte grillagée grinça, et il se tourna. Un peu plus loin, il vit Molly allongée dans les hautes herbes près de la maison ; quant à ce brave Moby, il dormait dans un coin. Travis sourit en voyant Gabby espionner ses filles et nota au passage son expression radieuse. Christine poussait Lisa sur la balançoire, et toutes les deux riaient aux éclats. Gabby s'installa dans le rocking-chair à côté de Travis.

– Le déjeuner est prêt, dit-elle. Mais je crois que je vais les laisser jouer encore un peu. Elles se régalent tellement...

– En effet. Elles m'ont mis sur les rotules tout à l'heure.

– Et si on allait tous faire un tour à l'aquarium dans l'après-midi, quand Stephanie nous aura rejoints ? Peut-être même qu'on pourrait manger une pizza en sortant ? J'en meurs d'envie.

Il sourit encore, pensant qu'il aimerait garder ce moment de bonheur pour l'éternité.

– Excellent programme. Ah, au fait... j'ai oublié de te dire que ta mère avait appelé quand tu étais sous la douche.

– Je la rappellerai plus tard. Faut aussi que je téléphone pour la pompe à chaleur. Impossible de rafraîchir la chambre des filles, hier soir.

– Je peux sans doute y jeter un œil.

– Vaudrait mieux pas. La dernière fois que tu as voulu la réparer, on a dû carrément en acheter une neuve. Tu t'en souviens ?

– Je me rappelle surtout que tu ne m'as pas laissé assez de temps.

– Ben voyons, le taquina-t-elle en lui faisant un clin d'œil. Sinon, tu préfères manger sur la véranda ou dans la cuisine ?

Il fit mine de réfléchir à la question, sachant que cela n'avait aucune importance. Dedans ou dehors, ils seraient réunis... Travis, sa femme et ses filles qu'il adorait. Alors, que demander de mieux ? Le soleil brillait, les fleurs s'épanouissaient au jardin, et la journée se déroulerait avec une facilité qu'il n'aurait jamais imaginée l'hiver précédent. Une journée normale, semblable à n'importe quelle autre. Et avant tout une journée où les êtres et les choses avaient retrouvé leur place.

– REMERCIEMENTS –

O.K., en toute honnêteté, il m'est parfois difficile de rédiger des remerciements pour la bonne et simple raison que ma vie d'auteur bénéficie d'une stabilité professionnelle plutôt rare de nos jours. Quand je repense à mes premiers romans et que je relis les remerciements en exergue d'*Une bouteille à la mer* ou des *Rescapés du cœur*, par exemple, je vois apparaître les noms de personnes avec lesquelles je collabore encore aujourd'hui. Depuis mes débuts, j'ai conservé le même agent littéraire et la même éditrice, et je peux en dire autant des attachées de presse, de l'agent pour le cinéma, de l'avocat spécialisé dans l'audiovisuel, de l'illustrateur de mes couvertures, des commerciaux, et de la productrice ayant financé trois des quatre adaptations de mes livres pour le grand écran.

C'est formidable, mais j'ai l'impression de me transformer en disque rayé lorsque vient le moment de rendre hommage à tous ces gens. Néanmoins, chacun d'entre eux le mérite amplement.

Bien sûr, je dois commencer – comme toujours – par Cat, mon épouse. Nous sommes mariés depuis dix-huit ans et avons partagé une jolie tranche de vie ensemble : cinq enfants, huit chiens (selon les époques), six maisons dans trois États différents, trois funérailles particulièrement tristes de divers membres de ma famille, douze romans et une œuvre non romanesque. Bref, depuis que le tourbillon a commencé, je ne peux concevoir de le vivre avec quelqu'un d'autre à mes côtés.

Mes enfants – Miles, Ryan, Landon, Lexie et Savannah – grandissent, lentement mais sûrement, et si je les aime avec toute ma tendresse, je suis également fier de chacun d'entre eux.

Outre le fait qu'elle compte parmi mes amis les plus proches, Theresa Park, mon agent au sein du Park Literary Group, n'en demeure pas moins fantastique. Intelligente, charmante et attentionnée, c'est l'une des bénédictions de ma vie, et je tiens à la remercier pour tout ce qu'elle a fait pour moi.

Jamie Raab, mon éditrice chez Grand Central Publishing, mérite elle aussi d'être saluée. Elle annote toujours mon manuscrit au crayon dans l'espoir de l'améliorer au maximum, et j'ai non seulement la chance d'avoir pu bénéficier de son intuition perspicace en matière de romans, mais aussi de la considérer comme une amie.

Denise DiNovi, la fabuleuse productrice ayant financé *Le Temps d'un automne*, *Une bouteille à la mer*, et *Le Temps d'un ouragan*, est ma meilleure amie à Hollywood, et j'ai hâte de retourner sur les plateaux de tournage, ne serait-ce que pour avoir l'occasion de la retrouver.

David Young, le nouveau directeur général de Grand Central Publishing (à présent, plus tout à fait nouveau, je suppose), est devenu un ami, et je dois le remercier du fond du cœur, car j'ai une fâcheuse tendance à rendre mes manuscrits au tout dernier moment.

Jennifer Romanello et Edna Farley sont toutes les deux attachées de presse et mes amies, et j'adore collaborer avec elles depuis la publication des *Pages de notre amour* en 1996. Chapeau bas, mesdames !

Un grand merci à Harvey-Jane Kowal et Sona Vogel, qui se chargent des corrections et repèrent toujours les « petites erreurs » se glissant inévitablement dans mes romans.

Je rends hommage à Howie Sanders et Keya Khayatian, de United Talent Agency, pour le succès des adaptations cinématographiques de mes romans. J'apprécie vraiment votre collaboration.

Scott Schwimer veille toujours sur mes intérêts, et j'en suis venu à le considérer comme un ami. Merci, Scott !

Je n'oublie pas non plus Marty Bowen, le producteur de *Dear John*. Je suis impatient de voir ce que cela va donner sur pellicule.

Bravo à Flag pour sa superbe couverture, une fois de plus !

Et enfin, mille mercis à Shannon O'Keefe, Abby Koons, Sharon Krassney, David Park, Lynn Harris et Mark Johnson.